LUDOVIC

LUDOVIC

Daniel Sernine

Données de catalogage avant publication (Canada)

Sernine, Daniel
Ludovic

(Collection Échos, Niveau II)
Pour les jeunes.

ISBN: 2-7625-7144-8

I. Titre II. Collection
PS8587.E77L83 1992 j813'.54 C92-096705-1
PS9587.E77L83 1992
PZ23.S47Lu 1992

Conception graphique de la couverture : Untel et Untel
Illustration de la couverture : Pierre Gosselin

Dépôts légaux : 4e trimestre 1992
Bibliothèque nationale du Québec
Bibliothèque nationale du Canada

ISBN: 2-7625-7144-8 Imprimé au Canada

LES ÉDITIONS HÉRITAGE INC.
300, Arran, Saint-Lambert (Québec) J4R 1K5
(514) 875-0327

Ludovic, roman fantastique pour adolescents. Montréal, éditions Pierre Tisseyre, 1983. 270p.

Quand vient la nuit, recueil de contes fantastiques. Longueuil, éditions Le Préambule, 1983. 265p.

Le Cercle violet, roman fantastique pour adolescents. Montréal, éditions Pierre Tisseyre,1984. 231p. Prix du Conseil des Arts en Littérature de Jeunesse.

Les envoûtements, roman fantastique pour jeunes. Montréal, éditions Paulines, 1985. 107p.

Aurores boréales 2, anthologie présentée par Daniel Sernine. Longueuil, éditions Le Préambule, 1985. 290p.

Argus : mission mille, roman de science-fiction pour adolescents. Montréal, éditions Paulines, 1988. 146p.

Jardins sous la pluie, récit pour enfants. Boucherville, Graficor, 1988. 40p.

La Nef dans les nuages, roman fantastique pour jeunes. Montréal, éditions Paulines, 1989. 153p.

Nuits blêmes, recueil de nouvelles fantastiques. Montréal, XYZ Éditeur, 1990. 126p.

Quatre destins, récits fantastiques pour jeunes. Montréal, éditions Paulines, 1990. 105p.

Boulevard des Étoiles, recueil de nouvelles de science-fiction. Montréal, Publications Ianus, 1991. 213p.

La Magicienne bleue, roman pour enfants. Montréal, éditions Pierre Tisseyre, 1991. 122p.

Boulevard des Étoiles 2 : À la Recherche de monsieur Goodtheim, recueil de nouvelles de science-fiction. Montréal, Publications Ianus, 1991. 221p.

La Fresque aux trois démons, récit pour jeunes. Lasalle, éditions Hurtubise HMH, 1991. 80p.

Le Cercle de Khaleb, roman pour adolescents. Saint-Lambert, éditions Héritage, 1991. 363p.

Les Rêves d'Argus, roman de science-fiction pour jeunes. Montréal, éditions Paulines, 1991. 155p.

Chronoreg, roman de science-fiction. Montréal, éditions Québec/Amérique, 1992. 390p.

Préface

Par une nuit ouatée de neige, Ludovic est mystérieusement entraîné dans un monde parallèle et se retrouve, seul passager, à bord d'un vaisseau-fantôme qui l'emporte vers une destination inconnue. Il accoste près du château de Cormélion, récemment attaqué. Capitaine des hussards de Drogomir, le Chevalier Pourpre vient d'y enlever Ligélia, la fille du comte Hasufald, seigneur des lieux, et l'emmène vers son maître qui veut l'offrir en sacrifice à un démon dont il est dangereux de prononcer le nom. Nain et magicien, Maître Thoriÿn attend Ludovic dans la demeure dévastée et lui dévoile l'ampleur de la mission qu'il va devoir accomplir...

...Et nous voilà transportés à travers le temps et l'espace vers un Moyen-âge de contes et de légendes où les valeureux chevaliers affrontent des dragons, assiègent des forteresses inexpugnables, offrent leur vie pour le triomphe de la justice, palpitent pour les beaux yeux d'une reine avec qui ils ont partagé un philtre d'amour... un monde où les magiciens s'affrontent, où les forces du mal surgissent des entrailles de la terre, où les forêts vibrent du souffle des fées et où une épée magique devient l'instrument de la justice entre les mains d'un jeune homme au coeur pur.

Impossible d'échapper au charme profond de ces pages! Comment rester insensible aux couleurs, au rythme, à la musique qui s'en dégagent ! Ensorcelé dès les premières lignes, l'innocent lecteur succombe à l'enchantement et s'embarque avec Ludovic pour les plus fabuleuses aventures. En palettes subtiles, les couleurs mettent en scène le décor. Les ors, les verts et les bleus sont apaisants, sereins, vivifiants. L'indigo devient troublant ; le rouge et le pourpre franchement menaçants tandis que le noir soulève l'horreur. Les événements se succèdent au rythme du galop aérien de Shaddaÿe, la licorne. On en reste essoufflé, haletant, moite, heureux. Si quelques moments de répit apparaissent dans la trame du récit, c'est que les héros ont besoin de panser leurs blessures, d'alimenter leurs rêves ou de faire le point afin de mieux combattre ensuite. Comme tous les mortels, ils pleurent, souffrent et doutent quelquefois mais rien ne peut les détourner de leur quête.

La poésie, le romantisme, la passion enfermés dans ce livre ont résisté avec bonheur au temps qui passe. Il suffit d'un geste... d'un doigt qui tourne une page pour que le décor surgisse, magique. Dix ans après sa première parution — mais peut-être a-t-il été écrit il y a mille ans — Ludovic n'a pas pris une ride. Il a gardé sa silhouette élancée de jeune homme, son coeur et ses rêves d'adolescent. Que dire aussi sur l'érudition et le travail de logique et de patience qu'il a fallu mettre en oeuvre pour asseoir la crédibilité de ce roman et lui permettre de devenir un classique ! L'auteur de cette magnifique fantasmagorie mérite toute notre admiration et aussi nos remerciements.

LUDOVIC ne pouvait sombrer dans l'oubli ; c'est pourquoi nous en avons fait le premier titre de la collection ÉCHOS-CLASSIQUES. Dans le domaine de la science-fiction et du fantastique, Daniel Serine est un auteur respecté dont la réputation dépasse largement nos frontières. Ses nombreuses oeuvres témoignent de sa vitalité et de l'incroyable richesse de son imaginaire. LUDOVIC est une oeuvre qui lui est particulièrement chère. Il y a mis ses rêves, sa fougue, sa passion, ses connaissances et un goût pour le merveilleux que fort peu d'adultes ont su conserver intact.

Bonne lecture !

ANGÈLE DELAUNOIS

Table des chapitres

1

Le vaisseau-rêve

La nuit était depuis longtemps descendue sur la forêt de Chandeleur. La première neige s'était mise à tomber, et elle ne tarda pas à recouvrir la contrée d'un linceul ouaté. Une vieille maison se dressait parmi les arbres, à une lieue de la petite ville de Chandeleur. Elle dominait un vallon boisé où cascadait un torrent, affluent de la Paskédiac. Dans cette demeure, que lui avaient léguée ses parents, vivait un jeune poète, un peu ermite.

Ludovic Bertin se reposait ce soir-là, dans la chaleur de son salon, d'une longue promenade qui l'avait mené aux chutes sans nom de ce torrent. Hormis le feu dans l'âtre, le salon n'était éclairé que par une lampe au globe multicolore, tel un petit vitrail bombé, émeraude, saphir, ambre et carmin.

Ayant refermé le livre qu'il lisait, un gros

volume au cuir usé, le poète laissa ses regards errer sur les objets qui l'entouraient. Sur la tablette de la cheminée, deux portraits. Celui d'un homme à demi chauve, à la barbe bien taillée, l'air sévère derrière ses lunettes cerclées d'argent : le professeur Philippe Bertin, qui avait été directeur de collège, historien et archéologue à ses heures. Dans un cadre jumeau, ovale, un portrait de femme, des yeux clairs dans un visage doux, sourire mélancolique d'une personne qui se sait déjà sur le chemin de la mort.

En regardant un peu à gauche, le jeune homme voyait, par la porte ouvrant sur le vestibule, le grand escalier aux rampes massives et, se détachant dans l'obscurité, le cadran blême d'une haute horloge. À mesure que s'apaisait le crépitement des flammes, son lourd tic-tac parvenait au salon, feutrant le silence d'une cadence envoûtante.

Ludovic resta longtemps immobile, hypnotisé par le discret martèlement des secondes. *Tac, toc;* le mouvement du pendule semblait aussi immuable que les cycles du Temps lui-même. *Tac, toc, tac, toc*; qu'il y eût ou non quelqu'un dans la maison, que son occupant dormît ou fût éveillé, les aiguilles avançaient inlassablement au rythme du balancier. *Tac, toc, tac, toc, tac, toc;* c'était comme une présence animée, le génie du foyer, l'organe par lequel vivait toute la maison. *Tac, toc, tac, toc, dong, dong, dong;* l'horloge sonna, son timbre grave s'inscrivant dans la cadence. *Dong, dong,* posément, avec une lenteur calculée, les coups profonds du carillon atteignirent puis dépassèrent le nombre de douze; pourtant il n'était pas plus de dix heures. *Dong*; les sourds tintements s'éteignirent peu à peu, comme par l'effet d'un éloignement à travers l'espace... ou le temps.

Quand le poète prit conscience du phénomène étrange et se secoua, il vit, ébahi, que le décor avait changé. L'horloge était toujours visible, haute et mince, artistement sculptée, indiquant dix heures et quelques minutes. Mais, derrière elle, les lambris étaient remplacés par une cloison; le plafond était bas, avec de grosses poutres sombres. Du mobilier originel, seul demeurait le fauteuil où était assis le jeune homme. Son salon avait été remplacé par ce qui semblait être une cabine d'officier de marine, avec des accessoires antiques: un bureau massif où s'étalaient des cartes maritimes et des compas, de vieilles mappemondes épinglées aux cloisons, un sextant et une lunette télescopique sur une étagère. Ludovic prit conscience d'un lent mouvement de tangage.

Déconcerté, il s'approcha de l'un des faux sabords qui se découpaient dans une cloison inclinée, et en ouvrit la croisée. Il vit la mer, descendant et montant avec régularité sous le ciel nocturne.

Ne comprenant rien à ce qui lui arrivait, le jeune homme sortit de la cabine et se retrouva sur le pont d'un voilier ancien, tout en bois clair.

Le vent gonflait ses voiles immaculées. Pour ajouter à l'incroyable, le vaisseau était désert et silencieux, hormis le claquement feutré de la toile et le grincement des vergues. Pourtant le navire avançait, sa voilure immense s'ajustant comme par magie aux sautes de vent.

Abasourdi, Ludovic l'était, mais pas autant qu'il aurait pu : comme s'il existait une certaine distance entre lui et ses sentiments. Ou mieux, un voile épais mais translucide qui l'isolait, mœlleux comme l'oreiller du dormeur.

Pourtant il voyait clairement ce ciel étranger. Les étoiles y brillaient d'un éclat extraordinaire, comme autant de planètes. Mais ce qu'il y avait de plus remarquable, c'était la lune, flottant tel un immense ballon sur l'océan : sphère vaporeuse où le jaune et le vert se mêlaient en volutes figées, un astre colossal.

La mer sur laquelle naviguait le voilier était aussi singulière. Les cartes, dans la cabine du capitaine, ne montraient que des rivages étrangers et des océans inconnus. Les flots étaient d'une transparence inusitée, comme du cristal, et semblaient en même temps d'une grande fluidité. Sous les vagues d'une hauteur modeste, on percevait une lueur mauve qui révélait un fabuleux royaume sous-marin, avec des impressions de cités et de palais, de dômes et de coupoles, de tours et de minarets, spectacle fantasmagorique et peut-être illusoire, rendu imprécis par la profondeur. C'était comme si le vaisseau survolait des terres inaccessibles. Parfois, de grandes ombres informes passaient au-dessus de ces paysages abyssaux.

Puis la mer s'assombrit et devint d'une opacité violette. De longues heures durant, la nef blanche navigua vers une destination inconnue. Son passager involontaire eut tout le loisir de s'interroger sur son extraordinaire aventure et sur le sort qui l'attendait. « Ça ne peut être qu'un rêve » se disait-il. « Et pourtant, ça n'a pas la forme d'un rêve ». Ludovic avait conscience de chaque heure qui s'allongeait, alors que, dans le rêve, le temps est raccourci, les péripéties s'enchaînent sans moment creux.

Ayant chaussé de hautes bottes, revêtu un pourpoint bleu royal et une grande houppelande gris clair, le jeune homme se tenait sur le gaillard d'avant, appuyé au bastingage. C'est de là qu'il aperçut les côtes d'un continent vers où cinglait le voilier. Une ligne de falaises se précisa sous la clarté lunaire, s'allongeant à perte de vue. Louvoyant entre des écueils que les vagues nimbaient d'écume, le navire entra dans une anse aux eaux calmes. L'ancre plongea et les voiles se ferlèrent toutes seules, comme si des dizaines de matelots invisibles et silencieux s'affairaient à la manœuvre.

La petite baie avait la forme d'un croissant; un cap s'élevait à l'une de ses pointes. Au sommet, Ludovic apercevait un château illuminé. Ainsi éclairé et rapetissé par la distance, il avait l'air irréel et faisait penser à une maquette.

Ramant vers le rivage à bord d'une chaloupe,

le poète put lire sur la proue le nom du vaisseau fantastique : Onéiros.

Le jeune homme débarqua sur la plage, faite d'un gros sable verdâtre, vaguement phosphorescent. Ayant découvert un sentier escarpé, il se mit à gravir la falaise et prit pied sur un plateau herbeux, à l'extrémité duquel se dressait le château qu'il avait aperçu. Ludovic eut un dernier regard vers l'anse, en contrebas, et il vit que le vaisseau-rêve reprenait la mer, apparaissant de haut comme un grand joyau finement ciselé, irréel dans sa blancheur.

Le jeune homme rejoignit une route. Vers l'intérieur des terres, elle menait à un village lointain. Mais Ludovic préféra la suivre dans l'autre direction, jusqu'aux grilles d'un vaste parc. Il eut un sursaut d'horreur : devant les portes ouvertes, trois sentinelles en uniforme gisaient égorgées.

Au bout de la pelouse se dressait un petit château, pâle dans la clarté lunaire, avec ses pignons et ses tourelles élégantes, ses campaniles et ses lanternes. Un escalier monumental flanqué de chimères menait à la grande porte. À nouveau, Ludovic horrifié dut enjamber les corps exsangues de quatre gardes.

Un des vantaux était entrebâillé, mais personne ne répondit aux coups de heurtoir que donna le visiteur. Il entra donc, dans un grand hall brillamment illuminé où de hautes glaces se renvoyaient l'éclat des lustres. Les salles que le jeune homme visita une à une étaient richement meublées, tendues de draperies somptueuses, éclairées par des candélabres argentés où cependant quelques bougies s'éteignaient, au bout de leur mèche.

Le silence qui régnait en ces lieux contribuait aux appréhensions de Ludovic. Il traversa des couloirs décorés de banderoles multicolores, un salon où des trésors d'orfèvrerie s'étalaient dans des armoires vitrées, une longue galerie où s'alignaient statues et peintures, une salle de banquet dont la table portait les restes d'un plantureux festin. Il atteignit une vaste salle de bal; comme dans le reste du château, un certain désordre témoignait d'un départ précipité.

Au fond de la salle, deux fauteuils sur une estrade, à la manière de trônes. À première vue, l'endroit semblait désert. Mais Ludovic sursauta en apercevant, assis sur les marches de l'estrade, un nain vêtu d'un costume de bouffon en satin vert. La soudaineté de cette vision fut telle que Ludovic eut l'impression que le petit homme avait surgi du néant. Sa taille était celle d'un enfant, mais sa barbe en collier, le gris dans ses cheveux roux et les rides dans son visage sympathique trahissaient un âge mûr. Il parla, d'une voix de fausset, et un pauvre sourire éclaira sa figure triste:

— Maître Thoriÿn, pour vous servir. Bienvenue au château de Cormélion. Vous mériteriez un accueil plus chaleureux, beau sire, mais le banquet a été interrompu.

— Que s'est-il passé ? J'ai vu des gens assassinés aux entrées du château...

Le visage du nain s'assombrit davantage :

— Le Chevalier pourpre est venu cette nuit avec ses hommes. Ils ont forcé les portes de la maison, ils ont fait irruption dans cette salle et, sous les yeux mêmes des invités, ils ont enlevé Ligélia, la fille du comte Hasufald, seigneur de ces lieux.

— Mais personne ne les en a empêchés ?

— Hélas ! Le Chevalier pourpre a un pouvoir maléfique, qui glace d'effroi ses adversaires. Cependant, quelques braves se sont lancés à sa poursuite : le baron Tinuviar, le chevalier Ésofald, et leurs écuyers. D'autres sont partis raccompagner les invités à leurs demeures, au cas où d'autres envahisseurs écumeraient la campagne. Mais Tinuviar et ses hommes reviendront bredouilles, je le crains, ou peut-être ne reviendront-ils pas du tout. Le vieux comte Hasufald s'est retiré dans ses appartements, et sa maisonnée garde le silence. Moi seul suis resté à vous attendre.

— Vous m'attendiez ?! Je suis ici par un hasard incroyable ; vous ne pouviez savoir...

Le nain costumé en bouffon se leva et entraîna Ludovic hors de la salle de bal, en expliquant :

— Tout de suite après la fuite du Chevalier pourpre, je suis monté dans ma tour pour consulter la bouteille d'Arthanc. J'y ai vu une nef blanche approchant des côtes d'Uthaxe et, à sa proue, un jeune chevalier drapé d'une cape claire: c'était vous, et j'ai compris que vous arriviez à notre secours.

— Holà, holà!

Par des couloirs déserts et de grands escaliers, les deux hommes se dirigeaient vers les étages supérieurs du château.

— Le Chevalier pourpre emmène sûrement Ligélia à son maître le prince Drogomir, tyran de Troïgomor. Le Prince noir est un redoutable nécromancien. Il convoite la belle Ligélia parce qu'elle est fille d'une dryade, Iriaëlle, qui fut longtemps l'épouse du comte Hasufald avant de repartir vers les siens.

Thoriÿn et son hôte atteignirent, par un étroit escalier en colimaçon, l'appartement du nain au sommet de la plus haute tourelle du château. Télescope antique et lunettes d'approche, ainsi que des cartes du ciel, laissaient deviner que cet homme costumé en bouffon était aussi astronome. Et très érudit, à en juger par les étagères chargées de livres qui meublaient la pièce.

Le ciel s'éclairait des lueurs de l'aube. Thoriÿn conduisit Ludovic à une fenêtre. Il montra une ligne sombre au bout de la plaine vallonnée:

— Là-bas, à la frontière nord d'Uthaxe, c'est l'Ithuriën, la Ghaste Forêt, royaume des sylvains. C'est un peuple d'immortels, paisibles mais étranges, ni alliés ni ennemis d'Uthaxe, mais farouchement hostiles au prince Drogomir et à ses créatures. Nul ne s'aventure dans la Ghaste Forêt car elle est ensorcelée. Les arbres, ou du moins certains d'entre eux, y sont plus vivants qu'il n'est naturel de l'être. Les oiseaux y sont d'espèces inconnues, et les animaux y paraissent doués de raison. Pour arriver plus vite au pays de Troïgomor, tu devras passer par l'Ithuriën.

— Mais qui vous dit que j'irai là-bas ?

Le nain ignora cette protestation et continua :

— Au-delà se dressent les monts Osmégomor. C'est là que le Chevalier pourpre emmène la comtesse Ligélia. Il ne trouvera pas le voyage facile : Ligélia n'a pas froid aux yeux, et fera son possible pour s'échapper, j'en suis sûr. Le prince Drogomir l'attend dans sa forteresse, l'Askiriath. Si tu vas la chercher, tu auras à affronter mille dangers, mais la récompense sera à la mesure de ton exploit. Car le fiancé de la comtesse, le roi Fréald, est puissant et généreux.

— Et pourquoi ne le prévient-on pas pour qu'il aille lui-même à la recherche de sa fiancée ?

— La guerre contre l'Empire sarse le retient à l'ouest : il assiège la cité de Samarkol, qui peut tomber d'un jour à l'autre, ce qui lui permettrait d'imposer la paix. Je vais te confier une carte des régions que tu auras à traverser et une boussole très fiable.

— Vous ne croyez pas que j'irai, moi, tout seul, affronter ce sorcier dans son château fort ?!

Thoriÿn eut un sourire narquois et désigna une table basse, recouverte d'un drap de velours bleu nuit, brodé de symboles argentés. Ce que vit Ludovic sur cette console lui confirma que le nain était bien plus que le simple bouffon dont il avait le costume: maître Thoriÿn était magicien.

— La bouteille d'Arthanc, souffla le petit homme.

Et il approcha sa baguette d'argent de la carafe. De section carrée, avec des parois finement taillées et un goulot argenté, elle semblait contenir un liquide indigo ou violet, qui s'illumina peu à peu comme sous l'action d'un feu intérieur. Bientôt, la bouteille brilla d'un beau bleu et une image commença à se former en son centre, d'abord floue comme une vapeur, mais se précisant graduellement. C'était le visage d'une jeune femme au teint clair, encadré de longs cheveux châtains dont les vagues débordaient sur ses épaules. La gravité de ses yeux sombres était adoucie par un sourire narquois, qui donnait du caractère à sa figure parfaite. Sa beauté avait quelque chose de plus qu'humain, un charme surnaturel qu'elle devait tenir de sa mère, la dryade qui avait épousé un mortel.

Ému jusqu'au tréfonds de son être, le jeune homme contempla la vision jusqu'à ce qu'elle s'estompe et que la bouteille magique redevienne sombre. Ne doutant pas un instant de l'effet ensorcelant de cette vision, Thoriÿn reprit la parole:

— Et maintenant, suis-moi dans la cour d'honneur: on t'a préparé une monture.

Derrière le château, dans la pénombre grise de l'aube, Ludovic vit un animal bien insolite: on eût dit un très grand cheval beige, à la crinière et à la queue d'un blanc immaculé, mais il portait sur son front une longue corne légèrement torsadée.

— C'est une licorne, un animal très rare élevé dans les prairies bleues de Mendaluÿn. Celle-ci a nom Shaddaÿe, « la Bourrasque », parce qu'elle est vive et rapide. Elle fut offerte par Fréald à la comtesse Ligélia lors de leurs fiançailles. Malgré leur grâce, les licornes sont plus endurantes que les chevaux, et peuvent galoper plus vite que le plus rapide coursier. Shaddaÿe ne se fatiguera pas avant que tu n'aies ramené la comtesse saine et sauve à Cormélion.

Un écuyer avait apporté pour Ludovic une armure légère: casque, cotte de mailles et gantelets. Abasourdi par l'enchaînement des événements, il ne songeait plus à s'y opposer: ce monde étrange s'emparait de lui. Déjà, Ludovic ne s'interrogeait plus tellement sur la façon dont il s'était retrouvé ici.

Il enfourcha sa monture, dont la selle était cloutée d'argent et sertie de perles. Dans ses fontes, il y avait des provisions pour plusieurs jours.

— Une dernière chose, dit encore le nain. Arrête-toi à l'abbaye de Saint-Corustin, à l'orée de la Ghaste Forêt. Tu y trouveras l'épée et le bouclier qui ont appartenu au légendaire roi Garthbar, inhumé là-bas. Les moines, qui en ont la garde, te les confieront; tu en auras bien besoin. Va, et que les Puissances te soient en aide!

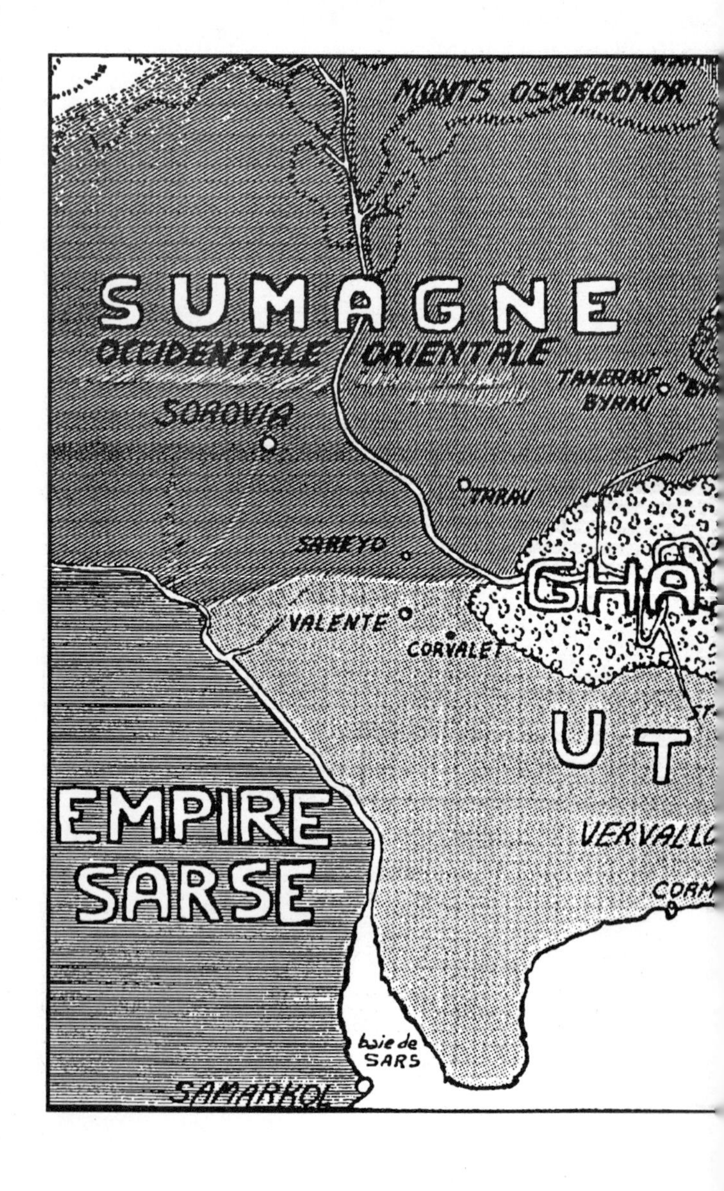
MONTS OSMÉGOMOR
SUMAGNE
OCCIDENTALE
ORIENTALE
SOROVIA
TARAU
SAREYO
VALENTE
CORVALET
EMPIRE
SARSE
baie de
SARS
SAMARKOL

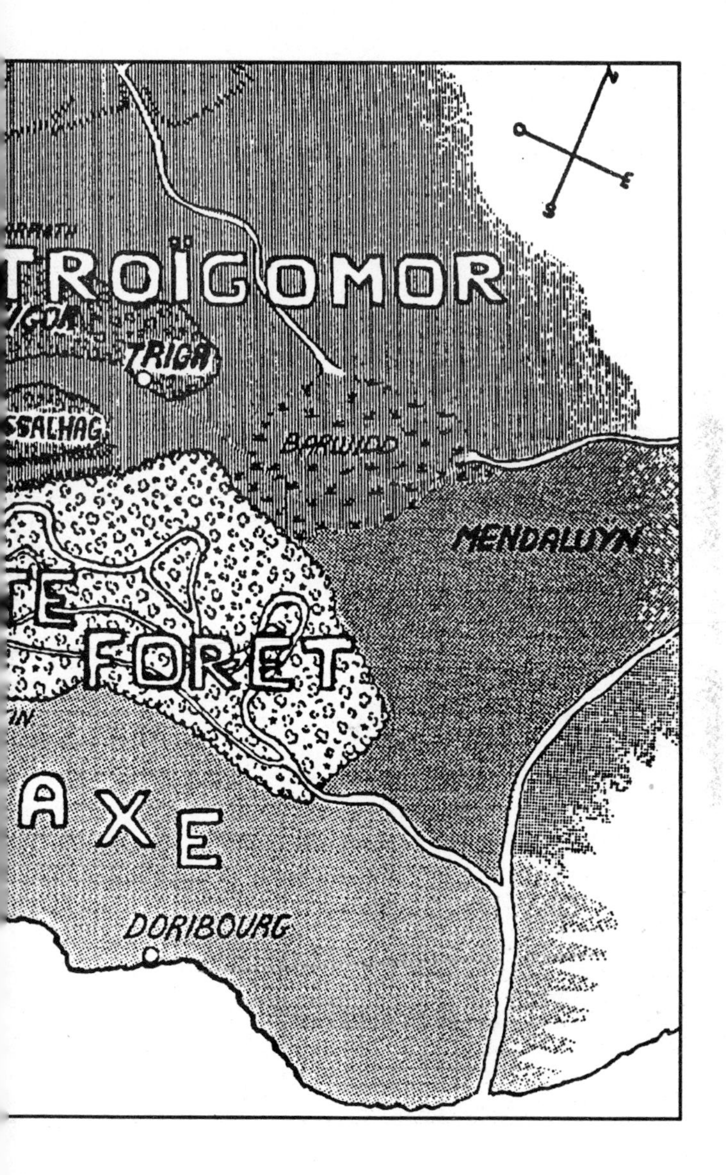
N
O
E
S
TROÏGOMOR
TRIGA
SSALHAG
MENDALUYN
FORET
AXE
DORIBOURG

2

Dans la Ghaste Forêt

Les paysans qui s'étaient levés à l'aube virent passer à bonne vitesse une licorne portant un jeune cavalier dont les cheveux flottaient au vent. La course de la licorne a ceci de particulier que ses mouvements semblent relativement lents, à cause de la souplesse et de l'ampleur des foulées, ce qui donne une impression de légèreté comme si l'animal volait. Quant au cavalier, il a la sensation d'une course en douceur, comme si les sabots s'enfonçaient dans un nuage plutôt que de frapper le sol; ceci lui permet d'endurer des étapes beaucoup plus longues qu'avec un cheval commun.

En deux jours, Ludovic traversa le royaume d'Uthaxe, ses champs dorés, ses pâturages verdoyants, ses villages aux petites maisons gaiement colorées. Il lui semblait n'avoir jamais connu d'autre pays, et le souvenir du petit manoir dans les bois de Chandeleur s'estompait déjà.

Le soleil se couchait quand le poète arriva à l'abbaye de Saint-Corustin, construite à l'écart sur une butte qui dominait une lande peu habitée. Taciturnes, les moines lui offrirent un repas frugal et un gîte pour la nuit.

Le jeune homme fut tiré de son sommeil par des cantiques qui lui parurent venir de loin. Intrigué, il se vêtit, quitta sa cellule et se retrouva dans le préau, sous la lumière argentée des étoiles. Il vit que les grandes portes de la chapelle étaient ouvertes et que la nef était éclairée en rouge. Il y entra, hésitant, et constata que l'intense rougeoiement venait d'une grande rosace au-dessus du maître-autel, un vitrail écarlate derrière lequel flambait un brasier. Dans le chœur, des dizaines de moines immobiles, en coule blanche, formaient un arc de cercle face au visiteur; leurs visages restaient dissimulés dans l'ombre de leurs grandes capuches.

L'un des religieux se tenait un peu en avant des autres et, comme celui de ses confrères, son froc était teint en rouge par l'éclairage. D'un geste de la main, il fit signe à Ludovic de s'approcher. Intimidé, le jeune homme traversa la nef, tandis que les chants s'apaisaient. Impressionné par tant de solennité, il mit un genou en terre devant le moine qui lui avait signe. Ce dernier prit, sur une table à sa gauche, une grande épée qu'il tira de son fourreau. Elle avait une poignée en améthyste et une longue lame de bronze à deux tranchants, à la base de laquelle des caractères étaient gravés. Le moine parla, d'une voix étonnamment grave:

— Voici l'épée Arhapal, forgée jadis pour le roi Garthbar.

Le religieux leva l'épée comme pour l'abattre sur Ludovic, et sa lame polie brilla d'un feu sombre dans la lumière écarlate du vitrail.

— Moi, grand prieur de Saint-Corustin, en vertu des pouvoirs que me confèrent les traditions d'Uthaxe, je te fais chevalier. Que ta quête soit accomplie noblement, loyalement, et que les Puissances te soient en aide.

Ce disant il avait touché, avec la lame, la tête et les épaules du jeune homme. Il lui remit l'épée, puis le grand bouclier du roi Garthbar.

Sur un geste du prieur, le nouveau chevalier se leva et se retira, sans encore avoir vu le visage des religieux ni de leur abbé.

* * *

Toute la journée du lendemain, le voyageur avança dans la Ghaste Forêt, porté par la licorne le long de sentiers à peine tracés, se fiant à la boussole de maître Thoriÿn. Les feuillages, bien que riches et fournis, semblaient légers comme mousseline. À travers leur voûte floconneuse, les rayons du soleil n'arrivaient aux sous-bois que teintés de vert. À cela s'ajoutait une brume ténue, que l'astre diurne striait de faisceaux parallèles, et qui estompait le lointain des clairières, la cime des arbres. Les fûts gris clair se dressaient, minces et hauts, parfois couverts d'une fine mousse céladon. Par endroits, des rideaux de lierre pendaient des frondaisons, agités par la brise comme des draperies verdoyantes. Le sol, en maintes places, était gazonné comme une pelouse; ailleurs, la fougère cachait l'humus de sa délicate dentelle.

Des oiseaux aux plumages chamarrés, aux immenses queues duveteuses, planaient entre les hautes branches en lançant des appels mélodieux. On sentait dans toute cette forêt une atmosphère surnaturelle qui tenait à la lumière tamisée, à la fraîcheur de l'air où flottaient des parfums de plantes rares, à un certain silence qui y régnait. Un genre de magie vivifiait la forêt jusque dans ses moindres ramilles, de sorte qu'elle semblait agitée d'un constant frémissement, tout juste perceptible à l'œil.

Vers la fin de l'après-midi Ludovic parvint à une rivière rapide et profonde, assez large. Selon la carte, il s'agissait d'un fleuve, le Sinduriën. Il aurait fallu le traverser, ce qui semblait impossible. Aussi le cavalier se mit-il à suivre le cours d'eau, à une bonne distance du bord car la berge elle-même était escarpée. L'autre rive était plus sombre et densément boisée.

Peu à peu, le voyageur eut l'impression d'être épié. À force de regarder autour de lui, il crut déceler des mouvements furtifs dans les sous-bois, sans pouvoir distinguer des silhouettes. Pourtant, Shaddaÿe ne donnait aucun signe d'inquiétude, comme s'il n'y avait pas de danger.

C'est seulement un peu plus loin que Ludovic aperçut, brièvement mais clairement, la silhouette d'un enfant vêtu de vert, qui disparut derrière un tronc d'arbre. Deux autres gamins lui apparurent ensuite, aussi furtivement, comme s'ils jouaient à cache-cache. En même temps, il crut entendre des rires enjoués et cristallins, mais cela aurait pu être un trille lancé par un oiseau. Décontenancé, le cavalier appela, à tout hasard:

— Qui va là ?

Il ne reçut pour toute réponse qu'un rire clair qui retentit tout près de lui. Le jeune homme arrêta sa monture et scruta les bois devant lui. Alors il eut un sursaut. À califourchon sur une branche basse, un enfant se tenait juste en face de lui. Un adolescent, plutôt, de quinze ou seize ans, avec des cheveux blonds assez longs et de jolis traits, des yeux vifs et pétillants. À l'examen, cependant, le visage paraissait empreint d'une certaine maturité.

Il portait des escarpins, un pantalon ajusté et une tunique, le tout d'un vert changeant, tantôt clair, tantôt sombre, tirant parfois sur le gris, selon l'environnement et l'éclairage. C'était ce camouflage, et l'immobilité du personnage, qui lui avaient permis de passer inaperçu jusqu'à ce que le voyageur se fût presque heurté à lui.

C'était un sylvain, un de ces êtres de légende, cousins des farfadets, des faunes et des nymphes. Les sylvains dépassaient rarement la taille d'un adolescent et leur stature était en proportion de leur hauteur. Agiles et rapides, ils apparaissaient et disparaissaient à volonté, jouant ainsi sur les superstitions des mortels, qui osaient rarement s'aventurer sur leur domaine. L'Ithuriën était leur royaume ; ils étaient amis des arbres et des bêtes, des fleurs et des oiseaux, les protecteurs de la forêt. C'étaient eux qui maintenaient sur la sylve l'envoûtement bénéfique que les humains percevaient comme un sortilège.

Le sylvain parla, d'une voix claire et mélodieuse qui s'harmonisait avec son allure jeune :

— Holà, bel étranger ! Où vas-tu donc, dans cet équipage guerrier ? Il y a longtemps qu'on n'a vu un mortel en Ithuriën.

Rassuré par son aspect inoffensif, Ludovic répondit :

— Je vais au pays de Troïgomor, par la forêt de Rassalhiën, et je cherche un gué ou un pont pour traverser la rivière.

Le visage plaisant du sylvain se rembrunit :

— Chez le Nécromant et ses gnomes perfides ? Les honnêtes gens ne fréquentent pas ce sorcier.

— Et pourtant je dois y aller, pour délivrer la comtesse Ligélia qu'il a fait enlever par le Chevalier pourpre.

— Ton audace confine à la folie. Je crois que notre reine voudra entendre ton histoire. Suis-moi.

Le petit être sauta de sa branche et, prenant Shaddaÿe par la bride pour la mener le long des sentes :

— Mon nom est Lorelan, se présenta-t-il. Et toi, qui es-tu?

* * *

Au crépuscule, Lorelan et le cavalier, escortés par quelques autres sylvains, arrivèrent en un endroit où la rivière, s'élargissant et se divisant en deux bras d'inégale importance, encerclait un îlot boisé. Celui-ci était accessible de la Ghaste Forêt par une passerelle jetée au-dessus de l'étroit pertuis, où l'eau sombre clapotait parmi les rochers. Shaddaÿe avait le pied sûr; quant aux sylvains, ils traversèrent la passerelle avec insouciance, leur démarche légère et souple comme une danse.

L'îlot Féliuriën, aussi nommé Ile aux Fées, était la demeure de la reine Lauriane et de sa cour. Ils y habitaient au sommet des arbres, comme il est coutume chez les sylvains et les dryades. Il faisait presque nuit quand le voyageur fut amené dans une clairière, éclairée par des lanternes inusitées: des cages de verre filé renfermant de grosses lucioles d'une espèce très brillante qu'on ne rencontre qu'en Ithuriën. Au fond de la clairière, sous un dais de lierre, une dryade était assise sur un trône sculpté dans le bois d'une vieille souche. Blonde, comme tous ceux de son peuple, mais d'un ton or nuancé de cuivre, elle avait la sereine beauté d'une femme mûre malgré sa taille de jeune fille. Son regard était profond, d'un vert émeraude, et son sourire avait quelque chose d'énigmatique.

— Bienvenue en Ithuriën, dit-elle quand Ludovic se fut découvert et incliné devant elle. On me dit que vous partez affronter le prince Drogomir pour libérer la vaillante Ligélia. C'est une noble cause, et le tyran mérite bien qu'on défie son arrogance. Mais je doute que vous puissiez le vaincre, fût-ce avec l'épée magique du roi Garthbar. Pourtant nous vous aiderons, car nous détestons le Nécromant, qui exige des sacrifices humains de son peuple. Il a étendu son influence maléfique jusqu'au Sinduriën et enténébré la forêt de Rassalhiën qui autrefois faisait partie de notre royaume. Aujourd'hui les arbres y sont pourris et méchants, leur ombrage abrite le peuple des gnomes, qui nous craint et nous hait. C'est une race vile et sournoise, une hideuse caricature du bon peuple des lutins, créée pour ramoner les trous de la terre et se nourrir de pourriture.

Ce disant, sa voix s'était durcie; toutefois elle redevint douce pour prononcer:

— Mais cette nuit vous êtes notre hôte pour souper et pour dormir. Demain vous pourrez traverser le Sinduriën et poursuivre votre route.

C'est ainsi que le jeune homme fit la connaissance de la reine Lauriane et de son peuple. Il participa à leurs danses, bien qu'avec moins de grâce qu'une dryade ou qu'un sylvain, écouta la musique envoûtante de leurs flûtes, de leurs lyres et de leurs harpes, se laissa charmer par leurs chants et par la mélancolie de leurs poèmes. Dans le ciel limpide, la lune était un grand croissant bleu. Car ce monde avait plusieurs lunes, et on voyait rarement la même d'une nuit à l'autre.

* * *

Quand on éveilla Ludovic à l'aube, Shaddaÿe était déjà prête et on avait garni ses fontes de provisions: des feuilles de céruel, une plante aux vertus nutritives exceptionnelles, et de l'eau fraîche puisée à la source enchantée de Finngal, qui jaillit au centre de l'Ile aux Fées.

La belle Lauriane, vêtue d'une longue robe de mousseline céladon, offrit au voyageur un cadeau magnifique. C'était un bandeau doré, tissé avec des cheveux de dryade ou de sylvain, destiné à maintenir sur le front une pierre de sylve, joyau rarissime qu'on trouve au cœur de certains arbres quand ils sont foudroyés par l'éclair. Elle ressemblait à une émeraude pâle, ou à un grand diamant glauque, et rayonnait du pouvoir bénéfique des sylvains.

— Ce bijou, déclara Lauriane, est appelé Silvaran, du nom du joaillier qui le tailla.

Ensuite, guidé par la reine, escorté par le peuple blond, le jeune homme fut mené sur l'autre berge de l'îlot, en face de la forêt de Rassalhiën, obscure dans la pénombre de l'aurore. Le fleuve était lisse, couvert d'une légère vapeur.

— Ne dirait-on pas un miroir noir, remarqua la dryade. Mais ce calme est trompeur, et sous sa surface un courant glacé coule à vive allure. Vous traverserez sur le Pont des Brumes.

— Je ne vois pas de pont, fit Ludovic en regardant à gauche et à droite.

— Et pourtant à certains moments, à l'aube et au crépuscule, il apparaît bel et bien, fantôme d'un pont qui se dressait ici au temps jadis. Regardez, le voilà...

Et le jeune homme vit. La brume s'était faite plus dense au-dessus du fleuve, à tel point qu'elle cachait maintenant l'autre rive et montait aussi haut que les arbres. Entre les volutes de ce brouillard, le voyageur discerna une arche de cristal au-dessus du cours d'eau. D'abord aussi ténue et immatérielle qu'un arc-en-ciel, elle prit ensuite l'apparence fragile du verre filé. C'est seulement la confiance que lui inspirait le peuple de la forêt qui encouragea Ludovic à s'y engager. Il fit un geste d'adieu à la reine Lauriane.

D'un pas sûr, Shaddaÿe franchit le Pont des Brumes. Le soleil, voilé par une mince couche de nuages, n'apportait que peu de lumière à la forêt de Rassalhiën. C'étaient des boisés denses, où le sol était humide, l'air moite et fétide. Les arbres y étaient noirs, les troncs noueux, couverts de lichens et de champignons, les feuillages lourds, d'un vert foncé, avec d'épais rideaux de mousse pendant des branches tourmentées. Il régnait là une fraîcheur malsaine qui glaçait la peau, un brouillard où la silhouette des troncs prenait des allures menaçantes. Nul oiseau ne chantait et le silence n'était troublé que par de furtifs glissements dans les broussailles. En l'ombre des sous-bois, des yeux blêmes épiaient sans cesse; on sentait l'hostilité des arbres et on devinait la reptation sournoise des vipères.

Malgré sa nervosité, la licorne ne montrait aucune défaillance et enjambait aisément les trous et les racines tordues. D'instinct, elle évita un ravin traîtreusement dissimulé par la brume, contourna un marais aux vases putrides, peuplé de crapauds.

Puis vinrent les gnomes. C'était un peuple de nains difformes, aux visages de gargouilles, basanés, hirsutes, avec des dents jaunes et une haleine infecte. Courts et trapus, ils vivaient dans des grottes souterraines, où ils accédaient par des trous sous les roches ou les racines. L'éclat du soleil leur était intolérable; seul le couvert de la forêt leur permettait de sortir en plein jour.

Les gnomes se manifestèrent peu après que Ludovic fut entré dans leur territoire. Moins agiles que les sylvains, ils trahissaient parfois leur présence par des craquements de branches mortes et des froissements de broussailles. Cependant, la pénombre aidant, leurs habits terreux les camouflaient bien et, s'ils restaient immobiles, on pouvait les confondre avec une grosse motte de terre ou un rocher moussu.

Les nabots se montrèrent peu, mais deux sagaies sifflèrent aux oreilles du voyageur et une troisième se ficha dans la cotte de mailles qu'il portait sous son pourpoint depuis son départ de Cormélion. L'attaque ne dura guère, car les gnomes virent la pierre de sylve que le jeune homme portait à son front. Ludovic aperçut brièvement, au-dessus d'une souche, le visage grimaçant d'un gnome, les yeux arrondis de frayeur. L'être s'enfuit, on entendit des chuchotements affolés et des couinements aigres. Le Silvaran avait fait son effet, jetant parmi les assaillants la frayeur de son éclat vert, comme si tout le courroux du peuple blond était soudainement allumé contre eux. Aussi, bien qu'il sentît constamment leur présence derrière lui, Ludovic ne fut plus harcelé par les nabots.

Malgré la vertu protectrice de son diadème, le chevalier n'osa pas s'arrêter pour dormir dans cette sinistre forêt. Aussi continua-t-il sa route dans l'obscurité, se fiant à l'instinct de sa monture. Les ténèbres étaient absolues, hormis un pâle rayon de lune qui, de temps à autre, arrivait à percer l'épais feuillage. Et pourtant, le jeune homme parvenait à voir à quelques pas devant lui car la pierre de sylve qu'il portait à son front diffusait une lueur verdâtre.

Déjà sinistre en plein jour, la forêt de Rassalhiën devenait la nuit un lieu effrayant. Parfois le ululement des rapaces déchirait le silence, relancé par l'appel rauque de bêtes sans nom. Et, sans cesse, il y avait derrière Ludovic le glissement furtif des gnomes, qui se dirigeaient dans le noir aussi bien qu'un humain dans la clarté. Quand le voyageur se retournait, il voyait les yeux jaunes des petits êtres refléter la lueur du Silvaran.

Toute la journée du lendemain, Ludovic avança encore, et c'est seulement au crépuscule qu'il arriva à la lande désolée de Chuvigor. Sous un ciel ouvert, il scruta les environs à la recherche d'un gîte pour la nuit. Il le trouva sous la forme d'une grange abandonnée.

Il en repartit à l'aube pour traverser une contrée rocailleuse, garnie par endroits de broussailles avec, de loin en loin, des bosquets d'arbres chétifs ou de conifères. Le temps était encore couvert, un vent froid balayait la lande. Ludovic évitait les rares villages et, quand d'aventure il apercevait quelque autre voyageur ou une patrouille à cheval, il quittait la route pour se dissimuler parmi les buissons.

Vers le milieu de l'après-midi, cependant, il ne put éviter d'être vu, juste après un tournant de la route, par un vieux mendiant qui marchait dans la même direction que lui. Le vieillard se retourna au bruit des sabots et Ludovic n'eut pas le temps de se cacher.

Le vieil homme portait une pèlerine grise élimée et son capuchon relevé laissait son visage dans l'ombre, sauf la barbe, qui s'étalait sur sa poitrine. Il observa Ludovic à son passage, semblant très intéressé par la pierre de sylve qu'il portait au front, et par les armes pendues à sa selle. Ludovic sentit longtemps le regard du vagabond dans son dos.

Vers la fin du jour, le voyageur atteignit la forêt de Chuvigor, dans laquelle il s'engagea. Elle était peuplée de grands arbres et de conifères, avec assez peu de sous-bois. Au crépuscule il déboucha dans une clairière grossièrement circulaire où de hautes pierres dressées délimitaient un cercle au centre duquel se trouvait un dolmen. Dans la grisaille de la brunante, l'endroit avait le caractère grave et solennel d'un temple. Ludovic choisit de camper à l'orée de la clairière, près d'un bosquet de sapins.

Quand il s'éveilla, une grosse lune incarnate baignait la clairière d'une lueur sanglante. Un chant résonnait dans la forêt, un chant aux accents guerriers rythmé par de grands tambours. Cela se rapprochait et Ludovic eut tout juste le temps de se dissimuler avec sa licorne dans un bosquet de sapins, alors que les premières torches apparaissaient entre les arbres. Plusieurs dizaines, voire quelques centaines de flammes approchaient en cohorte entre les fûts noirs, et bientôt une étrange troupe déboucha dans la clairière. En tête venaient une dizaine de vieux hommes drapés d'amples robes claires, portant chevelures et barbes longues : sans doute des prêtres ou des druides. Les deux derniers menaient par une corde un captif vêtu d'une tunique blanche, que la lune teignait en rose. Ensuite venaient, en rangs désordonnés, des dizaines et des dizaines de guerriers, vêtus d'étoffes grossières, de fourrures ou de cuirs, portant parfois des cuirasses rudimentaires, tous casqués et armés de lances, d'épées ou de haches.

Tous les porteurs de flambeaux se placèrent en cercle à l'intérieur de l'enceinte délimitée par les pierres dressées, formant une circonférence de flammes qui illuminaient parfaitement la scène. Les druides s'immobilisèrent face au dolmen. Le silence se fit, et Ludovic entendit des gémissements qui reportèrent son attention vers le prisonnier, un adolescent aux cheveux sombres. Il tentait parfois de s'enfuir, mais ses mains étaient liées derrière son dos, ses jambes étaient entravées, et ses deux gardiens tenaient fermement les cordes.

Les prêtres se mirent à chanter, ou à prier, avec l'accompagnement lancinant des binious, des bombardes et des tambours. C'était une musique au rythme obsédant; les paroles revenaient comme celles d'une litanie.

Cela dura un bon moment, après quoi quatre druides conduisirent le captif au dolmen. Par des degrés taillés dans l'une des pierres verticales, ils parvinrent à la plateforme, haute comme deux hommes. Là ils étendirent leur prisonnier sur le dos et l'attachèrent par les poignets et les chevilles à des anneaux rivés dans le roc. Promis à quelque supplice cruel, le garçon redoubla ses vains appels à la pitié, tandis que ses geôliers rejoignaient les autres officiants et formaient avec eux un arc de cercle face au dolmen. Alors la musique gagna en intensité, la cadence s'accéléra et les incantations se firent plus véhémentes.

Ce crescendo continua jusqu'à atteindre une fureur exceptionnelle, puis les clameurs furent coupées net : une lueur verte était apparue sous le dolmen et l'on vit surgir des profondeurs mêmes de la terre une grande ombre, une silhouette humaine drapée de noir, dont la tête était hérissée de multiples cornes. Un murmure effrayé courut dans l'assemblée des guerriers et un mouvement de recul se dessina dans leur cercle. Quant aux prêtres, on en vit quelques-uns vaciller devant la brusque apparition.

Alors ils lancèrent une phrase où Ludovic crut reconnaître le nom de Drogomir. La silhouette noire, émergeant de sous le dolmen, gravit les marches et se dressa derrière le martyr. Celui-ci hurlait maintenant hystériquement, l'épouvante convulsait son visage, tandis que son corps ligoté se tordait sur la pierre froide. Se penchant, l'homme approcha sa main de la gorge offerte ; Ludovic, horrifié, crut qu'allait s'accomplir une immolation.

Mais il n'y eut pas de sang et la victime ne sembla pas avoir été étranglée : simplement, le captif se calma et parut plongé dans une somnolence. Ses liens furent brisés par l'homme noir, qui le leva dans ses bras et redescendit au sol. Toujours silencieux, il entra sous le dolmen avec sa proie inconsciente et disparut dans les profondeurs de la terre, tandis que s'éteignait la lueur verte.

Le voyageur avait assisté à toute la scène, impuissant à intervenir devant un si grand nombre de guerriers. Même si l'homme noir avait été seul, Ludovic n'aurait pas eu le courage de l'attaquer, tant avait été intense la crainte que lui avait inspirée son apparition.

Le sacrifice consommé, les druides reprirent leurs incantations durant quelques instants, puis ils quittèrent le cercle de pierres levées, suivis par les guerriers. Quand les dernières torches eurent disparu au cœur de la forêt, et que la clairière fut redevenue silencieuse sous la lune rouge, Ludovic rejoignit sa monture et s'éloigna, toujours hanté par l'angoisse que lui avait causée l'apparition de l'homme noir. Il se demanda où il trouverait le courage de l'affronter en personne, et envisagea sérieusement d'abandonner sa quête. Seul le retint le doux souvenir du visage de Ligélia.

* * *

Après cette forêt, moins étendue que celle de Rassalhiën, Ludovic arriva enfin à une région de collines grises et tourmentées, les monts Osmégomor. Toujours couvert, le temps s'était encore refroidi, et le jeune homme se réjouit d'avoir apporté la houppelande trouvée sur le vaisseau fantôme.

C'est le lendemain, durant la matinée, que Ludovic entendit les loups. Un hurlement isolé d'abord, puis un autre, et encore un, plus prolongé. Bientôt ils furent plusieurs à se répondre et le voyageur eut l'impression qu'ils se rapprochaient. Inquiet, il mit sa licorne au trot, regardant sans cesse vers sa gauche, d'où venaient la plupart des sinistres appels. Il ne tarda pas à voir une silhouette quadrupède se profiler sur la crête d'une proche colline. Une autre la rejoignit, puis il y en eut trois, cinq, bientôt dix, découpées en noir sur le ciel.

Plein d'appréhension, Ludovic éperonna sa monture, qui partit au galop. Ce fut le signal de la poursuite : les loups dévalèrent la pente rocheuse et furent rejoints dans le ravin par une meute aussi nombreuse.

Shaddaÿe courait le long d'une cavée au sol inégal, encombrée de roches et de broussailles. Malgré la sûreté de son pas, elle ne pouvait galoper aussi vite qu'en terrain plat. Les loups ne gagnaient pas de distance, mais ils n'en perdaient pas non plus, et quelques congénères étaient venus grossir leur nombre. L'issue de la poursuite restait incertaine, mais le fuyard avait peu de motifs d'optimisme.

C'est alors que le cavalier avisa, sur une terrasse naturelle où croissaient quelques arbres chétifs, une hutte de pierre avec un toit de branchages. Il dirigea son coursier vers ce refuge inespéré. Au sommet de la pente il sauta à terre et, adossé à la cabane, il fit face aux poursuivants en brandissant son épée. Un bref combat contre l'avant-garde des loups lui prouva l'inutilité d'une telle défense. Quelques bêtes furent tuées, dont une fut encornée par Shaddaÿe, mais l'ennemi était mobile, capable d'attaquer de tous les côtés. Trop féroces et affamés pour craindre le glaive de leur proie, les loups avaient pour eux la force du nombre, car le gros de la meute arrivait.

Aussi Ludovic fit-il entrer sa licorne dans la cahute et la suivit-il à reculons, pour claquer la porte au museau des assaillants. L'unique pièce comportait deux fenêtres munies de volets rudimentaires, qui étaient fermés. Il y avait un foyer au fond de la masure mais, sans bûchettes pour faire un feu, le réfugié était condamné à un séjour bien inconfortable.

Les loups commencèrent une sarabande qui dura une bonne partie de la journée; ils venaient, de temps à autre, gratter rageusement à la porte. Parfois Ludovic collait un œil à la fente d'un volet, pour découvrir avec consternation que la meute avait augmenté de quelques individus. Il vit aussi que la neige, probablement la première de la saison, s'était mise à tomber. Pourtant au sud, en Uthaxe, l'automne commençait à peine à dorer quelques feuillages.

Il songea à la première neige qui tombait, autour de son petit manoir près de Chandeleur, le soir où avait commencé cette aventure. Cela lui paraissait si loin qu'il aurait pu s'agir d'une autre vie; il passait maintenant des heures sans y repenser. Et depuis longtemps il avait renoncé à trouver une explication; l'hypothèse du rêve était désormais exclue. Il se demandait parfois s'il n'était pas mort là-bas, se trouvant réincarné dans cet autre monde pour une nouvelle existence.

* * *

Ludovic avait dû s'assoupir après la tombée de la nuit; c'est un concert d'aboiements furieux qui le fit sursauter et bondir vers une fenêtre. Dehors, le sol enneigé s'illuminait d'éclairs roses, révélant par à-coups les bonds désordonnés des loups, qui semblaient réagir contre une attaque; parmi eux s'agitait une silhouette humaine armée d'une torche. Surpris, Ludovic crut reconnaître le vieux mendiant rencontré sur la route; il s'alarma de sa situation précaire. Il s'élança vers la porte et, brandissant son épée, se porta en renfort au vieillard. Ce n'était toutefois pas l'homme qui avait le dessous, puisque les bêtes s'enfuyaient en gémissant, déboulant la pente sans demander leur reste.

— Eh bien, il était temps, fit le mendiant en se retournant vers le jeune homme. Il était temps que j'intervienne.

Il désignait la porte grossièrement équarrie, sous laquelle la terre avait été creusée. Avec une crainte rétrospective, Ludovic imagina les loups se glissant sous le battant et lui sautant à la gorge durant son sommeil.

— Entrez pour vous protéger de la brise et dites-moi qui vous êtes, invita le jeune homme, en lorgnant avec curiosité le bâton qui servait de flambeau au vieillard et qui brûlait d'une étrange flamme rosée, vive et régulière.

— Qui je suis? répondit l'inconnu en fermant la porte. On m'appelle Méricius. Je voyage. Je vis de l'aumône des villageois, devant qui je fais quelques tours de passe-passe : je suis un peu illusionniste. Mais parle-moi plutôt de toi.

La voix du prestidigitateur était claire et un peu chevrotante, mais douce, et dégageait un charme certain. Sous la grande barbe grise, son visage ridé semblait sourire. Ses yeux, qui paraissaient mauves, étaient vifs et brillants.

— Dis-moi, insista le vieillard, qui es-tu et où vas-tu, chevauchant une blanche licorne ?

Et Ludovic de lui expliquer son histoire, bien que cela ne fût pas très prudent de sa part, en pays hostile et devant un pur inconnu. Mais son interlocuteur inspirait confiance par son air affable, et le jeune homme chassa toute hésitation.

Malgré le flambeau de Méricius, qui semblait ne jamais devoir se consumer, le froid de la nuit pénétrait dans la hutte ; Ludovic frissonna.

— Bois ceci, proposa le vieil homme en lui tendant une fiole de cristal grenat. Cette liqueur te réchauffera et te donnera grand courage pour quelques jours. C'est un breuvage utilisé par les guerriers du Nord pour s'enhardir avant les grandes batailles. On le nomme « élixir de Philéliambtar ». Tu en auras besoin pour affronter le Chevalier pourpre et son maître.

Ludovic hésita, flaira la burette, puis se décida à en avaler une petite gorgée. Elle lui fit sur le palais un effet inusité, une intense chaleur qui lui procura une brève griserie. Escamotant son petit flacon, le prestidigitateur se mit à parler du pays où ils se trouvaient, la Sumagne, qui autrefois avait été plus fertile et de climat plus doux. Il causa aussi des peuples qui l'habitaient, vivant dans la terreur du tyran Drogomir et lui sacrifiant des enfants pour s'épargner sa colère.

— Les jeunes victimes qu'on lui laisse, expliqua le vieillard, il les offre en pâture aux démons qu'il évoque dans son donjon. C'est un nécromancien: il cultive son pouvoir en pactisant avec les Puissances du Mal.

Et quand Méricius prononçait le nom du Nécromant, une lueur de haine brillait dans ses yeux.

3
Le donjon de l'Askiriath

Ludovic avait dû s'endormir tranquillement et, quand il s'éveilla, aux côtés de Shaddaÿe dont les flancs étaient tièdes, il ne se rappela pas le départ du vieil errant. Il faisait encore nuit, des nuages épais masquant l'approche de l'aube. Ludovic ouvrit la porte de son abri, et c'est alors qu'il put constater la vertu magique de l'élixir que lui avait fait boire Méricius. La potion supprimait sûrement la peur, car Ludovic ne fut nullement effrayé par ce qu'il vit, seulement étonné: autour de la hutte dansait une ronde de feux follets, des dizaines de petites flammes bleues ou vertes, à l'éclat discret et aux formes changeantes. Parfois elles évoquaient le visage d'un lutin espiègle ou la silhouette minuscule d'un farfadet: difficile de savoir si ce n'était qu'une illusion due aux caprices du feu, ou s'il s'agissait réellement d'esprits. Une musique à peine perceptible accompagnait cette farandole, un tintement plus ténu que celui d'un carillon éolien. Cela ne dura qu'un instant, puis les feux follets parurent se volatiliser, et la neige ne garda aucune trace de leur ronde. Peu après, une échancrure dans les nuages laissa percer la lumière de l'aurore.

Ce jour-là, le temps fut variable, des périodes de pénombre succédant à des intervalles ensoleillés qui faisaient fondre la neige. Dans le ciel se bousculaient de gros nuages sombres, parfois frangés de lumière par les rayons du soleil. C'est au milieu de l'après-midi que le voyageur, sans avoir fait de mauvaise rencontre, arriva en vue de l'Askiriath, la forteresse septentrionale du prince Drogomir. Massive, hérissée de tours pointues et de créneaux, elle se dressait sur le mont Osmériath. Cette éminence, l'une des plus élevées des Osmégomor, s'avançait en pointe au-dessus d'un précipice aux falaises verticales, le gouffre d'Oskith.

Du sommet de la colline où il se trouvait, Ludovic embrassait toute la vallée menant au pied de l'Osmériath. Il aperçut une troupe de cavaliers se dirigeant vers la forteresse et, malgré la distance, il crut distinguer une tache pourpre, la cape d'un chevalier, et une autre de couleur azur, peut-être le bas d'une robe de bal. Avec désespoir, Ludovic comprit que, à cause des loups, il avait perdu l'occasion d'intercepter le Chevalier pourpre et sa captive avant qu'ils n'atteignent la forteresse. Mais cela ne le fit pas renoncer à sa folle entreprise.

Il descendit vers le défilé qui menait au pied du mont Osmériath. De grands oiseaux sombres tournoyaient au-dessus de la forteresse, mais c'était là le seul signe de vie, hormis une fumée bleuâtre montant d'une cheminée, et d'occasionnels rougeoiements derrière les murailles, comme dans le cratère d'un volcan.

Si tout le pays de Troïgomor était plongé dans la désolation, il y avait ici, en plus, une atmosphère d'angoisse, flottant comme une aura autour du château fort. Malgré l'élixir que lui avait fait boire Méricius, le jeune homme ne pouvait se défendre d'un malaise à l'approche de l'Askiriath.

Vers la fin de la journée, il atteignit la base du mont Osmériath, à l'endroit où s'amorçait une route étroite qui gravissait l'escarpement en décrivant des lacets. Une arche se dressait à l'entrée du chemin, taillée dans le roc noir et portée par des diables sculptés dans la pierre.

Ayant passé cette porte, le voyageur sentit croître son anxiété. Sa licorne, qui n'avait cessé de montrer des signes de nervosité, était de plus en plus réticente à gravir cette pente.

En un certain endroit, l'escarpement était fendu sur toute sa largeur par un profond ravin, comme si le mont Osmériath avait été fêlé d'un formidable coup de sabre. Ce ravin, au fond duquel coulait un torrent glacé, n'était franchissable que par un étroit pont de pierre. Cet accès était gardé par un dragon; il logeait dans une tour trapue érigée à l'entrée du pont, côté forteresse.

Ludovic fit connaissance avec Gwifur à mi-chemin au-dessus de l'abîme, et il faillit être désarçonné quand Shaddaÿe se cabra en voyant le dragon surgir de son antre. Le jeune homme fut saisi de frayeur. Gwifur n'était pourtant pas un gros dragon: dressé sur ses pattes de derrière, allongeant son cou écailleux, il portait sa tête à quatre mètres du sol. L'envergure de ses ailes membraneuses était médiocre: il ne devait guère pouvoir voler haut, ni très longtemps. Par contre sa queue, mince comme un fouet mais munie d'une dorsale en dents de scie, était d'une longueur respectable. Ce n'était pas un de ces monstres gigantesques des temps jadis, mais il était quand même redoutable avec ses grandes cornes, ses crocs acérés. Les flammes qu'il crachait suffisaient à éloigner tout intrus.

Il attaqua le premier, et son feu illumina le ravin, où s'épaississaient déjà les ténèbres du soir. Ludovic dut à son pavois de ne pas être brûlé vif. Ce grand bouclier était enchanté, comme l'épée Arhapal, et il repoussa les flammes sans se faire chauffer au rouge. Le dragon ne répéta qu'une ou deux fois cet assaut flamboyant: le museau brûlé par la chaleur cuisante que lui renvoyait le bouclier, il chercha une autre tactique.

Rendu téméraire par le Philéliambtar, Ludovic profita du désarroi de Gwifur pour charger.

D'un coup d'épée, il piqua la bête au poitrail; elle bondit en arrière à grand renfort d'ailes.

Dressé sur ses pattes d'en arrière, le dragon agita ses antérieurs griffus pour parer les coups et tenter d'arracher le bouclier. Sa tête surplombant entièrement l'adversaire, il tentait de le mordre à la nuque, et réussit effectivement à lui faire perdre son casque. Mais l'épée magique, brillant d'un vif éclat à chaque coup porté, lui infligeait de cuisantes morsures, pénétrant entre ses écailles, entamant son cuir épais, comme si la poigne qui la maniait avait la vigueur d'un colosse.

Le monstre fit usage de sa queue, cinglant son adversaire comme avec un fouet, mais un fouet aussi coupant qu'un rasoir. Le premier coup aurait sectionné le poignet de Ludovic, si ce n'eût été son gantelet métallique, qui absorba le choc. Le jeune homme dut cesser d'escrimer et il se retrancha derrière son grand bouclier, qui dévia plusieurs coups de queue. Sous la fureur de cette offensive, Ludovic chancela. Il vit le moment où, acculé au bord du pont, il vacillerait dans l'abîme.

Alors il brandit son épée et, au coup suivant, la queue fut tranchée par la vigueur de son propre mouvement. La bête eut un rugissement de surprise et de souffrance. Un sang pâle, fluide, coula de l'appendice tronçonné.

Enhardi, le jeune homme attaqua à nouveau et, d'un audacieux coup de taille, cassa une patte qui tentait de le lacérer. Puis, d'un coup d'estoc, il perça le poitrail du dragon. Le monstre eut un hurlement d'agonie qui retentit dans toute la vallée de l'Osmériath et se répercuta d'une colline à l'autre: cette fois, la lame avait fouillé la chair et touché un organe vital.

En un sursaut de fureur désespérée, dressant son long cou et penchant sa tête, Gwifur cracha de haut tout son feu. Abrité sous son pavois, Ludovic sentit déferler ce torrent de flammes et eut l'impression de rôtir dans un four. L'armature métallique du bouclier vira au rouge tandis que le bois noircissait, et le jeune homme dut le lâcher, sentant à travers son gantelet une terrible brûlure.

Ainsi découvert, Ludovic ne dut son salut qu'à sa promptitude. Avant que le dragon n'ait pu reprendre son souffle, il sabra d'un geste ample: la terrible lame, rencontrant la bête, lui ouvrit le cou. Il n'y eut pas de cri de mort, juste un jaillissement de sang bouillant qui retomba en averse.

Un silence profond se fit sur l'Osmériath. De son donjon, le prince Drogomir étonné regarda plus attentivement le jeune intrus.

La carcasse massive du dragon gisait en travers du pont, dans une mare fumante. Shaddaÿe dut faire un bond prodigieux pour franchir l'obstacle. Ensuite elle reprit, réticente, la montée vers les portes de l'Askiriath. Son cavalier était meurtri, brûlé par endroits. Après la joie de la victoire, il sentait à nouveau s'abattre sur lui l'angoisse que la forteresse générait, telle une aura maléfique. La nuit était tombée et de gros nuages couraient dans le ciel, masquant fréquemment les lunes jumelles, deux disques blancs suspendus presque l'un au-dessus de l'autre.

Alors, le Nécromant déploya ses sortilèges. Dans le ciel au-dessus du château fort apparurent des lueurs spectrales, qui se précisèrent en images d'épouvante : stryges aux yeux féroces, lamies grimaçantes, démons flamboyants, chimères et griffons, hydres à cinq têtes, oiseaux de cauchemar. Mais ce n'étaient que des images. Lorsqu'elles fonçaient sur Ludovic, rien ne le touchait. La première frayeur passée, il se rassura, fort des vertus magiques du Philéliambtar. Et, quand il lança un rire insolent aux murailles de l'Askiriath, le spectacle s'interrompit.

Dans son donjon, le prince Drogomir eut un chuintement incrédule. Délaissant ses artifices, il manda son vassal le Chevalier pourpre.

Lorsque Ludovic atteignit les remparts, au bord d'un fossé profond et sans eau, le pont-levis fut abaissé, les portes furent ouvertes et les lourdes herses relevées. Au-delà, une lice s'étendait jusqu'aux douves qui isolaient le château proprement dit. Celui-ci se dressait dans toute sa hauteur, avec ses courtines crénelées, ses tours d'angle massives, son imposant donjon carré et sa tour de guet au faîte conique.

Ludovic songea qu'il s'agissait d'un piège, mais il n'avait plus tellement le choix après s'être rendu si loin. Il passa donc les remparts.

La lice était éclairée par deux rangées de flambeaux, le long des douves et le long des remparts. En face de Ludovic, le pont-levis du château s'abaissa dans un fracas de chaînes et de poulies. La porte à double vantail s'ouvrit et voici qu'apparut Draïkar, le redoutable Chevalier pourpre, un colosse. Son destrier était un énorme hippogriffe à qui on avait amputé les ailes — inutiles de toute façon à cause du poids du cavalier et de son armure.

Le Chevalier lui-même était engoncé dans une armure sombre; il portait bouclier et lance de tournoi. Il devait son surnom à la couleur de son blason, de son ample cape et du panache de son heaume. Surtout, son sobriquet faisait allusion au sang qui tachait ses mains, le sang des ennemis de son maître et celui de ses malheureux sujets, quand les premiers avaient l'audace de le défier et les seconds la témérité de se rebeller.

Le prince Drogomir envoyait le capitaine de sa cavalerie écraser l'impudent vainqueur de Gwifur. Absolument confiant en l'invincibilité de Draïkar, le Nécromant se désintéressa de l'affaire pour retourner à ses sinistres préparatifs. Car pour lui était enfin venu le moment d'évoquer le démon Abaldurth, afin de s'allier sa puissance maléfique. Telle évocation ne pouvait se faire qu'une nuit de Saburgye, quand les lunes jumelles Déïmil et Réïgil étaient pleines. C'était chose rare; le sorcier n'entendait pas manquer l'occasion.

Ludovic sentit la peur nouer sa gorge. Le Chevalier pourpre arriva en lice et, ayant fait une pause devant le jeune homme, lança d'une voix sarcastique :

— Alors, Chevalier blond, c'est toi qui viens défier la puissance de l'Askiriath ? Un freluquet, presque un gamin, imberbe comme un sylvain et à peine plus grand !

Étonné par l'audace que lui avait donnée la potion de Méricius, Ludovic s'entendit répliquer :

— Un gamin, soit, mais qui a terrassé le dragon sans coup férir. Je porte les armes du roi Garthbar.

Draïkar sembla ébranlé par cette riposte car sa réplique fut moins ironique :

— On verra ce qu'elles valent. En attendant, prends cette lance et prépare-toi.

Il s'éloigna vers une extrémité de la lice, tandis qu'un écuyer s'approchait de Ludovic pour lui tendre une grande lance de tournoi, lourde et encombrante. Il la prit et dirigea sa monture vers l'autre bout du terrain. Shaddaÿe était manifestement effrayée et lorgnait constamment vers la sortie. Le cavalier dut se pencher sur son encolure et, caressant sa longue crinière blanche, lui murmurer des paroles rassurantes. Alors la licorne redressa fièrement la tête et se mit en position, fixant d'un regard glacé l'énorme hippogriffe qui lui faisait face au bout de la lice.

— Prêt ? cria Draïkar, se souciant fort peu de

l'équité des chances, puisque son opposant ne portait même pas une armure complète.

Et le guerrier de s'élancer sans autre avis, au lourd galop de son destrier. Mais Shaddaÿe fut vive: elle partit presque en même temps. Légère et rapide comme le vent, elle couvrit en quelques secondes les trois quarts de la distance séparant les combattants, et fonça sur le Chevalier pourpre avant que son lourd hippogriffe n'ait acquis le formidable élan qui était son atout lors de la première passe d'un tournoi. Aussi Draïkar ne réussit-il pas à embrocher Ludovic du premier coup, comme il l'espérait, mais seulement à le désarçonner. Quant à Shaddaÿe, elle reçut une longue écorchure sur le flanc gauche; toutefois la blessure n'était pas profonde.

Quand le guerrier revint à la charge, son jeune adversaire s'était remis du choc et l'attendait de pied ferme, tenant Arhapal à deux mains. Le Chevalier pourpre fonça avec une clameur. Pourtant Ludovic ne fut pas encore transpercé; au contraire, sautant de côté lestement au dernier moment, il évita la lance et la rompit près de la garde, d'un formidable coup d'épée.

À la troisième passe, alors que Draïkar, vociférant, faisait tournoyer un fléau d'armes, Ludovic dévia le terrible coup avec son pavois et taillada une patte de l'hippogriffe. La bête broncha, s'écroula, et son cavalier roula sur les pavés dans un grand bruit de ferraille tandis que son fléau d'armes rebondissait loin de lui.

Déjà ébranlé par sa première chute, Ludovic venait d'être terriblement meurtri au bras gauche par le choc de la masse sur son bouclier. Mais il s'élança impétueusement vers son adversaire tandis que Shaddaÿe, le flanc ensanglanté, s'attaquait à coups de corne au monstre blessé. Le Chevalier pourpre se remettait à genoux et tirait son sabre du fourreau quand Ludovic fonça sur lui. Un premier coup, que le guerrier reçut sur l'avant-bras gauche, lui rompit le gantelet et lui fêla le cubitus. Draïkar laissa échapper un halètement, ahuri par la puissance des coups que portait son jeune adversaire; sûrement cela venait des vertus magiques de son épée. Le guerrier était robuste, cependant, et continua à se relever. À genoux, déjà, il était aussi haut que son opposant. Un coup furieux sur la main droite lui fit lâcher son sabre et lui arracha un grognement de douleur, tandis que l'épée magique faisait voler des étincelles. Un troisième coup heurta de plein fouet le heaume du Chevalier pourpre et le fit tinter. L'homme gémit et du sang coula de sous le vantail de son casque. Étourdi, il voyait se démener devant lui ce fougueux chevalier dont il s'était moqué, mais qui maintenant le frappait avec la fureur d'un petit démon.

Arhapal brilla une dernière fois sous l'éclat argenté des lunes. Maniée avec une précision impitoyable, la pointe rencontra sa cible: cuir et chair furent tranchés, entre le gorgerin et le plastron. Le grand guerrier tomba face contre terre.

Son râle dura un instant, tandis que le sang se répandait sur les dalles. Bientôt il ne fut plus qu'une carcasse inanimée de chair et de fer.

Ludovic vacilla, étourdi par la violence des coups qu'il avait portés, ou plutôt qu'Arhapal avait portés pour lui. À nouveau un silence mortel planait sur l'Askiriath, après le tintement des épées et des armures. Il semblait bien que nul n'avait été témoin de la défaite du redoutable guerrier, car rien ne bougea dans la forteresse. Ou alors, si quelque valet ou écuyer avait assisté à la victoire du jeune chevalier, peut-être n'osait-il pas intervenir contre celui qui avait terrassé Gwifur et Draïkar. Ce qu'ignorait le jeune homme, c'est que tous les soldats de la garnison étaient occupés dans le château, mettant la dernière main à de sinistres préparatifs. Quant aux esclaves, la plupart étaient enfermés pour la nuit dans leurs dortoirs.

Reprenant son souffle, Ludovic jeta un coup d'œil à Shaddaÿe qui, la corne ensanglantée, se dressait fièrement près de l'hippogriffe, un sabot appuyé sur la carcasse inanimée.

Un appel rauque déchira le silence. Levant la tête, le jeune homme vit que quelques-uns des grands rapaces qui planaient au-dessus de la forteresse s'étaient rapprochés de la scène du combat, flairant sans doute la charogne. Ludovic fit signe à sa licorne de s'abriter dans le passage d'entrée des remparts, puis s'engagea à pied sur le pont-levis menant au château. À peine eut-il franchi le long et sombre couloir menant à la cour intérieure, que l'euphorie de son triomphe s'estompa et que le sentiment d'appréhension s'abattit à nouveau sur lui, plus intense qu'auparavant. Il était maintenant au cœur de la forteresse, et l'immense donjon se dressait devant lui, noir et menaçant, flanqué d'une haute tour de guet. Le donjon était isolé par des douves qu'on ne pouvait sans doute traverser que par une passerelle située du côté opposé.

Le jeune homme entendit une lamentation, qui venait des hauteurs. Levant les yeux il vit, à la lumière argentée des lunes jumelles, une silhouette claire à une fenêtre du donjon. Elle était reconnaissable malgré la distance : la belle comtesse Ligélia, prisonnière du Nécromant.

La jeune femme disparut, sans avoir aperçu Ludovic. Malgré la crainte qui l'habitait, celui-ci n'hésita pas : il fallait pénétrer dans le donjon et en gagner les hauteurs.

Mais il était impossible de passer par la cour basse : des dizaines de soldats s'affairaient aux créneaux des tours. On entendait quelques tintements de marteaux, mais il était difficile de préciser la besogne en cours. Il s'agissait apparemment de fixer des cordes au parapet, côté cour, mais dans quel but ? Quoi qu'il en fût, ces gens auraient vite repéré quiconque traverserait la cour basse. Le jeune homme envisagea de parvenir au donjon par un passage sous les douves, s'il y en avait un.

Il s'introduisit dans le château par les écuries, trouva un corridor. Là commença pour lui une longue errance dans le formidable dédale de l'Askiriath. Le Silvaran, qu'il portait toujours à son front, lui fut utile en maints passages que nulle torche n'éclairait.

Couloirs et galeries, escaliers droits ou en spirale, salle vastes et sonores, Ludovic avançait presque à l'aveuglette, conscient qu'il lui arrivait de repasser aux mêmes endroits. Il se retrouva par hasard dans une crypte funéraire où s'alignaient des gisants, passa devant des soupiraux où on ne distinguait que des rougeoiements de forge, frôla des portes qui étouffaient des bruits insolites, faillit tomber dans une fosse où stagnait une eau fétide.

Une fois, Ludovic fut alerté par une rumeur qui se rapprochait, un concert de gémissements et de lamentations. S'étant dissimulé en hâte dans un renfoncement de la muraille, le jeune homme vit passer une cohorte de prisonniers aux chevilles entravées et aux mains liées derrière le dos. Il y en avait une centaine, surtout des femmes et des vieillards, que les gardes menaient comme du bétail. Autant que par le sort de ces malheureux, Ludovic fut troublé par l'aspect des soldats: des visages pâles et maigres, au regard vide. On eût dit des spectres. La troupe passa et le tumulte décrût.

Ayant emprunté une galerie souterraine où l'eau suintait de la voûte, et ayant trouvé une fenêtre en haut d'un escalier, le jeune homme put voir qu'il avait enfin franchi les douves et se trouvait maintenant dans le donjon. Il lui restait à gagner les étages supérieurs.

Il passa devant une alcôve, fermée par une grille. Il n'y avait de place que pour un lit étroit et une petite table, mais ce n'était pas sordide ni malsain comme un cachot. Un garçon s'y trouvait, mains serrées sur les barreaux, visage anxieux. Ludovic crut avoir déjà vu ce visage. Il reconnut le jeune captif qu'on avait ligoté sur un dolmen, dans la forêt de Chuvigor, et qu'avait emporté le Prince noir.

— Je vois que vous n'êtes pas un de ses hommes, lança le prisonnier. Sortez-moi d'ici, par pitié !

— Mais comment briser cette serrure ? répliqua Ludovic qui n'avait guère de temps à perdre.

— La clé est dans une niche, là, sur ce mur. Il me garde ici pour me narguer et m'humilier chaque fois qu'il passe, il entre parfois pour me forcer...

— « Il », l'interrompit Ludovic, c'est le prince Drogomir ?

— Oui. Je suis le fils de son ennemi juré, et il se venge sur moi.

Ludovic avait trouvé la clé, sur le mur du couloir, tout à fait hors de portée du prisonnier.

— Tiens, fit-il en la lui lançant. Bonne chance. Moi, je dois continuer.

— Je ne vous oublierai pas, chevalier, remercia le captif tandis que Ludovic s'éloignait déjà.

Ludovic devait avoir gravi deux ou trois

étages, le long d'un nouvel escalier, lorsqu'il fut témoin d'une scène atroce, par la fenêtre. Il voyait une tour d'angle, une tour flanquante et une courtine les reliant. Entre chaque créneau des faces intérieures de ces tours, et sur le parapet de la courtine, des cordes étaient fixées à des anneaux rivés dans la pierre. Des soldats s'employaient à faire grimper des prisonniers sur les parapets, à la pointe de l'épée. Chacun de ces malheureux avait une corde au cou, reliée à l'anneau le plus proche. À un signal que Ludovic ne vit pas, les victimes furent poussées dans le vide. Des dizaines de corps gigotèrent puis se raidirent au bout de leur corde, au-dessus de la cour intérieure; leurs râles parvinrent jusqu'à Ludovic. Les corps devinrent inertes, oscillant contre la pierre.

Le témoin fut arraché à cet horrible spectacle par des cris et des exclamations. On se bousculait là-haut, et une femme était de la partie. En quelques bonds, Ludovic monta les trois derniers étages pour déboucher à l'extrémité d'un corridor. Il vit un garde, un colosse, pousser la comtesse Ligélia par une porte et refermer le battant; il boitait. Brandissant Arhapal, le jeune homme courut à cette porte, mais il eut la présence d'esprit de ne pas l'ouvrir brusquement. Il colla son oreille au battant et c'est ainsi qu'il fut prévenu du retour presque immédiat du garde. Celui-ci quittait l'appartement, après y avoir laissé sa captive; maintenant il se tenait le flanc en grimaçant, il semblait de fort mauvaise humeur. Ludovic le supprima sans bruit, par derrière, et rouvrit la porte qui n'était pas verrouillée. Il se trouva derrière une lourde tenture noire qui le séparait de la pièce au-delà.

Il vit une salle vaste qui devait occuper tout le sommet du donjon, et qui était plongée dans la pénombre. Tendue et tapissée de velours noir, elle n'était éclairée que par un brasero où dansait une flamme jaune et verte. Sur le plancher était peint un grand pentacle, dont les pointes rejoignaient presque les murs de la salle. L'espace délimité au centre par le pentagone était renfoncé, son plancher invisible à Ludovic. Ce pouvait être un puits s'ouvrant sur toute la hauteur du donjon, jusqu'aux entrailles de l'Osmériath.

Dans l'une des pointes du pentacle, près de la fosse, Ligélia tournait le dos au jeune homme, liée par les poignets à une colonnette dressée devant elle. Toujours vêtue de la robe de bal azur qu'elle portait lors de son enlèvement, elle s'acharnait en sanglotant sur des nœuds qui semblaient de fer — la corde elle-même avait l'épaisseur d'un petit doigt.

Du côté gauche de la salle, entre deux branches du pentacle, se tenait un grand homme tout drapé de noir. Ludovic le reconnut à son casque cornu, mais surtout parce qu'il ressentit à nouveau la crainte qu'il avait eue la première fois qu'il l'avait aperçu, dans la forêt de Chuvigor, prenant sur le dolmen la jeune victime que lui apportaient les druides.

C'était le prince Drogomir, le Nécromant. De la collerette rigide de sa cape noire, émergeait la tête la plus fantastique qui fût donné de voir : un casque poli hérissé de sept cornes droites disposées en ligne, comme les rayons d'un soleil noir. Un masque de même métal lui couvrait le visage, orné de deux pointes en bas, percé seulement de deux larges fentes qui lui faisaient des yeux démoniaques.

Derrière le sorcier, un vieux grimoire était ouvert sur un lutrin, mais c'est sur un autre objet que l'homme concentrait son attention. Devant lui se trouvait un guéridon ; l'étage inférieur portait un encensoir où brûlaient des aromates. Sur la tablette supérieure était posé un objet, au-dessus duquel le Nécromant faisait des passes magnétiques. C'était un dodécaèdre, du volume d'un crâne humain environ, taillé dans le cristal, et à l'intérieur duquel tournoyaient des lueurs dont l'intensité fluctuait. Le prince Drogomir accompagnait ses gestes d'incantations, prononcées d'une voix puissante :

— Abaldurth, génie du Mal, l'heure est enfin venue pour toi de répondre à mes appels. Déïmil et Réïgil brillent jumelles en cette nuit de Saburgye, et les portes de notre monde te sont ouvertes. Je t'ai fait des sacrifices…

Il désigna de la main une triple fenêtre en ogive qui s'ouvrait en face de Ludovic. Celui-ci vit, pendus aux créneaux d'une tour flanquante, des corps sur lesquels s'abattaient de grands charognards.

— ... cent victimes, continuait le nécromancien, viennent de t'être immolées dans l'Askiriath, cent sacrifices simultanés en ton honneur, pour que leurs cris et leurs râles conjugués parviennent jusqu'à tes oreilles et te fassent lever les yeux vers moi. Maintenant que tu es éveillé, Abaldurth, esprit du mal, vois ce que j'offre à ta convoitise : Ligélia, la plus belle vierge du monde, et fille d'une dryade. Car n'est-il pas écrit dans *Les Phrases de l'Oracle :* « En sa brûlante torpeur Abaldurth rêve de la chair des immortelles, et pour apaiser ses tourments il voudrait boire ne fût-ce qu'une coupe de leur sang limpide. » Eh bien la voici, Abaldurth, Puissance du Mal, elle est à toi. Viens cueillir ce présent, puis entends-moi car je suis maître de l'Orthériam, la Gemme des Dieux, et tous les esprits m'écoutent.

Sous les mains du sorcier, l'objet à douze faces qu'il avait appelé Orthériam brillait de tous ses feux, jetant diverses couleurs sur les murailles. On sentit alors une vibration animer le donjon, comme un frémissement de la pierre elle-même, et l'épouvante déferla dans la salle. Un génie surgit au centre du pentacle, un être de ténèbres entouré de flammes, agitant sous la voûte de grandes ailes d'ombre. Immatériel, il n'avait pas de forme, mais l'imagination affolée lui attribuait des cornes et des crocs, un regard furieux et un rictus de haine, des serres griffues tentant de tout happer, une escorte de serpents cinglant l'air comme des fouets. Et cela parlait, diffusait une rumeur puissante, un concert de râles et de soupirs, de ricanements et de chuintements, de gémissements et d'invectives, comme s'il s'agissait d'une entité composite, la somme de mille démons apparus en même temps.

Un froid glacial envahit le donjon, et une chaleur torride en même temps. Pétrifiée, Ligélia devint blanche; Ludovic recula en chancelant; le Nécromant lui-même vacilla. Puis il cria, pour dominer le brouhaha:

— Elle est là, la belle Ligélia. Dévore-la, puis écoute-moi.

L'esprit tumultueux enfla sa voix multiple, une légion de diables vociférant leur avidité. Les flammes s'inclinèrent et l'ombre s'étendit vers la jeune femme. Insensé, Ludovic écarta la tenture et bondit dans la salle, sabre au clair. Il trancha les liens de la captive paralysée. Sans galanterie aucune, il la prit par le bras et la remit sur pieds, dans le même mouvement qu'il la tirait hors du pentacle — ayant bien soin de ne pas y entrer lui-même.

Une clameur démentielle éclata, mille hurlements de rage et de frustration; cependant Abaldurth était impuissant à agir, sauf par la terreur.

Mais le chevalier avait bu le Philéliambtar et, malgré l'épouvante, il parvenait à faire face encore. D'un geste vif, il enleva son casque et le lança vers le guéridon devant le prince. La console se renversa et l'Orthériam chut au sol.

Le choc causa un éclair intense, mais d'un noir profond, qui obscurcit tout pendant une fraction de seconde. Puis le feu intérieur se contracta et les couleurs s'estompèrent instantanément jusqu'à une pâle lueur. Le dodécaèdre n'était pas brisé mais le charme était rompu.

L'esprit tumultueux disparut, se résorba comme une fumée brusquement aspirée dans le puits; la clameur s'éteignit, laissant un grand silence et un vide dans les pensées bousculées.

— TOI ! hurla le nécromancien en pointant un doigt vengeur vers le jeune homme. Dans sa fureur, le sorcier parut grandir encore, et ses yeux luirent comme deux étincelles derrière son masque.

— Toi ! Qui es-tu pour intervenir dans mes desseins ? C'est toi qui a tué Gwifur ? Où est Draïkar ? Je vais t'anéantir d'un seul geste !

Dans sa main apparut une épée dont la lame n'avait que la consistance de la lumière, mais la puissance de la foudre. Il s'avança vers Ludovic, pressé de le détruire, mais savourant en même temps la terreur qu'il lui inspirait. Il ne vit pas la silhouette qui apparut dans un coin de la salle, derrière lui, vêtue d'une pèlerine grise.

L'épée de feu s'abattit. Arhapal fut arrachée des mains du jeune homme qui, sous le choc, crut aussi perdre son bras.

Derrière le Nécromant, le vieux vagabond à la barbe grise se pencha pour ramasser l'Orthériam.

Le glaive flamboyant zébra l'air. Ayant bondi

en arrière pour l'éviter, Ludovic sentit quand même la brûlure de la lame sur son ventre: son pourpoint fut brûlé et des étincelles jaillirent de sa cotte de mailles. Il trébucha et tomba assis. Au fond de la salle, le vieux magicien s'éclipsait, emportant la Gemme des Dieux.

— Méricius ! Au secours ! cria le jeune homme au moment où le prince Drogomir, le dominant de toute sa hauteur, sabre brandi, s'apprêtait à le foudroyer pour de bon.

— À l'aide, Méricius !

Le nécromancien se retourna vivement. Il eut un hurlement démentiel en voyant l'autre sorcier s'enfuir par un passage dérobé.

— Méricius ! Filou ! Tu as envoyé cet écervelé pour distraire mon attention !

Injuriant son ennemi, Drogomir s'élança à sa poursuite. Une longue flamme jaillit de son épée, allant lécher le mur derrière le fuyard.

Délaissé par le Nécromant, Ludovic se releva avec l'aide de Ligélia, et ils s'enfuirent. Dévalant les marches en spirale, ils entendirent de grands bruits et perçurent des vibrations dans les murailles.

Ils traversèrent une salle d'armes, débouchèrent à l'air libre sur un étroit pont-levis et coururent jusqu'à la haute cour. Levant les yeux vers le sommet du donjon, ils virent les fenêtres s'éclairer de vives lueurs, accompagnées de vacarmes. Une muraille se lézarda et quelques pierres s'en détachèrent pour tomber dans l'eau des douves, éclaboussant les jeunes gens dans leur fuite. Quelques gardes, de leurs guérites, les interpellèrent; mais ils paraissaient plus alarmés par ce qui se passait dans le donjon.

Quand, ayant rejoint la cour basse, Ludovic et Ligélia s'engagèrent vers la sortie, c'est tout un pan de mur qui tomba du donjon, laissant un trou béant d'où jaillit une langue de feu. Poursuivis par quelques soldats, ils retrouvèrent Shaddaÿe derrière les remparts. Affolée, la licorne hennit à la vue de sa maîtresse et se calma instantanément lorsque Ligélia se mit en selle.

Emportés par le coursier, les fuyards passèrent de justesse, au moment où le pont-levis était remonté. Plusieurs flèches furent décochées vers eux, dont deux se fichèrent dans la cotte de mailles de Ludovic, qui montait en croupe derrière Ligélia. Mais l'affolement était trop grand parmi les archers pour que leur intervention fût efficace.

Tandis qu'ils dévalaient la pente de l'Osmériath, le jeune homme regardait souvent en arrière. D'une tour à l'autre, les traits de feu jaillissaient, de petits éclairs zébraient l'air, jetant de vives lueurs sur les murailles. Des secousses ébranlaient le château, des cheminées basculaient, des échauguettes s'écroulaient. Le pont-levis ayant été rabaissé, plusieurs hommes fuyaient la forteresse.

Ludovic et Ligélia virent la haute tour de guet se disloquer et s'effondrer, après qu'une violente commotion eut secoué le donjon.

Un grondement plus puissant résonna, et c'est le donjon lui-même qui s'abîma, dans une grande gerbe d'étincelles. Le pont se disloqua sous les sabots de Shaddaÿe, pour débouler dans le ravin au moment où la licorne accomplissait un bond prodigieux.

Les fugitifs avaient atteint la vallée et leur coursier galopait à toute allure, quand ils sentirent la terre vibrer comme lors d'un séisme. Du côté qui surplombait le vide, une façade entière du château se disloqua, tours et courtines, pour s'abîmer dans un fracas indescriptible, avec un pan de falaise, jusqu'au fond du gouffre d'Oskith, des centaines de mètres en contrebas.

La bataille sembla s'apaiser pendant quelques instants. Mais soudain un coup de tonnerre roula, un éclair zébra le ciel. Du sommet d'une colline qu'ils avaient atteinte, Ludovic et Ligélia virent des traits de feu jaillir d'une cime à l'autre, se croiser parfois en éclairs aveuglants qui illuminaient tout le paysage, déclencher des éboulis en frappant les rochers. On eut dit que s'abattait la colère des dieux.

En vérité, les deux sorciers qui s'affrontaient ainsi prétendaient justement, dans leur orgueil, acquérir la puissance des dieux.

4

La malédiction du Nécromant

— Moi, comte de Vervallon, en récompense de ta bravoure inégalée, je te confirme chevalier, Ludovic, et je t'anoblis. Ma reconnaissance, celle de ma fille Ligélia et de tout le comté de Vervallon, te sont acquises à jamais.

C'est au son de ces paroles que Ludovic s'éveilla au matin, dans un fauteuil de son salon. Il comprit qu'il avait rêvé, après tout. Pourtant, jamais un songe ne lui avait paru si réel.

Quand il prit son bain, il découvrit sur son ventre une marque horizontale, comme la trace d'une brûlure assez récente. En pensée, il revit le sabre flamboyant du Nécromant frôler sa cotte de mailles et en faire jaillir des flammèches.

Aussi c'est dans le doute qu'il vécut les jours

suivants, une douce incertitude où flottait la vision de Ligélia.

Le doute, cependant, se dissipa de façon moins plaisante.

C'était une nuit de brouillard, plutôt douce pour cette saison d'automne, et l'aurore ne devait plus être très éloignée. Le jeune homme fut éveillé par une pénible sensation d'anxiété. Allant à sa fenêtre, il remarqua le brouillard qui estompait le disque pâle de la lune et le contour des arbres nus. Il aurait dû rester enfermé chez lui pour attendre le soleil et sa lumière rassurante, mais il s'habilla et sortit, sans trop savoir pourquoi. On eût dit qu'une volonté autre que la sienne le poussait à s'engager dans les bois, malgré son angoisse, avec pour tout éclairage la clarté diffuse de la lune. Il eut conscience de descendre au fond du vallon et de remonter la pente opposée, en suivant la diagonale d'un sentier, puis d'atteindre l'autre versant du coteau. Il ne restait plus trace de la première neige.

Dans les ténèbres, une grille basse en fer forgé, un portillon grinçant. Ludovic était maintenant dans le cimetière de Chandeleur et, eût-il fait plus clair, il aurait aperçu entre les arbres les premières maisons de la petite ville.

La brume se dégageait sous l'effet d'une brise qui venait de se lever. Seules restaient, au niveau du sol, quelques volutes parmi les tombes. Ludovic était déjà venu à plusieurs reprises se promener dans cette nécropole, et pas toujours en plein jour. Pourtant il ne l'avait jamais trouvée aussi sinistre, avec ses pierres souvent ébréchées, ses stèles inclinées par le travail de la terre, ses mauvaises herbes masquant les crucifix de fer forgé. Le quartier des riches, avec ses grandes croix, ses obélisques et ses monuments, évoquait les vestiges d'une cité antique.

Un gros nuage masqua la lune et, quand il fut passé, Ludovic se trouvait devant un enclos entouré d'une clôture basse. La façade du petit mausolée qui se dressait là faisait penser au maître-autel d'une église. En regardant l'escalier étroit qui descendait vers la porte du caveau, Ludovic sentit la peur le glacer. Des lignes vertes encadraient le battant, qui s'ouvrit en démasquant une lumière froide. Dans l'ouverture se profila une haute silhouette noire, au casque hérissé de pointes. Un éclair lointain jeta sur le masque du Nécromant un reflet livide.

Drogomir monta de la crypte funéraire, mais Ludovic ne put reculer que d'un pas, totalement dominé par la volonté du sorcier. La voix sépulcrale résonna :

— Ainsi, tu croyais t'être tiré de cette aventure sans autre souffrance ? Tu sauras qu'on ne se mêle pas impunément des affaires des sorciers. Tu as aidé Méricius à s'emparer de l'Orthériam. Je n'ai pu le rattraper, mais je ne désespère pas : il n'y a pas que lui qui soit rusé. En attendant, c'est sur toi que je me vengerai, petit mortel.

Le tonnerre gronda au loin, tandis que la

brise soulevait des tourbillons de feuilles mortes et gonflait la cape du nécromancien. À l'est, le ciel s'éclaircissait sous le dais nuageux, et le cimetière baignait maintenant dans une pénombre grise.

Le nécromant avait levé sa main vers Ludovic, paralysé, livide. Le feu jaillit de la paume du sorcier, et sa victime s'embrasa comme une torche.

— À jamais ! cria Drogomir. Les flammes de l'enfer pour l'éternité !

Sur ce, il redescendit vers le tombeau illuminé de vert, tandis que sa victime ardente se contorsionnait en hurlant.

Dès que la lueur verte fut disparue, Méricius apparut à son tour derrière le mausolée. Il eut un geste avec son bâton et les flammes orangées virèrent au rouge, au violet, au bleu, perdant de l'éclat et de la chaleur.

— Drogomir a raison, dit-il, il ne faut jamais se mêler des affaires des sorciers. Ou ne jamais laisser les sorciers vous mêler à leurs affaires. Comme tu m'as été utile pour m'emparer de l'Orthériam, je vais te venir en aide. Ce sort que le Nécromant t'a jeté, je ne puis le défaire en totalité. Cependant…

Le corps intact de Ludovic avait repris une température normale et toute sensation de brûlure l'avait quitté. Comme un somnambule il se mit en marche et sortit du cimetière. Guère plus conscient qu'un hypnotisé, il entendait les explications du magicien :

— Drogomir t'a lié pour l'éternité; contre cela je ne puis rien. Mais...

Un grand froid envahissait graduellement toutes les fibres de son être, calmant comme un baume la douleur du feu. Avec le froid, une torpeur alourdissait ses pas, jusqu'à ce qu'il doive s'immobiliser et s'asseoir, adossé à un arbre. Il n'était plus capable du moindre mouvement.

Méricius l'avait suivi. Il décrivit une ellipse avec la pointe de sa canne:

— À jamais, souffla-t-il. La paix du sommeil, et le rêve, pour l'éternité...

5

Dans le palais des rois d'Uthaxe

Et Ludovic se retrouva en Uthaxe.

Sous une tiède pluie venue du sud avec un temps doux, la capitale Doribourg luisait de mille feux. Lampions multicolores le long des principales avenues, lanternes dorées aux portes des auberges et des tavernes où on allait faire des libations jusqu'à l'aube, cortèges de fêtards parcourant la ville à la lumière des flambeaux.

Aujourd'hui, le roi Fréald venait d'épouser Ligélia, fille du comte Hasufald de Vervallon. Et ce soir il y avait fête au palais.

Mais Ludovic, maintenant *sire* Ludovic, était sombre.

— Je te vois bien songeur, ami Ludovic, remarqua maître Thoriÿn qui, sans son costume de bouffon, paraissait moins court et moins comique.

« Ami ? » pensa Ludovic. « Étions-nous devenus amis ? Je ne me rappelle rien de mes sentiments durant cette aventure, comme si j'avais été un personnage sans plus de profondeur qu'un décor, presque sans personnalité. Un mirage de moi-même, dans ce qui ne semblait qu'un rêve. Tout s'est passé si vite, tout s'est passé hors de moi, tout s'est passé sans moi, pratiquement ».

Ludovic dévisagea le petit homme tout de blanc vêtu, ses yeux sombres dont le regard intense, plein d'assurance, vous faisait vite oublier qu'il vous regardait d'en bas.

— Vous savez d'où je viens ? Lorsque je suis arrivé l'autre nuit sur ce navire sans équipage...

— Je savais que tu venais d'un autre monde, oui, un autre univers. Il y en a quelques-uns comme cela, superposés en quelque sorte.

— Et ces mondes se touchent ?

— Se frôlent, parfois. Et alors il y a des façons de passer de l'un à l'autre.

— Le rêve ?

— Le rêve, oui, mais les occasions se présentent une fois par siècle, peut-être. Ou encore la magie, et alors il faut un savoir, une puissance, que seuls détiennent quelques sorciers.

Ludovic avait tout à fait dépassé le stade de l'incrédulité, et presque celui de l'étonnement. Mais pas de la même façon que durant son aventure : cette fois-ci, sa conscience restait en éveil, ne cessait pas un instant de s'interroger sur ce qui lui arrivait. Maintenant il savait qu'il ne rêvait pas, pas au sens ordinaire du terme; ou plutôt, au-delà du rêve ordinaire...

— Nous les magiciens, nous savons ces choses, mais si tu en parlais au commun des mortels, ils ne te croiraient pas: pour Hasufald, Fréald ou Ligélia, tu es simplement un étranger. Et tu éveillerais des curiosités, peut-être des convoitises, si tu t'oubliais à parler de certaines choses de ton univers.

— Quelles choses?

— Certains engins... que j'entrevois dans ma bouteille magique.

— Les navires à vapeur, les trains, le télégraphe?

— Et des armes. Des armes qui font le bruit du tonnerre et l'effet de la foudre.

— Je n'en parlerai pas.

Vers ce moment, le brouhaha, dans l'immense salle de bal, cessa graduellement. Le silence suivit une vague de «sssh» qui parcourut l'assemblée.

— Le roi d'Uthaxe et la reine Ligélia, annonça le maire du palais.

Un murmure respectueux salua l'entrée du couple royal. Ludovic se dressa sur la pointe des pieds pour voir, par-dessus quelques têtes, la jeune femme qu'il avait sauvée. Il se rappelait s'être enflammé pour elle, cette nuit où maître Thoriÿn lui avait fait voir son visage exquis dans la bouteille d'Arthanc. Mais c'était loin et cela avait été bref, un sortilège de petit magicien; l'effet s'était vite dissipé.

Pourtant, ce soir, Ligélia était éblouissante sous les diamants, et ses yeux avaient le même éclat, des yeux d'un vert clair et limpide, presque transparent.

— Mes amis, commença le roi debout sur l'estrade d'honneur, mes amis, cette journée est exceptionnelle car nous fêtons trois événements heureux. Mon mariage, bien sûr, et j'espère que Ligélia donnera bientôt au royaume une héritière ou un héritier.

Il y eut dans la salle un tintement ténu: les femmes agitaient les breloques de leurs bracelets, dont beaucoup étaient des clochettes de verre ou d'argent. C'était une forme d'applaudissement plus discret qu'avec les mains.

— Ensuite nous célébrons notre victoire sur l'Empire sarse. Assiégée par nous, sa flotte désorganisée par la nôtre, Samarkol a capitulé et nous avons pu dicter à l'impératrice les conditions de la paix. Nous avons obtenu la libération de la Sumagne, le royaume frère, notre allié de toujours, occupé et rançonné par les Sarses depuis des années.

Cette fois il y eut de vigoureux applaudissements: l'Empire sarse, voisin et rival commercial, était l'ennemi traditionnel de l'Uthaxe. La guerre avait été dure, la victoire réjouissait sans réserve.

— Finalement, et la plupart d'entre vous l'apprennent ce soir, nous célébrons la libération du prince Fabrice, héritier légitime du trône de Sumagne, qui vivait en exil depuis l'invasion et avait récemment été capturé par l'usurpateur Drogomir.

Du geste, le roi invita un personnage à le rejoindre sur l'estrade. À nouveau Ludovic se dressa sur la pointe des pieds... et retomba sur ses talons, d'étonnement. Le prince Fabrice, c'était l'adolescent qu'il avait vu captif à la lueur des flambeaux dans la forêt de Chuvigor, celui qui l'avait supplié dans le donjon de l'Askiriath et à qui Ludovic avait lancé la clé de sa geôle. Il ne l'avait pas revu depuis, même s'il n'avait pas oublié l'épisode.

« Il s'en est sorti » se réjouit Ludovic. « Il aura profité de la confusion causée par l'effondrement de la tour. Un miracle, qu'il soit indemne ».

Le garçon ne semblait pas blessé, en effet, mais dans son visage paraissaient les fatigues d'un dur voyage. Il avait l'air un peu sombre, derrière un sourire réservé.

— Il n'est pas vêtu comme un futur roi, n'est-ce pas ? observa Thoriÿn. Mais ne t'y fie pas : la Sumagne est un royaume presque aussi vaste et prospère que l'Uthaxe. Jadis ils étaient unis en un même empire, sous le règne du légendaire Garthbar.

Le roi Fréald reprit la parole :

— Et, de ces motifs de réjouissance, nous en devons deux à un même homme, le chevalier Ludovic, qui a rendu à l'Uthaxe sa future reine et à la Sumagne son futur roi.

Dans l'assemblée, les têtes se tournèrent: on cherchait Ludovic, que peu de gens encore connaissaient. Aux côtés du jeune homme, le comte Hasufald parut:

— Venez, mon jeune ami, recevoir les honneurs qui vous sont dus.

Ludovic protesta, mais n'osa indisposer le roi et sa cour en se faisant prier. Au bras du vieux comte, il avança vers l'estrade d'honneur, tandis que les gens s'écartaient pour leur livrer passage. Hasufald l'avait pris en affection depuis qu'il avait sauvé Ligélia, le traitant comme un fils — une familiarité qu'il ne pouvait se permettre avec son gendre le roi.

Ludovic grimpa les trois marches de l'estrade, tandis que le comte restait sur la première. Devant le roi, il mit un genou en terre. Toute la noblesse d'Uthaxe le regardait, lui, un modeste poète qui s'était trouvé mêlé à ces événements par le plus extraordinaire des hasards.

Le roi s'avança d'un pas:

— Le comte de Vervallon vous a anobli, Ludovic, pour avoir sauvé sa fille. Moi je vous fais baron, pour avoir sauvé la future reine d'Uthaxe. De mon domaine royal je sépare Corvalet, le château et ses terres, et j'élève ce fief au rang de baronnie.

Puis Fréald le prit par les épaules.

— Levez-vous, sire Ludovic, baron de Corvalet.

Le poète se leva, ses yeux rencontrèrent le regard franc du roi. Fréald lui donna l'accolade.

Puis Ludovic s'inclina devant la jeune reine, qui lui tendit sa main à baiser. Devant le prince, Ludovic hésita : devait-il ployer le genou si Fabrice n'était pas encore roi ? Le jeune prince l'en retint :

— C'est moi qui vous dois la vie, dit-il en l'embrassant à son tour. Lorsque je serai roi, je vous ferai comte. Lorsque je serai roi et que mon royaume sera réunifié.

Il avait appuyé cette dernière phrase, et le regard qu'il envoya au roi n'échappa point à Ludovic.

* * *

Le bal avait atteint son plein éclat, lorsque Ludovic se retrouva en présence du jeune prince de Sumagne.

— Mais dites-moi, Altesse, comment vous êtes-vous retrouvé dans la forêt de Chuvigor, ligoté sur un dolmen au centre d'une clairière ?

— Vous avez vu cela ? !

— Caché dans un bosquet de sapins, oui. Seul contre tous ces guerriers, je ne pouvais rien.

— Les Garovingiens, oui, je vous comprends : c'est une nation redoutable. Leurs clans occupent les terres le long de la forêt de Rassalhiën, à la frontière sud-ouest de mon royaume. Ils n'ont jamais vraiment été soumis au trône de Sumagne, acceptant parfois de garder la paix, et d'autres fois faisant des incursions sur nos terres. Drogomir s'est allié à eux pour usurper le trône; il les a autorisés en retour à rançonner toute la contrée au sud de Chuvigor.

— Mais j'avais l'impression d'assister plutôt à un rituel... une immolation.

Un homme proche de Fabrice expliqua:

— C'est une coutume en Troïgomor: Drogomir exerce son autorité par la terreur de ses armes et de sa sorcellerie. Ses malheureux sujets le considèrent comme un démon et les druides sont contraints à lui rendre un culte, lui faire des sacrifices humains.

— Sire Ludovic, intervint le jeune prince, laissez-moi vous présenter mon oncle, le duc Drorimius, et mon cousin Patricius. Ils m'ont accompagné en exil. C'est mon oncle qui m'a sauvé lorsque Drogomir a investi le palais et usurpé le pouvoir. Je n'étais qu'un enfant à cette époque.

Le duc Drorimius sourit à cette phrase: Fabrice n'avait encore que quinze ou seize ans.

Le duc était un homme dans la cinquantaine, robuste, en apparence solide comme un rocher et de pareil caractère. Il saisit l'occasion pour remercier Ludovic à son tour.

— Qui sait ce que Drogomir aurait fait de cet écervelé si vous n'étiez intervenu?

L'adolescent prit ombrage de ce mot, mais son oncle, qui semblait peu se soucier de ce qu'il fût le prochain roi de Sumagne, insista en lui ébouriffant les cheveux comme à un gamin:

— Oui, écervelé: à Valente tu étais en sécurité, pendant que Fréald obtenait des Sarses qu'ils rendent la Sumagne.

— Cela, *vous* le saviez, parce que vous étiez au siège de Samarkol et aux négociations de paix. Mais, à Valente, on avait peu de nouvelles de la guerre.

— Valente est en Uthaxe, près de la frontière de Sumagne, expliqua Patricius à l'intention de Ludovic. C'est là que nous vivions depuis que Drogomir...

Mais Fabrice l'interrompit:

— J'avais eu vent que les loyalistes se rassemblaient à Tarau, un village proche de la frontière, côté Sumagne. J'ai voulu les contacter, voir s'il n'y avait pas moyen d'organiser une rébellion.

— Il a quitté Valente à l'insu de son cousin, fit Drorimius, et est allé se faire capturer par un parti de Garovingiens. Je me demande même si ce mouvement de résistance loyaliste n'était pas justement une fausse rumeur lancée par Drogomir pour l'attirer dans un guet-apens. Ses ruses sont diaboliques; si j'avais été là, jamais Fabrice ne se serait aventuré.

Le jeune prince eut un soupir irrité. Son caractère se révélait rapidement à Ludovic: impétueux, vif de tempérament, prompt de paroles et, aujourd'hui, à cause des circonstances, un peu imbu de son titre retrouvé d'héritier au trône de Sumagne. Ce n'était peut-être pas de l'arrogance, juste un orgueil qu'en temps normal Fabrice aurait discipliné, car il semblait d'un bon naturel. Ce soir, parmi la noblesse d'Uthaxe, il sentait le besoin de s'affirmer, d'accaparer l'attention. Il refusait les reproches, les familiarités de son oncle, et se montrait indépendant par rapport à lui.

« Brave garçon quand même » songea Ludovic. « Avec quelqu'un pour le remettre à sa place de temps à autre, il fera peut-être un honnête roi. Quand il aura de la barbe ».

À ce cliché, Ludovic sourit intérieurement, car lui-même n'avait pas la barbe très forte. Il tenait cette expression de son père et elle lui était revenue spontanément. Son père... Philippe Bertin, archéologue amateur, professeur d'histoire et directeur de collège, jadis, là-bas...

L'humeur de Ludovic s'assombrit à nouveau, au souvenir de cet autre monde d'où il était parti — d'où il avait été enlevé, pensait-il confusément.

Le prince Fabrice prit congé du groupe :

— Il faut que j'aille parler à Fréald, avant qu'il ne quitte le bal.

— Et de quoi lui parler ? demanda son oncle en fronçant les sourcils.

— Ça, c'est mon affaire, rétorqua le jeune prince.

— Une conversation entre rois, ironisa son cousin. Qui sommes-nous pour prétendre nous en mêler ?

Fabrice hésita entre un sourire amical et un air outragé, mais à ce moment le maire du palais réclama le silence des convives pour annoncer :

— Le roi et son épouse se retirent.

Continuant d'ironiser, Patricius chuchota:

— Retardera-t-il sa nuit de noces pour conférer avec le prince de Sumagne?

Cette fois, Fabrice lui fit la gueule.

* * *

— Le prince Fabrice?

— Il dit que c'est de la plus haute importance, Majesté.

— Le soir de mes noces! Enfin, ça ne se fait pas!

— C'est aussi ce que je pense, dit le majordome. Mais il a tellement insisté: je ne pouvais me montrer discourtois envers le futur roi de Sumagne.

— Il se montre bien impoli, lui. Allez, introduisez-le dans mon cabinet.

Le roi passa dans son cabinet de travail. Le prince Fabrice l'y rejoignit un instant plus tard.

— N'avez-vous pas eu l'occasion d'apprendre les convenances, à Valente? Votre futur titre ne vous donne pas tous les droits, jeune homme. Attendez au moins d'être couronné avant d'être si sûr de vous.

Le ton était plus sévère que ne l'avait voulu Fréald. Fabrice se rebiffa, estimant qu'il n'avait plus à recevoir de remontrances:

— Parlons-en, de mon couronnement. C'est justement à propos de mon royaume que je suis venu.

— Les affaires d'État pourraient attendre au

matin, ce me semble ! Je vais rejoindre mon épouse à ses appartements dans moins d'une heure.

— Je vous aurais bien parlé plus tôt, mais vous avez paru m'éviter toute la soirée.

Fabrice interpréta comme un aveu le petit sourire du roi. Fréald, pour se donner contenance, s'affaira à détacher la ceinture de son fourreau et à se défaire de son épée d'apparat.

— Bon, je vous écoute. Mais soyez bref.

— Je le serai, car vous savez de quoi il retourne. Dans votre petit discours, après le souper, vous avez parlé de la Sumagne comme si elle était entièrement libérée et comme si l'affaire était close. Vous vous réjouissez de ma libération, mais vais-je régner sur un demi-royaume ? Toute la Sumagne orientale est encore aux mains de Drogomir.

— Drogomir a été terrassé.

— Mais pas tué, le chevalier Ludovic en est certain. Et la nouvelle est arrivée aujourd'hui que Drogomir serait retourné à son château de Triga. Troïgomor est encore redoutable, même sans ses alliés sarses.

— Justement, voilà le cœur du problème, répondit le roi en s'asseyant derrière son bureau. Troïgomor est puissant et nous sommes vulnérables. La guerre contre les Sarses a coûté très cher. Très cher, jeune homme, pour vous rendre votre trône.

— Vous ne l'avez pas fait par charité, Majesté. Vous ne vouliez pas laisser les richesses de mon royaume à vos rivaux les Sarses.

— Nous aurions dû les garder pour nous, ces richesses. Annexer la Sumagne occidentale pour restaurer l'Empire de Garthbar tel qu'il était avant la division.

Interloqué, le jeune prince dévisagea son aîné, se demandant si cette menace était sérieuse. Fréald lut sa crainte et sourit :

— Voyez, vous n'êtes pas encore assez endurci pour jouer à la politique. Non, rassurez-vous, la loyauté existe encore, et ce n'est pas moi qui trahirai le royaume frère. Mais ce conflit nous a coûté cher en hommes, en vivres, en machines de guerre. Il faut laisser l'armée reprendre des forces avant de songer à une campagne en Sumagne orientale.

— Elle ne serait pas aussi difficile. Troïgomor n'est tout de même pas l'Empire. Et le peuple de Sumagne ne demande qu'à se soulever contre l'occupant.

— Vous surestimez le peuple, je crois.

— Vous doutez de sa loyauté ?

— Ce que je sais, c'est que la résistance ne doit pas être très organisée, sous la botte de Drogomir. Et puis, une campagne au nord nous laisserait vulnérables à l'ouest. Nous devons laisser le gros de nos troupes à la frontière de l'Empire : ne croyez pas que les Sarses laisseront leur défaite impunie, c'est la pire humiliation de leur histoire militaire.

D'impatience, le jeune homme arpentait la pièce, son épée d'apparat lui battant la cuisse.

— Alors vous me refusez votre aide pour reprendre la Sumagne orientale ?

— Pour la reprendre maintenant, cette année, oui.

— Alors quand ? L'an prochain ? Dans deux ans ?

— Cela dépendra de la situation.

— C'est-à-dire jamais, n'est-ce pas ?

Le ton de Fréald redevint sévère :

— Écoutez, jeune homme : le roi d'Uthaxe n'a pas coutume de se laisser parler ainsi par un gamin en mal de gloire. La Sumagne vous sera rendue entière, mais quand nous en aurons les moyens.

— Eh bien moi, je n'attendrai pas. J'irai plutôt la reprendre moi-même.

Fréald éclata de rire :

— Et avec quelle armée ? Celle de Sumagne n'existe plus.

— Le peuple sera mon armée. S'il se soulève, les hussards de Drogomir ne pourront rien.

— Et qu'est-ce qui motivera le peuple à se soulever ? La terreur qu'exerce le tyran est telle que...

— J'irai le tuer, trancha Fabrice. Quand je traverserai le pays avec Arhapal au poing, le peuple me suivra.

Cette fois, le roi n'osa rire devant la détermination du jeune prince.

— Arhapal, continuait Fabrice, épée des rois, épée de Garthbar qui jamais ne fut vaincu. J'irai à Triga et je défierai le tyran en combat singulier. Il sera tellement sûr de son avantage qu'il ne refusera pas, et Arhapal triomphera de lui.

À court de mots, le roi contempla ce garçon de seize ans qui défiait le Nécromant : cheveux longs et noirs, yeux sombres tranchant sur une peau claire, traits fins mais affirmés. C'était un beau garçon, qui aurait pu tranquillement attendre l'âge de son couronnement en laissant à un régent le soin de réorganiser le royaume. À la cour d'Uthaxe, il n'aurait eu qu'à partager son temps entre les courtisanes et la chasse, comme bien des jeunes nobles. Non, à peine évadé des geôles de son ennemi, il parlait de retourner l'affronter et de reconquérir le reste de son royaume. Il était bien un digne descendant de Garthbar.

Fréald se leva, contourna son pupitre pour marcher vers l'adolescent :

— C'est insensé, Fabrice, lui dit-il doucement. Même avec l'épée Arhapal, vous ne pourriez rien contre la sorcellerie de Drogomir. Patientez : dans deux ans, trois peut-être, votre armée sera réorganisée, et ensemble nous pourrons reprendre la Sumagne orientale.

Le roi avait posé sa main sur l'épaule du garçon. Mais Fabrice s'en défit et, contenant son humeur, il dit :

— Non, c'est demain que je veux la reconquérir. Demain, et non dans cinq ans.

Il inclina la tête et prit congé sèchement :

— Pardonnez-moi d'avoir pris de votre temps.

Le roi resta songeur, contemplant distraitement, par la fenêtre, les grandes galères amarrées aux quais du roi, en contrebas du palais. « Si j'ai un fils » pensa-t-il, « j'espère qu'il sera comme cet effronté ».

Et il se rendit aux appartements de son épouse pour se mettre à la tâche aussitôt.

* * *

— Pourtant, ce monde, c'est tout ce dont j'avais toujours rêvé. J'écrivais des poèmes, de longs poèmes épiques, et les cités que je décrivais étaient semblables à celles de ce monde-ci.

Ludovic, qui parlait ainsi, se promenait avec maître Thoriÿn dans les jardins en terrasses du palais. Doribourg s'étalait en contrebas, sur la pente douce du promontoire que dominait la citadelle, et sur la plaine environnante. La nuit était douce en ce début d'automne. La musique du bal descendait des portes-fenêtres grandes ouvertes, avec l'éclat doré des lustres, les voix, les rires et les tintements de coupes.

— Et pourtant tu n'es pas heureux dans notre monde.

— Pas heureux, non. C'est comme si quelque chose me rappelait constamment dans mon univers, un lien élastique qui tirerait sans relâche. Un lien intangible, bien sûr, mais qui pas un instant ne me laisse en paix. Je ne connaîtrai jamais le bonheur ici, ni même la tranquillité d'esprit.

— Et c'est ainsi depuis le début ?

— Depuis mon retour. La première fois, je ne sentais rien de tel. Je ne me rappelle pas avoir eu beaucoup de sentiments, du reste.

— « Depuis mon retour » ? Tu étais parti ?

— Oui, je m'étais réveillé chez moi, convaincu d'avoir rêvé. Puis, quelques jours après, Drogomir et Méricius sont apparus dans mon univers. Et je me suis retrouvé dans votre monde à nouveau.

— Drogomir ? Méricius ? s'exclama le petit magicien. Qu'ont-ils dit, qu'ont-ils fait ?

— Je ne me rappelle presque rien, répondit le jeune homme en fronçant les sourcils. J'ai essayé quelques fois de m'en souvenir, mais...

— Il doit bien t'en rester quelque chose ?

— De la terreur. La même terreur impuissante que dans un cauchemar, lorsque Drogomir est apparu. Il était furieux contre moi.

— C'est lui qui a dû te jeter un sort, alors. Une malédiction.

— Vous croyez ?

— Cet accablement que tu ressens, ce n'est pas naturel.

« "Pas naturel" » ! songea Ludovic. « Comme si le reste de ce qui m'arrive était normal ! »

Thoriÿn était pensif :

— Toutefois c'est bien peu, pour un sorcier de la trempe de Drogomir, un sorcier aussi puissant. Et Méricius, lui, qu'a-t-il fait ?

— Méricius ? Il me semble que... Oui, peut-être venait-il pour me protéger, empêcher Drogomir de se venger.

— De la bienveillance de la part de Méricius ?

— C'est l'impression que je garde.

— Alors il aurait formulé un contre-sort, pour neutraliser celui de Drogomir. Cela expliquerait que tu t'en sois tiré à si bon compte. Mais il t'est resté des séquelles : cet accablement que tu ressens, ce vague tourment.

— Vous semblez bien connaître ces choses.

— Oh, je suis un bien modeste magicien, répondit Thoriÿn avec un rire discret.

La lune, crevant les nuages, mit un reflet sur le front dégarni du petit homme. Ils s'arrêtèrent, Thoriÿn pour s'accouder à la balustrade basse, Ludovic pour s'y asseoir.

— Et vous, maître Thoriÿn, vous sauriez défaire le sort que Drogomir m'a jeté ?

— Oh non, pas moi !

Et, ce disant, le petit homme retrouva un instant sa mimique de bouffon, comme s'il s'agissait d'une bonne blague.

— Nul ne peut contrer parfaitement un sort jeté par un autre sorcier, à moins d'être d'égale puissance et de connaître la formule exacte du sortilège. Apparemment, même Méricius n'y est pas parvenu.

— Mais n'y a-t-il pas moyen de savoir quelle formule a employée Drogomir ?

— Quelle formule ? Drogomir détient — ou détenait — *Les Phrases de l'Oracle*, un grimoire dont il n'existe aucune copie et dont le contenu...

Thoriÿn hésita, se tut. Un gros nuage cacha la lune.

— Vous disiez ? demanda Ludovic en scrutant le visage de son interlocuteur à la lueur des quelques flambeaux du jardin.

— Il y a peut-être dans ce grimoire des choses que je n'imagine même pas.

— Mais si vous l'aviez sous la main, vous sauriez trouver ?

— Vraiment, je l'ignore. Peut-être trouver de quelle nature était ce sortilège ou, mieux encore, la formule d'accès à ton univers. Mais nous parlons pour rien : le grimoire a certainement été perdu dans l'effondrement de l'Askiriath.

— Pas nécessairement.

— Ne m'as-tu pas raconté que Drogomir s'était élancé à la poursuite de Méricius et que le donjon s'était écroulé quelques minutes plus tard ? Il n'a donc pas eu le temps d'emporter quoi que ce soit.

— Justement, il n'a rien pris, donc le grimoire risque d'être encore là où il se trouvait. Je me rappelle un gros livre ouvert sur un lutrin, dans la salle où...

— Sous des tonnes de décombres, oui, c'est là qu'il doit se trouver. Au fond de l'Oskith.

— Mais ce n'est qu'un pan de falaise qui s'est effondré. Et le château n'a pas suivi tout entier. Je me demande même si une partie du donjon n'est pas restée debout.

Thoriÿn ne répliqua pas immédiatement. La lune était réapparue, blanche comme celle que

Ludovic connaissait dans son monde à lui, et sous laquelle il aimait marcher, les soirs d'hiver.

— Alors peut-être, oui. Si *Les Phrases de l'Oracle* ne sont pas perdues, peut-être que je pourrai essayer... Mais il faut agir vite : Drogomir voudra lui aussi récupérer le grimoire, ce devait être son bien le plus précieux après l'Orthériam.

— Je suis prêt à y retourner, si c'est la seule façon de chasser ce tourment.

— Commençons par nous assurer que le grimoire y est encore. Si tu veux, nous rentrerons dès demain à Cormélion, et je consulterai ma bouteille magique.

6

Sire Ludovic, baron de Corvalet

Hasufald de Vervallon protesta, le lendemain matin, lorsque Thoriÿn et Ludovic lui firent part de leurs intentions.

— Mais vous ne pouvez partir si tôt après les noces ! Les festivités dureront encore des jours ! Le roi sera très vexé.

— C'est pourquoi nous sommes venus vous parler au saut du lit, votre Seigneurie. Nous souhaitons que vous nous excusiez auprès du roi.

Ludovic laissa parler le magicien, habitué à la diplomatie de cour. Lui serait bien parti sans prévenir quiconque, mais Thoriÿn lui avait expliqué que cela ne se faisait pas.

Le petit homme poursuivait, flattant habilement le comte :

— Vous êtes maintenant son beau-père, il ne

peut rien vous refuser. Si vous lui dites que nous avions de bonnes raisons, il vous croira.

— Et quelles sont-elles, ces bonnes raisons ?

— L'épée Arhapal, votre Seigneurie. Sire Ludovic l'a perdue en combattant pour délivrer votre fille, dans le donjon de l'Askiriath.

— Perdue !

— Elle doit y être encore, parmi les décombres, expliqua Ludovic. Je crains que Drogomir ne la trouve, s'il revient à sa forteresse.

— L'affaire est grave, j'appuie votre résolution. Je vais même demander à mon neveu Ésofald de vous fournir une escorte.

— N'en faites rien, intervint Ludovic. En Troïgomor et en Sumagne occupée, deux voyageurs isolés passeront inaperçus là où une troupe armée serait repérée.

— De toute façon, nous allons d'abord à Cormélion, ajouta Thoriÿn. J'essaierai d'avoir une vision de l'Askiriath.

Et ils partirent seuls, à l'heure où Doribourg s'animait sous un soleil étincelant. Thoriÿn montait une pouliche ; Ludovic chevauchait Shaddaÿe, dont Ligélia lui avait fait cadeau. Ils galopèrent toute la journée, ne s'arrêtant que pour accorder de brefs repos à leurs montures.

Ils entrèrent en Vervallon durant l'après-midi et atteignirent au crépuscule le château de Cormélion.

— Un bon bain, puis un bon souper, fit Thoriÿn en descendant de cheval avec une souplesse de gymnaste.

Le repas fut bon, mais Thoriÿn dut faire presque seul les frais de la conversation. C'est une faculté qu'il avait, de paraître insouciant même s'il avait des préoccupations. Car des préoccupations, il en avait: on ne devient pas magicien sans renoncer à la tranquillité d'esprit, c'est une science qui a ses côtés sombres.

La soirée était avancée lorsque Thoriÿn, après un très long silence, invita Ludovic à le suivre vers son logis, dans la plus haute tourelle du château. Il y faisait frais, et le magicien prit le temps d'allumer un feu, ne disant toujours mot. Puis, à cette lumière encore faible, il sortit d'une petite armoire la bouteille que Ludovic avait vue une fois déjà.

Ludovic s'approcha.

Entre les mains du magicien, les parois légèrement bombées de la bouteille se réchauffaient, et une lueur naissait dans ses profondeurs.

« Il me semblait qu'elle était droite, cette bouteille. Carrée. Encore une illusion de Thoriÿn ? Comme ce château, qui m'avait paru plus grand le premier soir. "Un charme, pour que les invités se sentent plus à l'aise", il m'a expliqué ».

La lueur dans le liquide bleu pulsait tel le cœur d'un être sans corps, un cœur d'énergie pure. Graduellement, elle occupa tout l'espace derrière le cristal, jusqu'à ce que la bouteille paraisse ne contenir que de la lumière plutôt qu'un liquide.

Thoriÿn avait retiré ses mains, ne laissant plus que le bout de ses doigts en contact avec le cristal.

— Approche-toi, place tes paumes sur la bouteille.

Leurs visages étaient maintenant bleutés de cet éclairage, tandis que dans l'âtre le feu prenait de la force.

— Pense à l'Askiriath, rappelle-toi ton voyage et retourne à l'Askiriath en pensée.

Accroupi de façon à placer ses yeux au niveau de la carafe, Ludovic plissait les paupières devant l'intensité de sa lumière. La bouteille était chaude entre ses mains.

— Pense à l'Askiriath de toutes tes forces, répétait Thoriÿn, qui avait retiré sa main droite.

La lumière bleue prenait des formes, des teintes, des textures. Des nuages bleu-gris naissaient, un rocher bleu sombre se dessinait, et les murailles de la forteresse se solidifiaient en indigo.

Ludovic écarta un peu ses mains pour mieux voir.

— L'Askiriath n'est pas tombée, murmura Thoriÿn.

— Pas entièrement. Et le donjon…

Un flou passa, comme une vague dans les profondeurs de la bouteille, et l'image changea :

— Il est encore debout !

La haute tour carrée se dressait, coupée au milieu par la diagonale, comme une maquette d'architecte, jusqu'à son rez-de-chaussée où elle était à peu près intacte. Mais le dernier étage béait, ouvert à tous les vents, et il ne subsistait pas grand-chose de son toit.

— C'était dans cette salle, en haut. Le livre a dû dégringoler avec le reste.

— Regarde mieux.

L'image se troubla à nouveau, se reconstitua, plus rapprochée. L'immense tenture noire tenait encore aux murs du fond, mais ses pans flottaient au vent. Sur le plancher dallé, un lutrin gisait renversé, celui qui justement portait le grimoire.

— Là ! s'exclama Ludovic.

Le vieux livre était tombé ouvert, au bas de la tenture, qui le cachait à demi. On voyait sa couverture de cuir ancien, on distinguait les caractères vermeils du titre.

— C'est lui. Lui, le livre maudit, *Les Phrases de l'Oracle*.

Ils avaient retiré leurs mains; l'image disparut en un lent tourbillon turquoise, qui accéléra en s'assombrissant jusqu'à se perdre dans l'indigo. Ludovic leva les yeux vers le magicien.

— Eh bien ! fit Thoriÿn, il semble que nous devrons faire le voyage en Troïgomor.

* * *

Corvalet était un domaine magnifique, et si vaste qu'il aurait fallu un été pour l'explorer en détail. Mais Ludovic avait tout juste fait le tour du grand parc entourant son château. Il se sentait trop las pour entreprendre des chevauchées qui auraient duré des jours entiers pour le simple plaisir de découvrir ses nouvelles possessions. Il le déplorait amèrement.

Mais ce qui importait, pour l'heure, c'était d'entreprendre une nouvelle expédition vers l'Askiriath, et Ludovic tenait à se reposer en prévision de cela.

C'est le petit magicien qui lui avait conseillé d'aller se reposer quelques jours à Corvalet pendant que lui, Thoriÿn, ferait certains préparatifs. Il devait rejoindre Ludovic à son château incessamment.

Corvalet avait été, pour les rois d'Uthaxe, un domaine de chasse; Fréald y venait peu souvent. Le château était modeste — moins imposant, par exemple, que celui de Cormélion. Mais, comparé au petit manoir qu'habitait jadis Ludovic, c'était une demeure somptueuse. Sa façade claire regardait de vastes pelouses ourlées de plates-bandes et de haies basses, tandis qu'à l'arrière, côté forêt, le feuillage des arbres frôlait presque les balcons.

En ce début de soirée, Ludovic prenait l'air dans le parc, espérant aiguiser pour le souper un appétit qui était bien pauvre ces temps-ci.

« Ça manque d'arbres » songeait le nouveau baron en considérant les quelques arbustes soigneusement taillés qui ponctuaient les allées. « Il faudra que j'en fasse planter une centaine, et de plus gros que ça ».

Mais Ludovic était sans enthousiasme. Il lui semblait vain de faire des projets, alors qu'il se sentait dépérir. Et puis la solitude lui pesait. Il n'avait pas d'ami dans cet univers; la seule personne qu'il trouvait sympathique était Thoriÿn. Le comte Hasufald, expansif et superficiel, Fréald, avec sa gratitude toute royale, étaient des personnages inaccessibles. Ludovic se retrouvait au centre d'un domaine où tous lui étaient inconnus, dans un château où il ne se rappelait pas encore le nom de tous les domestiques.

C'était l'exil, et peut-être le mal de Ludovic n'avait-il pas d'autre nom.

Ses pas le portaient vers les limites du parc lorsqu'il vit une demi-douzaine de cavaliers s'amener à la grille. Il en reconnut deux, et son cœur se réjouit à l'idée de ne pas passer la soirée seul.

Les portiers discutaient avec eux, lorsqu'il arriva à l'entrée.

— Laissez entrer, voyons, c'est le futur roi de Sumagne, leur dit Ludovic avec bonne humeur.

— C'est que le monde entier ne connaît pas encore le futur roi de Sumagne, plaisanta Patricius.

Le jeune prince et son cousin descendirent et confièrent leurs chevaux à leurs écuyers. Ludovic n'était pas fâché de les accueillir : Patricius, un garçon de son âge, était simple, sans affectation aucune, et Fabrice était sympathique malgré son caractère parfois difficile.

— Vous voudrez bien partager mon repas, offrit Ludovic. Qu'est-ce qui vous amène à Corvalet ?

— Mon oncle Drorimius veut que j'attende à Valente l'heure de mon retour en Sumagne. Comme Valente est à quelques lieues seulement de Corvalet, nous avons pensé vous faire une petite visite en passant.

Ludovic dévisagea le jeune prince. « Il n'est pas si imbu de son titre, après tout, s'il est encore capable de faire des visites amicales ».

Mais ce n'était pas simplement une visite amicale.

* * *

La salle à manger du château était bien vaste pour trois convives. Bien qu'il fût content de ne pas souper seul, Ludovic manquait d'entrain et laissait passer des silences que les crépitements du feu dans l'imposant foyer ne pouvaient meubler. Le prince Fabrice, toutefois, ne semblait pas l'avoir remarqué.

— Mon oncle Drorimius, expliquait-il en réponse à une question de son hôte, est allé s'assurer que le Conseil de régence a le royaume bien en main, et vérifier qu'il ne reste pas d'agents de l'Empire qui pourraient tenter de m'assassiner à mon retour.

— Sage précaution.

Fabrice haussa les épaules et changea de sujet:

— J'ai su, baron, que vous retourniez en Troïgomor pour chercher l'épée Arhapal ?

« Hasufald a bavardé » songea Ludovic.

— Qui vous a raconté ça ? demanda-t-il en

feignant d'accorder peu d'importance à l'affaire.

— Je vais être franc: j'ai entendu Hasufald de Cormélion le dire au roi Fréald, le jour de votre départ. Sur un ton confidentiel. Mais comme le vieux comte est à moitié sourd, il parle toujours un peu fort.

— Franchise pour franchise, Altesse, je vous dirai que c'est inexact. Je compte retourner en Troïgomor, mais pas pour l'épée.

Le jeune prince attendit vainement la suite: Ludovic n'avait pas l'intention de révéler son véritable dessein.

— Et... serait-il indiscret de vous demander?...

— Ce serait indiscret, oui.

Fabrice se rembrunit, obligé de reconnaître qu'il ne pouvait questionner le baron de Corvalet sur ses intentions. Il garda le silence un moment, contraint de réviser sa stratégie. Enfin il demanda:

— Auriez-vous objection à ce que j'y aille avec vous?

Patricius le regarda avec au moins autant d'étonnement que Ludovic.

— Et vous, Altesse, qu'iriez-vous faire en Troïgomor?

— Je n'en ferai pas mystère, puisque c'est moi qui sollicite: je veux récupérer l'épée de mon ancêtre Garthbar.

— Arhapal? Mais elle est quelque part sous les ruines de l'Askiriath! Je l'ai perdue en affrontant Drogomir.

— Eh bien je la chercherai.

— Tu es fou ! intervint son cousin. Si le Nécromant remet la main sur toi, cette fois il te fera exécuter !

— Il est à Triga. Nous ne le rencontrerons pas sur la route des Osmégomor.

— Et puis la question n'est pas là, insista Patricius. Mon père a ordonné que nous restions à Valente jusqu'à ce qu'il vienne te chercher.

— Ton père est bien loyal, mais trop prudent : il faut reprendre la Sumagne orientale avant que Drogomir ne se ressaisisse. Il a perdu ses alliés sarses, il a perdu sa forteresse du Nord, c'est le moment de soulever le peuple contre lui.

— Vous voulez prendre la tête d'une rébellion ?

— Oui, baron. L'épée de Garthbar est réputée magique : de la voir brandie par moi, cela frappera l'imagination du peuple. Il marchera avec moi.

Fort excité, Patricius s'était levé :

— C'est insensé ! Je ne te laisserai jamais aller en Troïgomor. Père m'a dit de veiller sur toi, et je ne te laisserai pas partir.

— Tu me retiendras avec tes mains, peut-être ?

— Je ne suis pas seul.

— J'ai envoyé mon écuyer et mon valet à Valente sous prétexte de préparer le manoir. Il ne reste plus que les tiens : crois-tu qu'ils oseront lever la main sur moi, qui aurai bientôt le pouvoir de les punir de mort ?

« Il sait ce qu'il veut, celui-là » songea Ludovic.

— Vous, baron, il a du respect pour vous, plaida Patricius. Faites-lui entendre raison !

Mais, la première surprise passée, Ludovic voyait un avantage à la compagnie de l'impétueux Fabrice. « Avoue-le, poète, tu as peur de retourner en Troïgomor. Tu es las, malade, tu sais que tu ne vaudrais rien devant l'opposition. Tandis que ce garçon est brave, décidé ; il serait toujours là pour te pousser ».

— Je vais y réfléchir, répliqua Ludovic sans trop s'engager.

« Ce ne sera pas une promenade, de toute façon. Quand Fabrice aura un peu vu les dangers de son entreprise, il changera d'idée. Le temps de se rendre aux Osmégomor, ce sera bien assez pour le raisonner ».

C'était bien mal connaître le prince Fabrice.

* * *

C'était un soir de grosse lune verte, mais on n'en voyait qu'un croissant. Ludovic avait pris congé de ses invités après le repas, pour aller se reposer. Il espérait que la fraîcheur du soir lui ferait du bien et il était allé sur le balcon qui surplombait l'entrée principale du château. Assis sur la balustrade massive, adossé à la façade, il contemplait l'étrange lune verte dont la masse obscure masquait un grand rond de ciel étoilé.

— Vous réfléchissez, baron ?

Ludovic tourna la tête vers le prince Fabrice, qui venait de sortir sur le balcon. Il observa ce visage, presque celui d'un enfant, mais s'appliquant, aurait-on dit, à prendre un air de maturité : les traits nettement dessinés, l'ombre d'une moustache, la mâchoire dure.

— Tu as quel âge, dis-moi ?

Le prince tressaillit à cette question inattendue et son ton familier. Pris de court, il ne pensa pas à mentir :

— Seize ans.

Puis, croyant deviner où Ludovic en venait :

— Mais je suis assez grand pour entreprendre...

— Figure-toi, l'interrompit son hôte, que quand je vous ai vu arriver je me suis réjoui : j'allais avoir de la compagnie pour quelque temps, nous pourrions devenir amis. Et, si ce n'était de ce mal qui m'enlève toute énergie, nous aurions pu galoper d'un bout à l'autre de mon domaine et le découvrir ensemble. Mais ce n'est pas cela. Ce sont les affaires de ton royaume qui t'intéressaient en venant ici. À quel âge as-tu renoncé à l'enfance ?

Fabrice resta bouche bée un instant, puis fronça les sourcils en rétorquant :

— Quand on est chassé de chez soi à dix ans par des hommes armés, quand votre mère est assassinée presque sous vos yeux et que vous devez fuir dans la nuit...

— Et depuis, tu n'as plus jamais joué ?

Fabrice hésita.

— Si. Avec Patricius. Nous nous battions avec des épées en bois. Mais ça, c'était bon pour les enfants. Pourquoi me parlez-vous comme ça ? Vous non plus n'êtes plus un enfant, vous êtes plus vieux que Patricius. Vous êtes chevalier, vous avez défié Drogomir à vous tout seul.

Ludovic devina que, comme l'avait dit son cousin, Fabrice vouait une sincère admiration à celui qui l'avait délivré, dans l'Askiriath.

— J'ai bien moins que toi la trempe d'un chevalier. Je manie la plume, pas l'épée. Et je me suis trouvé mêlé à cette aventure tout à fait par hasard, contre ma volonté.

— Vous avez quand même triomphé.

Ludovic n'insista pas. Il continua de fixer son visiteur, puis soupira :

— Vous m'accompagnerez si vous y tenez, prince Fabrice. Avec votre cousin, qui parviendra peut-être à modérer vos audaces.

* * *

Lune blême, voilée par la brume. Dans la nuit, des éclairs, loin vers l'horizon. Les nuages épaississent l'obscurité sur la nécropole. Un éclair, à nouveau ; le tonnerre n'est encore qu'un sourd murmure.

Lueur verte, livide. Silhouette noire venue de sous terre, masque de terreur, soleil de nuit : le Nécromant.

Flammes vertes et jaunes, douleur atroce.

Clarté de l'aube, lointaine. Un vieillard, ample manteau gris, grand bâton à la main.

Mais toujours la brûlure, l'enfer en jaune et orange, le feu dans les yeux et dans les poumons.

Ludovic s'éveilla en sursaut, gémissant, se tordant parmi les draps. Il mit un moment à comprendre que le rayon de lune qui inondait sa chambre n'était pas celui de son rêve. Une lune blanche s'était levée sur ce monde-ci ; Ludovic se trouvait dans sa chambre. Et il n'était pas seul. Il sursauta.

— Thoriÿn ! soupira-t-il en le reconnaissant.

Il se laissa retomber sur son oreiller.

— J'ai eu un cauchemar. C'était... là-bas. Les derniers instants que j'ai passés dans mon univers.

— Tu as revu Drogomir ?

— Oui, et Méricius.

Le magicien alluma une bougie.

— Je n'en avais pas gardé le souvenir, mais cette fois-ci j'ai bien vu : Drogomir semblait n'avoir plus de jambes. Et Méricius... Méricius n'avait plus qu'un bras.

— Les séquelles de leur combat sur l'Osméiath, sans doute. Ils ont des pouvoirs terriblement destructeurs. Dans ce cas, nous aurons peut-être le loisir de cueillir le grimoire tranquillement : même les sorciers doivent panser leurs plaies.

La respiration de Ludovic ne s'était toujours pas apaisée. Thoriÿn, ne paraissant pas plus grand que s'il avait été assis au chevet du lit, posa sa main sur le front chaud du jeune homme.

— Tu es fiévreux. Ça ne va pas mieux…

— Non. C'est bien comme je le soupçonnais depuis Cormélion : mon mal va s'aggravant de jour en jour. Je n'ai plus d'énergie : ce soir, j'étais fatigué comme si j'avais passé la journée à marcher.

Il prit une profonde inspiration, sentit dans ses côtes et dans son dos la courbature d'une longue maladie.

— Thoriÿn… Comme vont les choses, je ne pourrai même pas me rendre en Troïgomor.

De sous son manteau, le magicien sortit une fiole pansue. Il la tint dans le rayon de lune et Ludovic y distingua un liquide verdâtre.

— C'est ce qui m'a retardé, fit le petit homme : ces décoctions sont longues à raffiner. Sans compter le temps qu'il m'a fallu pour rassembler les ingrédients : certains sont très rares.

— Vous croyez que ça y fera quelque chose ?

— Ça chassera lassitude et malaise pour un certain temps : quelques semaines peut-être. Si…

— Si… ?

— Si je parviens à mettre la main sur un dernier ingrédient, qui rendra la potion active.

— Et cet ingrédient… ?

— Une pierre de sylve.

— J'en ai une.

— Oui, tu me l'as montrée. Mais elle est bien

trop grosse, et ces pierres ne se laissent pratiquement pas fragmenter. Il en faudrait une minuscule ; je la choisirais en fonction de la quantité de potion contenue dans cette fiole.

— Les sylvains en ont. Il faut aller en Ithuriën. Peut-être que la reine Lauriane…

— Je compte sur toi, car je n'ai pas de grandes chances auprès d'elle.

Le ton de Thoriÿn intrigua Ludovic :

— Que voulez-vous dire ?

— Le peuple de la forêt ne nous aime guère, nous, magiciens et sorciers.

— Pourquoi cela ?

Thoriÿn haussa les épaules :

— Ils considèrent que nous détournons à notre profit les ressources, les énergies secrètes de la nature. Une perversion de l'ordre naturel, en quelque sorte.

— Mais vous…

— Je ne suis qu'un petit magicien inoffensif, n'est-ce pas ? sourit Thoriÿn. C'est un peu là-dessus que je compte.

7

Le souffle de l'Ithuriën

Ludovic ignorait combien son domaine de Corvalet était proche de l'Ithuriën. De fait, c'est aux limites de la baronnie que se dressaient les premiers arbres de la Ghaste Forêt. Toutefois, de l'extrémité ouest de l'Ithuriën jusqu'à Féliuriën en son centre, la distance était considérable.

Maître Thoriÿn n'était pas fâché de ce que l'expédition se renforçât de deux chevaliers, le prince Fabrice et son cousin, même si le premier était plutôt jeune. Du reste, Thoriÿn était d'accord pour qu'on ne laisse pas en Troïgomor la légendaire épée de Garthbar.

La compagnie partait sans écuyer, sans valet, avec seulement un cheval supplémentaire pour porter le bagage.

— Si nous sommes trop nombreux à entrer en Ithuriën, avait observé Thoriÿn, cela mécontentera les sylvains. Déjà, à quatre, nous risquons de les indisposer.

Mais Ludovic, ce matin-là, avait mis sur son front le Silvaran, la pierre de sylve dont Lauriane lui avait fait cadeau. Brúmeuse comme ce matin d'automne, elle n'était que translucide, d'un vert pâle, tel celui des feuilles qui s'apprêtent à virer au jaune. « Vous serez toujours le bienvenu en Ithuriën, lui avait dit Lauriane à sa première visite. Portez ce bandeau et l'on saura que vous avez l'amitié de la reine. »

Ludovic avait trouvé l'énergie d'enfourcher sa monture, et la compagnie s'était mise en route au petit matin, accompagnée jusqu'aux frontières de Corvalet par le valet de Patricius. Vers l'heure du midi, il avait préparé un copieux dîner de campagne, à l'orée de la Ghaste Forêt. Après quoi la compagnie était entrée en Ithuriën, le poète, le magicien, le jeune prince et son cousin.

* * *

En Ithuriën, l'automne est toujours lent à rougir les arbres, et le printemps prompt à les faire reverdir.

Ces jours-ci, la Ghaste Forêt était d'un vert très tendre, que gagnait à peine un peu de jaune. Les arbres semblaient des bouquets de mousse ou de duvet, tant ces teintes créaient une impression de légèreté.

De jaune clair, les feuillages en Ithuriën deviennent dorés, puis orangés, et enfin écarlates; parfois ils s'empourprent, mais jamais ne brunissent. Alors qu'ailleurs les arbres sont déjà nus et tristes, ceux de la Ghaste Forêt commencent à peine à perdre leurs feuilles. Et l'on voit que la forêt est vraiment enchantée car il reste aux branches une feuillaison nouvelle, minuscule et blanche, qui passe l'hiver sur les rameaux et verdit à l'approche du printemps. Aussi, même lorsqu'il n'a pas neigé depuis des jours, les arbres d'Ithuriën paraissent-ils givrés et les branches ne sont jamais sombres.

Tout cela, il restait encore à Ludovic à le découvrir. De se savoir voisin de la Ghaste Forêt, le nouveau baron de Corvalet aurait été heureux, si ce n'avait été ce mal qui le minait et tuait en lui toute joie.

Le pas sûr de Shaddaÿe menait la compagnie vers l'est. Le jeune prince et son cousin n'étaient pas rassurés. Nés en ce monde, ils connaissaient la réputation de la Ghaste Forêt; n'étant point magiciens, ils craignaient le surnaturel. Même en Uthaxe et en Sumagne, rares étaient ceux qui avaient déjà vu un sylvain ou une dryade; plus rares encore ceux qui en étaient revenus pour le raconter. Fabrice et Patricius, bien sûr, n'en avaient jamais vu. La légende les disait lumineux, et que leur regard vous perçait jusqu'à l'âme, pouvant même vous glacer jusqu'à la mort. Ils savaient se rendre invisibles à volonté et couraient plus vite que le vent.

L'aspect de la forêt n'était pas pour démentir

son surnom. Jamais Fabrice n'en avait vu de pareille. Haute, aérée, tout y paraissait léger, presque immatériel. Le jeune prince ne put se retenir, à quelques reprises, de toucher au passage de hautes fougères, croyant que sa main passerait comme à travers un mirage.

Fabrice aurait préféré qu'on ne passe pas par la Ghaste Forêt, il détestait cet état de nervosité, une crainte constante, mais sans objet précis. Son idée à lui avait été d'entrer en Sumagne occidentale et de suivre la rive ouest du Sinduriën, fleuve qui séparait la Sumagne libérée de celle occupée par Troïgomor. Le fleuve prenait sa source dans les monts Osmégomor, et c'est là-bas qu'on l'aurait traversé pour entrer en Sumagne orientale, dans une région plutôt déserte. On aurait donc fait la moitié du voyage en pays sûr.

Mais sire Ludovic avait décidé qu'on passerait par l'Ithuriën : il avait déjà traversé cette forêt et les sylvains le connaissaient. Interrogé sur ses motifs, le chevalier avait répondu : « Ce n'est pas moi qui ai sollicité votre compagnie. Si notre itinéraire ne vous agrée point, rien ne vous oblige à nous suivre. »

Le « nous », c'était Ludovic et ce petit homme surgi le matin du départ, Thoriÿn. Le chevalier semblait n'attendre que lui pour se mettre en route. Fabrice avait reconnu en lui un sorcier, à ses dents très blanches, tirant sur le mauve : l'effet secondaire d'un champignon connu seulement de ceux qui pratiquent la sorcellerie et qui leur donne la faculté de clairvoyance.

Fabrice se méfiait des sorciers ; pire, il les redoutait et les détestait. Toute sa vie avait été bouleversée par leurs machinations ; sa plus récente mésaventure, et non la moindre, avait été sa séquestration par le Nécromant. Quelles relations entretenaient sire Ludovic et ce Thoriÿn ? Se pouvait-il que le chevalier fût sous son influence ? Il n'était pas dans un état normal, pâle et atone.

Tout cela mis ensemble, Fabrice avait sérieusement envisagé de quitter sire Ludovic et de tenter sa chance de son côté. Mais, il avait beau être téméraire, il estimait ne pouvoir se lancer dans cette aventure seul avec Patricius.

« Et eux, qu'est-ce qu'ils vont faire là-bas ? » se demandait-il. « Un sorcier, une visite aux sylvains, un voyage dont ils ne veulent pas dévoiler le motif... Je n'aime pas ça ».

De longues heures, la compagnie chemina seule, ou telle était l'apparence. Fabrice ne cessait de scruter le sous-bois à droite et à gauche, se fatiguant les yeux pour voir entre les hautes fougères ou derrière d'étranges buissons filamenteux. Peut-être n'y avait-il pas de sylvains aujourd'hui dans cette région de la forêt ; elle était vaste et le peuple blond peu nombreux.

Mais, vers la fin de l'après-midi, Fabrice sentit que quelque chose avait changé dans... dans l'ambiance, peut-être. Il lui sembla que sire Ludovic et Thoriÿn étaient plus agités, plus attentifs. Mais le prince lui-même n'apercevait rien de suspect.

Il vit que Ludovic tournait la tête vers Thoriÿn chevauchant à ses côtés, un peu derrière, et que, du regard, ils échangeaient un message silencieux. Thoriÿn hocha la tête, affirmativement, et murmura quelque chose que Fabrice ne fut pas sûr de bien comprendre :

— Leurs cheveux suivent la couleur du feuillage.

— Il semble, oui, chuchota Ludovic. Un blond plus doré, comme l'automne, ou plus cuivré.

Désemparé, le prince Fabrice examina plus attentivement les environs : y avait-il des sylvains autour d'eux ? Aucun mouvement, pourtant, parmi les fougères. Rien qui trahît la présence de guetteurs derrière les troncs. Le jeune prince et son cousin échangèrent un regard inquiet ; clairement, ils n'étaient pas à leur place ici.

— Je viens voir la reine Lauriane, lança Ludovic à la ronde. Est-ce que Lorelan est parmi vous ?

Pour un moment il n'y eut pas de réponse et rien ne bougea autour de la compagnie, qui s'était immobilisée.

— Inutile de crier, ami, je suis là.

Ludovic sursauta, Fabrice encore plus. Lorelan était devant le groupe, sur le chemin, semblant s'être détaché d'un tronc d'arbre proche — semblant même en avoir émergé. Son costume gris-vert l'avait confondu jusque-là avec le gris clair du tronc.

Lorelan rit de la surprise de Ludovic et de ses compagnons.

Fabrice s'étonna : le sylvain n'était pas lumineux. Mais il comprit vite ce qu'entendaient par là les gens qui en avaient parlé : une impression de rayonnement, mais qui n'était pas perceptible par les yeux. C'est leur vitalité qui était perceptible, et leur jeunesse : le peuple de la forêt était réputé vivre beaucoup plus longtemps que les humains, tout en gardant une allure d'adolescents — certains les disaient même immortels.

— Ami Ludovic, tu viens avec un sorcier. Tu ignores peut-être que nous ne les aimons pas beaucoup ?

Des arbres proches jaillirent quelques sylvains et dryades. Fabrice pouvait bien ne pas les avoir vus : ils étaient perchés sur les branches maîtresses, cachés par le feuillage. Se laissant pendre à bout de bras, ils sautaient et se recevaient souplement, comme s'ils ne pesaient rien.

— Et nous n'aimons pas beaucoup, continuait Lorelan sur un ton sérieux, que les mortels viennent en nombre chez nous, sans invitation.

Ce disant il regardait le jeune prince dans les yeux, et Fabrice frissonna : ces grands iris verts, froids comme deux morceaux de jade, l'effrayaient. Ils n'étaient pas humains, pas du tout; Fabrice avait l'impression d'être percé jusqu'à l'âme par des aiguilles de glace et que rien de ses pensées n'échappait au sylvain.

— Mais ils ne resteront pas longtemps et ne reviendront jamais, je crois, fit Lorelan.

— Nous allons en Troïgomor, pour des affaires graves, annonça Ludovic d'une voix lasse. Mais je ne me serais pas permis de faire intrusion si je n'avais à voir absolument votre reine. Il y va de ma vie, et l'affaire implique aussi maître Thoriÿn, que je vous demande de laisser passer.

— Les « affaires graves » des hommes et des sorciers, répliqua Lorelan, ne nous intéressent point. Mais ta santé, Ludovic, voilà qui me préoccupe. Car c'est bien de cela qu'il s'agit, n'est-ce pas ? Ta flamme de vie est bien pâle.

« Sa flamme de vie ? » songea Fabrice. « Langage de magie, encore. Dans quelle affaire nous sommes-nous embarqués ? »

La compagnie se remit en route, escortée d'une petite troupe de sylvains et de dryades. Ils conversaient à voix basse, en riant parfois, et le prince Fabrice avait l'impression que les dryades parlaient de lui. Il aurait été flatté de savoir qu'elles faisaient des observations sur sa beauté; lui croyait qu'elles se moquaient.

— Tu crois qu'elles nous ont lancé un charme? demanda Fabrice à son cousin. Les dryades sont réputées capables d'envoûter les mortels.

— C'est probablement exagéré, comme toutes les légendes.

Thoriÿn, qui avait entendu, intervint :

— Non, c'est vrai, les dryades connaissent un sortilège dont l'effet est de lier par l'amour la personne visée. Mais rassurez-vous, conclut-il en riant, cela ne se fait pas par de simples paroles.

Puis il rejoignit Ludovic qui lui faisait signe. Le jeune homme se pencha vers lui et murmura :

— Qu'est-ce que Lorelan a voulu dire par ma « flamme de vie » ?

— Ton aura, plus ou moins rayonnante selon ta vitalité. Les sylvains et les elfes voient ces choses. Et les sorciers, bien sûr. Ainsi je peux voir que tu es épuisé : nous devrons bientôt nous arrêter pour la nuit.

Au crépuscule, ils choisirent une petite clairière où un ruisseau cascadait entre de grandes pierres plates. Il coulait vers une falaise proche et tombait en cataracte. Cette déclivité permettait de contempler la Ghaste Forêt dans toute son étendue, déjà noyée dans une pénombre verte. Le Sinduriën se voyait fort bien, tranchée sinueuse entre l'Ithuriën du peuple blond et Rassalhiën, la sombre forêt des gnomes.

Les sylvains prirent congé : ils reviendraient à l'aube pour escorter les voyageurs jusqu'à Féliuriën.

Maître Thoriÿn prit à part celui qui s'appelait Lorelan :

— Tu es un ami de Ludovic, je crois ? Moi aussi. Alors, s'il te plaît, écoute-moi.

Renfrogné, Lorelan répliqua:

— Je comprends mal qu'on prenne pour ami un sorcier.

— Je pourrais te répliquer qu'il y a de bons et de mauvais magiciens, mais ce serait trop simple.

— Et je ne serais guère convaincu.

— Questionne Fabrice sur ce que les mortels pensent des sylvains, et vois combien il y a là de faussetés.

— Nous les entretenons, ces craintes, pour qu'on ne vienne pas nous déranger. Mais je devine ce que tu veux dire.

— Quoi qu'il en soit, c'est de Ludovic que je veux te parler. Tu l'as vu: il se meurt.

Agenouillé devant une pile de petites branches, Fabrice attisait le feu qu'il venait d'allumer. De sa position, il apercevait Thoriÿn et le sylvain nommé Lorelan, à quelque distance dans la forêt. Ils discutaient, et le jeune prince n'aimait pas l'idée de ce tête à tête.

— Complot de sorciers, grommela-t-il entre ses dents.

* * *

Avant même que Patricius eût commencé à préparer le repas, Ludovic s'endormit, roulé dans son manteau et dans une épaisse couverture, à l'abri de deux pierres formant angle. Sommeil ou évanouissement? Il avait failli tomber en descendant de Shaddaÿe, il avait à peine trouvé la force de marcher jusqu'à sa couche improvisée. Au bord de l'inconscience il entendit, au loin, sonner les cors aigus des sylvains. Plus qu'un appel, ce semblait être une véritable musique, peut-être un message.

Après cela, Ludovic sombra, avec l'impression lancinante que son corps se dispersait, ses cellules mêmes tiraillées de toutes parts et arrachées à son être.

* * *

Les olifants des sylvains tirèrent le prince Fabrice du sommeil. La lune blanche brillait encore, juste au-dessus de la clairière, mais les étoiles s'estompaient à l'approche de l'aube. L'air était vif. Le feu pétillait comme aux premières heures de la soirée. Un crépitement sonore retentit dans la clairière.

Intrigué, Fabrice se leva à demi. Il vit d'abord le feu de camp.

« D'où viennent toutes ces branches mortes ? Hier elles étaient si difficiles à trouver ; les arbres sont en trop bonne santé dans cette forêt ensorcelée ».

Puis il vit Thoriÿn qui pointait son bâton argenté vers un des arbres proches. Éclair, crépitement : une nouvelle branche tomba, instantanément desséchée, ses feuilles réduites en poussière. Le petit magicien cassa ce bois mort et vint le jeter sur le feu.

Abasourdi, le jeune prince s'assit. Maître Thoriÿn, ayant perçu son mouvement, tourna la tête et ne lui jeta qu'un coup d'œil. On eût dit que ce prodige était pour lui des plus ordinaires.

— Thoriÿn... Thoriÿn, je meurs...

Leurs regards convergèrent vers celui qui avait prononcé ces mots. Râlé, plutôt, sur un ton à peine audible. Déjà Thoriÿn était auprès de lui : Ludovic, allongé sur le dos, la pâleur de son visage apparente même dans la pénombre de l'aube.

Fabrice se leva, s'approcha, vit que la main du chevalier cherchait celle de Thoriÿn.

— Qu'est-ce qu'il a ? chuchota le jeune prince.

Les yeux de Ludovic cherchèrent celui qui venait de parler, le fixèrent sans paraître le voir.

— La Mort, garçon. La Mort a posé sa main glacée sur son cœur.

À nouveau le mourant regardait au ciel, ses yeux fixes comme ceux d'un cadavre.

— Toi qui veux partir en guerre, dit encore le magicien au prince, regarde le visage d'un mort, regarde-le bien.

Fabrice ne put s'empêcher de frissonner. Sire Ludovic, mourant ? Sire Ludovic, le preux chevalier ? Oui, il paraissait fatigué ces derniers jours ; mais mourir ainsi, sans blessure, sans maladie apparente ?

— Mais qu'est-ce qu'il a ?

— Les sorciers, garçon, les sorciers dont tu te méfies à juste titre. Il a été pris dans leurs rivalités et il meurt sous leurs sortilèges.

— La lune, murmura encore Ludovic, c'est bien la lune que je vois ? Est-ce la mienne ?

Thoriÿn hésita un moment avant de répondre:

— Non, Ludovic, malheureusement ce n'est pas ta lune.

— Il délire!

À nouveau sonnèrent les olifants, beaucoup plus proches.

— Ils reviennent, fit Thoriÿn à l'intention du mourant. Les entends-tu, les olifants?

Mais Ludovic ne semblait pas entendre. Ses lèvres tremblaient: il essayait encore de parler. Thoriÿn et Fabrice se penchèrent vers sa bouche.

— Où... où irai-je ensuite? Un autre monde encore, un autre univers?

Un grand frisson secoua Fabrice, une détresse sans nom l'agrippa, comme vous agrippe la main d'un compagnon qui va tomber d'une falaise. Un homme mourait devant lui, un homme qui, l'avant-veille, lui avait parlé comme un ami, et Fabrice était parfaitement impuissant, tout futur roi qu'il fût.

Ludovic grelottait, maintenant, et entre ses lèvres le mot « froid » tentait de s'échapper. Fabrice le couvrit de son propre manteau, y ajouta sa couverture.

Thoriÿn prit son bâton, le sceptre argenté. Il parut se concentrer un instant en le serrant fort dans ses mains. Puis il le pointa vers le feu et les flammes s'enflèrent, devinrent un véritable brasier.

Ludovic cessa de grelotter après un moment.

— Il est mort? Il est mort? s'affola le jeune prince.

L'appel des olifants éclata tout près, clair et puissant.

— Qu'est-ce qui se passe?

Patricius s'éveillait en sursaut, voyait sa couverture qui commençait à roussir à la proximité des flammes.

Les sylvains surgirent dans la clairière. Il y en avait partout, dans cet espace restreint, tout le peuple blond semblait être venu avec l'aube.

Thoriÿn s'était levé, et devant lui Lauriane arrivait prestement. Lauriane, reine des dryades et des sylvains, regard de feu vert dans un visage éblouissant. Son manteau, aux couleurs d'un tapis de feuilles mortes, vola derrière elle dans le geste qu'elle fit pour s'en défaire.

— Est-ce trop tard?

— Le froid est en lui, ô reine, le grand froid est en lui.

— Tiens, magicien. Si tu le sauves, mon peuple ne te sera plus jamais hostile.

De sa ceinture elle avait détaché une bourse de cuir. Elle en tira une écuelle de bois sculpté, à fond plat et un peu creusé. Elle la posa sur une pierre proche et, s'agenouillant, y versa le contenu de la bourse: une pincée d'étincelles vertes.

— Y a-t-il ce qu'il te faut?

Thoriÿn se pencha sur les minuscules pierres de sylve:

— Il y a des calculs à faire, des pesées.

— Ludovic a déjà l'air d'un mort.

Un vieillard accompagnait les dryades de la suite royale. Un vieil homme vigoureux, manifestement en bonne santé, mais un vieillard tout de même; or on en voyait très rarement parmi les sylvains. Était-il un de ces hommes entrés dans la Ghaste Forêt et qui n'étaient jamais revenus, envoûtés par la magie des dryades? Il s'approcha de Lauriane:

— *Vous* pouvez le sauver, ô reine. Il y a en vous toute la vitalité de la forêt, toute l'énergie...

— Non, je ne peux, protesta Lauriane.

— Pourtant il le faut, et vite.

— Mais ne comprends-tu pas, Dydald? C'est un mortel.

— Moi aussi, répliqua le vieil homme.

Le feu déjà s'éteignait. Les sylvains et les dryades faisaient un cercle autour du groupe, sur les pierres plates en gradins, et regardaient la reine, impatients de connaître sa décision.

Les mains de Lauriane, de si belles mains qu'on eût dit des fleurs, se posèrent sur les joues du mourant, les doigts sur ses tempes. Il avait les yeux clos, maintenant.

— Le Silvaran! dit Lauriane, se décidant brusquement. Ne portait-il pas une pierre de sylve? Où l'a-t-il mise?

Elle cherchait autour de Ludovic, fouillait de ses doigts le capuchon de son manteau.

— Est-ce ceci? demanda Fabrice.

Il avait aperçu, sous un coin de couverture,

une tresse de cheveux blonds. Il la prit entre deux doigts et dégagea le Silvaran, sa pierre aujourd'hui limpide comme une eau verte.

Le regard de Lauriane saisit brièvement le sien lorsqu'elle prit le joyau et, un instant, Fabrice fut comme figé.

La dryade porta le Silvaran devant sa bouche. Faisant avec ses lèvres un cercle à la grandeur du joyau, elle souffla dessus, doucement, comme on réchauffe de son haleine les mains froides d'un enfant. Parmi les dryades et les sylvains courut un murmure d'étonnement, de protestation pour certains.

Patricius s'était rapproché de son cousin, ils n'avaient d'yeux que pour la reine apparue. Lumineuse elle l'était en vérité, et son éclat était à l'esprit ce qu'est aux yeux celui de la pleine lune d'hiver. Ils comprenaient que nul ne revînt pareil à ce qu'il était après avoir contemplé une dryade.

Penché sur la grande pierre plate comme sur une table, Thoriÿn prenait avec une pincette chaque petite pierre de sylve — il y en avait de la taille d'une tête d'épingle — et la posait sur le plateau d'une petite balance. Il était si absorbé par sa tâche qu'il ignorait ce qui s'était dit autour de l'agonisant.

Lauriane éloigna de ses lèvres le Silvaran ; elle paraissait déjà à bout de souffle. Fabrice et son cousin étouffèrent une exclamation : entre les doigts de la dryade, le Silvaran brillait tel un fragment de soleil vert.

Thoriÿn, qui avait brièvement tourné la tête, vit ce qu'elle s'apprêtait à faire.

— Etes-vous bien sûre ?... s'exclama-t-il.

— C'est pour sauver sa vie, uniquement.

Ce disant, elle semblait vouloir se convaincre, elle autant que Thoriÿn.

— Mais vous savez ce qui se produira ! Or il ne peut rester en Ithuriën.

— C'est un choix qu'il n'est plus en état de faire. Et puis c'est trop tard, la pierre luit.

Elle posa le joyau sur le front du mourant, pierre contre peau, et l'y maintint. Le petit soleil vert était éclipsé par la paume de Lauriane, mais une lueur rosée traversait la peau.

Pincette toujours en main, Thoriÿn eut un soupir de résignation.

Le vieil homme que Lauriane avait appelé Dydald parla, à l'intention de Fabrice et de Patricius :

— Le souffle de la forêt par la bouche de sa reine... Dryades et sylvains, la forêt vit en eux comme eux vivent dans la forêt. Ils vivront tant qu'elle existera, et quand ils partiront elle ne sera plus ce qu'elle était.

Lauriane, paraissant épuisée, avait placé autour de la tête de Ludovic le bandeau de cheveux tressés, pierre tournée contre le front et cachée par sa sertissure de bois. On voyait un peu de la pierre, toutefois, assez pour constater qu'elle ne brillait déjà plus.

Voyant que sa respiration avait repris, Fabrice ne put s'empêcher d'appeler à mi-voix :

— Sire Ludovic ! Sire Ludovic !

Le chevalier rouvrit les yeux. La première personne qu'il vit, dans la clarté pâle de l'aurore, ce fut la reine Lauriane. Il n'osa lui parler, croyant peut-être à une hallucination.

Elle lui sourit et, avec ce sourire, toute lassitude quitta le visage de Lauriane. Ludovic referma les yeux; sa respiration était régulière.

Thoriÿn, soulagé malgré tout, se remit à la tâche de peser les minuscules pierres de sylve. C'était une tâche minutieuse, qui ne pouvait être précipitée. À la fin, il dit:

— Celle-ci fera l'affaire, je crois.

Il se leva et tint à hauteur de ses yeux, face à l'est, une gemme à peine visible au bout de sa pincette. Entre les troncs des hauts arbres, dans une éclaircie, on voyait le ciel illuminé par l'aurore. De sous son manteau, le magicien tira la fiole de verre taillé. Il l'agita d'une main puis, habilement, retira le bouchon avec le pouce et l'index.

Thoriÿn porta l'extrémité de la pincette au-dessus du goulot et, à l'instant où la pierre de sylve plongeait dans la potion, le premier rayon de soleil toucha la burette. On vit un bref embrasement vert entre les mains du magicien, une flamme liquide qui aussitôt s'apaisa.

— Il faut attendre une heure, pour que le principe de la pierre active la potion.

Sylvains et dryades s'installèrent pour patienter, profitant de cette attente pour se reposer. Beaucoup s'éloignèrent: comme les animaux de la forêt, ils n'étaient pas à l'aise en présence d'humains, sans pourtant les détester. Patricius et Fabrice firent à manger, pour eux-mêmes et pour Thoriÿn. Dydald accepta leur invitation, mais pas Lauriane ni Lorelan.

Quand la potion eut reposé une heure au soleil, Thoriÿn s'agenouilla aux côtés de Ludovic et, avec une pipette d'argent, préleva un peu de liquide.

— Mortel, ouvre la bouche.

Ludovic obéit ; il avait entièrement repris conscience. Le magicien compta dix gouttes, qui tombèrent sur la langue pâle du chevalier.

— Sommes-nous déjà à Féliuriën ? demanda-t-il après avoir avalé.

— Non, nous n'en sommes qu'à mi-chemin, répondit doucement Lauriane qui s'était rapprochée.

— Alors ?...

— Les olifants de l'Ithuriën portent loin, répondit Thoriÿn. Ton ami Lorelan a bien voulu en sonner à ma demande, et il a couru dans la nuit jusqu'à sa reine.

Lorelan intervint :

— Elle était debout, veillant avec ses dames, prévenue qu'on avait besoin d'elle. Dès que je lui ai parlé, elle a cherché dans sa cassette les pierres qu'il fallait, et elle s'est mise en route.

La reine et sa suite avaient traversé la forêt tel un cortège de feux follets, une pâle comète sur les chemins d'Ithuriën, laissant dans l'air une traînée phosphorescente comme un sillage sur la mer une nuit de pleine lune. Ainsi vont les elfes, les sylvains ; et, lorsque d'aventure un mortel les entrevoit, il s'éloigne en ayant soin de ne pas croiser leur chemin.

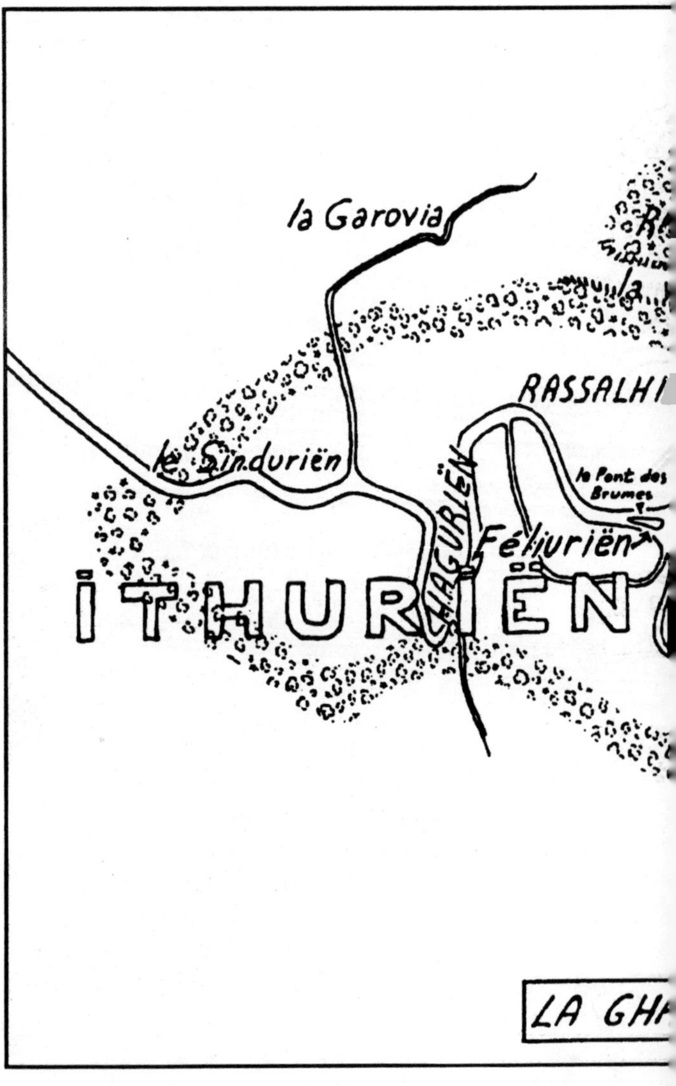

la Garovia
le Sinduriën
RASSALHI
le Pont des Brumes
Féliuriën
HAGURIËN
ÏTHURIËN
LA GH

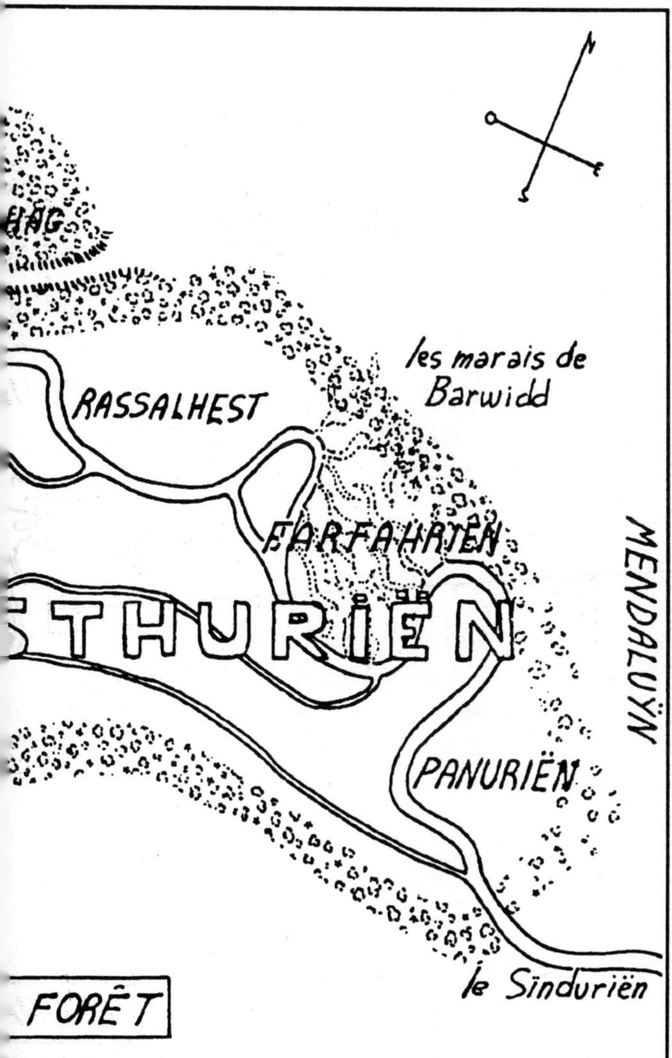

HAG

les marais de
Barwidd

RASSALHEST

FARFAHRIEN

MENDALUŸN

THURIËN

PANURIËN

le Sīnduriën

FORÊT

8
Les gnomandres

Le ciel n'était pas longtemps resté clair: de l'ouest étaient venus de grands nuages gris. L'Ithuriën baignait dans un jour blafard, tandis que les sylvains et la compagnie de Ludovic cheminaient à bonne allure. La reine semblait pressée et, comme cette nuit, elle était déterminée à traverser Haguriën, une péninsule découpée par un méandre du Sinduriën. C'était une longue avancée de Rassalhiën en Ithuriën, et Rassalhiën était la forêt occupée par les gnomes. Contourner l'enclave augmentait de moitié la longueur du trajet.

— Si nous ne l'avions traversée cette nuit, nous serions arrivés trop tard pour vous sauver, Ludovic.

— Mais les gnomes ont eu connaissance de notre passage, rappela Ériane, cheftaine des archers de la reine. L'alerte aura été donnée.

— Ils n'oseront pas se montrer le jour: l'éclipse du Nécromant les a rendus peureux.

— Ils n'oseraient pas en plein soleil mais, avec ces nuages sombres, on se croirait au crépuscule.

— Nous traverserons quand même. Je dois être à Féliuriën pour accueillir les délégués au Grand Conseil.

Ériane ne contesta pas la décision de sa reine. Elle traversa le premier pont et partit en avant-garde sur la péninsule, priant Lauriane d'attendre une heure avant de s'y engager. Silencieux comme les grands oiseaux de la forêt, sylvains et dryades disparurent dans le sous-bois, des flèches déjà encochées à leurs arcs.

Le prince Fabrice et Patricius s'éloignèrent un peu du groupe restant.

— J'ignorais qu'il y eût une armée sylvaine, dit le plus vieux.

— Une armée *sylvaine?* fit le prince.

— Ces archers n'ont sûrement pas eu l'envie d'aller chasser tout d'un coup. Peut-être que l'Ithuriën est en guerre.

— Et Rassalhag leur ennemie? C'est possible.

— En tout cas, je suis content d'avoir accompagné sire Ludovic.

— Pourquoi? Je croyais que tu détestais l'idée de ce voyage?

Le cousin du prince hésita un peu, puis s'expliqua:

— Il faut que je te dise: j'ai toujours rêvé de

faire connaissance avec les dryades et les sylvains.

— Toi ? Malgré tout ce qu'on en disait ?

— Ce qu'on en disait était inexact, exagéré : as-tu trouvé les sylvains effrayants, depuis que tu es parmi eux ? Mystérieux, étranges, d'accord.

— Inquiétants.

— Pour leurs ennemis, peut-être. Mais as-tu lu la moindre méchanceté dans les yeux de la reine ?

— Non, mais de la magie.

— De la magie, oui, fit Patricius, et ses yeux brillèrent à ce souvenir.

De son côté, Ludovic était descendu de licorne.

— Profitez-en pour vous étendre, lui recommanda Lauriane.

— Je ne sens aucune fatigue. La potion de maître Thoriÿn a fait miracle.

Il consentit à s'asseoir dans l'herbe, adossé à un arbre, sur la berge du Sindurïen, près du pont de pierre. Dydald, le vieil homme, s'assit à ses côtés. En face d'eux, sur la péninsule, la forêt semblait peu différente de l'Ithurïen. Ludovic en fit la remarque à Dydald.

— Le sortilège que Drogomir a jeté ne s'étend pas si loin au sud, expliqua le vieil homme. Sur Hagurïen, les arbres ont gardé de leur lumière et de leur vitalité. Néanmoins les gnomes ont occupé la péninsule, parce qu'elle est rattachée à la rive nord. Et le peuple blond ne la traversait plus, s'imposant de la contourner par le sud.

— Et... ce que vous appelez « l'éclipse » de Drogomir ?

— Depuis qu'il a été défait et que l'Askiriath est tombée, sa puissance a décliné. Il n'a plus la force de maintenir sous son influence maléfique toutes les terres qu'il avait enténébrées.

— Cet Orthériam qui lui a été ravi...

— De là venait sans doute une bonne part de sa puissance. Maintenant les gnomes se sentent affaiblis, ils ne sont plus aussi hardis. Ils se retirent vers Rassalhag, la vraie Rassalhag, la petite forêt dont ils sont originaires.

— Ils ne se retirent pas tous, apparemment.

De l'autre rive, en effet, leur parvenaient des bruits lointains, cris aigres de gnomes transpercés de flèches, appels clairs et brefs des olifants. L'avant-garde avait débusqué des ennemis.

Puis le silence retomba. Ludovic regarda le vieil homme à ses côtés, étudia son profil qu'il lui semblait avoir déjà vu.

« Qui est-il ? Comment s'est-il fait accepter des sylvains, jusqu'à devenir un des leurs, ou presque ? Un voyageur, un vagabond, qui serait entré en Ithuriën par aventure et n'aurait plus jamais voulu repartir ? Peut-être est-il devenu amoureux d'une dryade. Leur seule vue... »

Leur seule vue troublait le cœur des hommes et, pensant cela, Ludovic sentit son regard attiré vers Lauriane. Elle était descendue de licorne, elle aussi, et se tenait à l'entrée du pont, agitée. Il lui arrivait d'y faire quelques pas et de revenir, témoignant d'une impatience qui était rare chez les siens.

Comme les rares mortels qui la voyaient, Ludovic avait la première fois été ébloui par sa beauté et sa grâce; mais tout en sentant bien que cette beauté était hors de son atteinte, hors de l'atteinte des mortels. Mais aujourd'hui il avait beau se raisonner, il ressentait envers elle une attirance, et c'était plus que de la gratitude pour son intervention.

Dydald vit qu'il la contemplait.

— Un geste très généreux de sa part, que d'être venue jusqu'à toi en pleine nuit.

— Je sais, répondit Ludovic, et je n'en reviens pas encore. Enfin, je ne suis qu'un simple mortel; qui suis-je pour elle?

— Plus que tu ne le crois.

— Que veux-tu dire? s'étonna le chevalier. Cette pierre de sylve dont elle m'avait fait cadeau?

— Cela se voit rarement, un mortel recevant pareil cadeau. Mais je parlais du charme de vie, le sortilège par lequel elle t'a ranimé. Ce n'est pas quelque chose qui se fait à la légère.

Il n'en dit pas plus et quitta Ludovic.

* * *

Ludovic s'était assoupi au pied de son arbre. Du pont, où elle maîtrisait tant bien que mal son impatience, Lauriane le regardait parfois, longuement, l'air grave et peut-être un peu triste.

Maître Thoriÿn s'était approché de Dydald:

— Vous avez remarqué comment elle le regarde?

— J'ai surtout remarqué comment *il* la contemple.

— Lui avez-vous expliqué? demanda Thoriÿn.

— Non... pas vraiment.

— Il faudra pourtant bien le lui dire.

— Il le découvrira bien assez tôt, ne pensez-vous pas? répliqua le vieil homme.

Thoriÿn n'insista pas. De toute façon, il ne pouvait rien changer à ce qui s'était fait ce matin. Lauriane n'avait pas le choix: Ludovic agonisait, il serait mort avant que la potion ne soit prête. Le petit magicien changea de sujet:

— Ce nom qu'on vous donne, Dydald... Ce n'est pas vraiment le vôtre, n'est-ce pas?

Le vieil homme tourna la tête vers Thoriÿn, lentement:

— Si, ce l'est.

— Mais vous en avez déjà porté un autre.

Dydald le regarda sans répondre, essayant de deviner où Thoriÿn voulait en venir et, surtout, combien il en savait.

À ce moment, du pont, Lauriane lança:

— Allons-y. Il n'y a pas eu d'autre escarmouche après la première: les gnomes ne sont pas venus en nombre.

Dydald en profita pour s'éloigner du petit magicien, non sans lui dire:

— Vous qui semblez tout savoir, vous n'ignorez pas que je ne puis quitter l'Ithuriën. Alors, pourquoi réveiller le passé ?

Lorelan, le premier, rejoignit la reine. Il soutenait qu'une heure ne s'était pas encore écoulée depuis le départ d'Ériane et de ses archers.

— Ce serait une imprudence, protesta-t-il. Ériane n'a pas encore fait sonner le signal.

— Ça ne saurait tarder. Mettons-nous en selle et traversons au moins le pont.

Ceux qui avaient licornes ou chevaux les montèrent et la compagnie franchit le Sinduriën, étroit à cet endroit. Puis Lauriane, soucieuse, arrêta sa monture. Maintenant elle paraissait soupçonner un guet-apens et sa méfiance semblait partagée par les autres sylvains; tous ceux qui avaient des arcs encochèrent une flèche. La plupart, instinctivement, surveillaient à gauche, du côté de Rassalhiën, et non à droite, vers la pointe de la péninsule. À droite, Ériane avait envoyé moins d'éclaireurs. C'est de là qu'une lance jaillit et transperça le cou d'une licorne, manquant de peu sa cavalière, une archère escortant la reine.

Bruit dans les broussailles: les gnomes sortaient de leurs terriers par dizaines. D'autres sagaies furent lancées, blessant quelques dryades et sylvains. Mais déjà les arcs répondaient, les flèches tombaient en grêle sur les assaillants. La reine sonna son olifant d'argent pour appeler du renfort.

En un geste de bravoure rare chez eux, les gnomes sortirent des fourrés pour charger.

Fabrice et Patricius sautèrent de cheval, tirèrent leur épée et se portèrent à leur rencontre. Sans hésiter, Ludovic en fit autant. Plus par chance que par adresse, il dévia une lance destinée à Lauriane. Puis il brisa une pique fonçant vers son propre ventre. Le gnome qui la portait continua sur son élan, la hampe brisée heurta Ludovic à la hanche. D'estoc, il frappa le gnome à la gorge.

À côté, deux nabots fonçaient vers Patricius, piques tendues à l'horizontale. Ludovic faucha la plus proche, brisant un poignet avec. L'écuyer évita lestement la deuxième et piqua de son épée le gnome qui la maniait.

Celui que Ludovic avait blessé le chargea, un coutelas dans sa main valide. Le chevalier para un coup, puis un deuxième; sa hanche meurtrie le faisait grimacer. Il recula devant la fureur de l'assaut. Une troisième parade, puis Ludovic se fendit, perçant le gnome en tirant avantage de la plus grande portée de son bras. Sa propre adresse l'étonna.

Les trois jeunes gens étaient les seuls à se battre à l'épée. À leurs côtés, les arcs vibraient, presque avec régularité, faisant retentir parmi les gnomes des hurlements et des râles. De son côté, l'impétueux Fabrice avait foncé, faisant reculer ses adversaires. Mais, s'étant trop avancé, il se trouvait contourné.

— Derrière vous! cria Ludovic.

Le prince se retourna vivement, para une pique, qui s'enfonça dans la terre à ses pieds.

Une deuxième fonçait vers son ventre, mais le gnome trébucha, la cuisse ouverte par l'épée de Ludovic. Le chevalier chargea deux des gnomes qui encerclaient Fabrice; l'un recula, blessé au flanc.

Ludovic perçut un éclair aveuglant, sentit une brûlure au côté de son visage. Un embrasement, un grésillement atroce: d'une grosse roche où il s'était tapi, immobile, un gnome tomba, fumant, un coutelas à la main. Ludovic, ne l'ayant pas aperçu, aurait eu la gorge tranchée; du coin de l'œil il vit Thoriÿn, son sceptre encore brandi.

Ramenant son attention aux gnomes devant lui, le chevalier les vit tous deux tomber à genoux, des flèches enfoncées dans leur torse: les sylvains, avec leurs petits arcs conçus pour la forêt, décochaient presque à bout portant.

Fabrice s'étant défait d'un dernier assaillant, fit face avec Ludovic aux suivants. Les gnomes se servaient de leurs piques pour garder l'adversaire à distance et le faire reculer.

Bientôt, sylvains, dryades et hommes furent acculés aux carcasses des montures tuées, sur le chemin. Presque tous les archers étaient partis avec Ériane en avant-garde, il ne restait plus avec la reine qu'une dizaine de dryades et de sylvains, quelques-uns blessés.

L'issue de la bataille était incertaine.

À nouveau le magicien brandit son bâton d'argent et, rassemblant tout son pouvoir, fit jaillir un éclair. Plusieurs gnomes tombèrent, foudroyés; les autres reculèrent, épouvantés. Lames et flèches s'abattirent sur eux, les piques furent jetées au sol, les gnomes mis en déroute.

Ludovic se tourna vers Thoriÿn pour le remercier, tandis que dryades et sylvains se penchaient sur leurs propres blessés. Le petit magicien vacillait, épuisé par son effort; Dydald le soutint.

— Cette fois vous avez sauvé la reine elle-même, fit le vieil homme. Ce n'est pas à moi de donner ou de retirer l'amitié du peuple blond, mais je crois qu'aujourd'hui elle vous est acquise.

La reine sonna à nouveau de son olifant, sur une note triomphante cette fois, pour prévenir Ériane qu'elle n'était plus en péril. Des cris dans la forêt indiquèrent que les gnomes en fuite venaient de tomber — pour leur plus grand malheur — sur la troupe d'Ériane qui revenait.

Lorelan, blessé à une cuisse, désigna de son arc un trou à demi caché par des broussailles, sous une grosse roche:

— Les traîtres étaient tapis dans des terriers, c'est pourquoi les éclaireurs d'Ériane ne les ont pas trouvés, il y a une heure.

— Des trous creusés il y a longtemps, peut-être à l'époque de l'invasion, fit une dryade.

— Quand ils sont terrés assez profond, on ne peut sentir la présence des gnomes, pas avec certitude.

Quelques éclaireurs de l'avant-garde revenaient, essoufflés.

— Les gnomes devaient être cachés là depuis cette nuit, fit l'un d'eux. Il n'y avait donc pas de piste ni d'effluve fraîche.

Ce qui étonnait Ludovic, c'était la combativité de ces gnomes, comparée à la lâcheté de ceux qu'il avait rencontrés en traversant Rassalhiën : ceux-là s'étaient cachés à la seule vue de son Silvaran et avaient gardé leurs distances même la nuit.

— Ceux-là n'étaient pas les mêmes, expliqua Lauriane. C'étaient de simples gnomes, une race malfaisante et timorée. Ceux d'aujourd'hui étaient des gnomandres, une espèce autrement plus féroce et vindicative ; ils craignent seulement le plein soleil.

On fit remarquer à Ludovic que les gnomandres, un peu moins courts que leurs cousins, avaient la peau couverte d'écailles d'un gris brunâtre, une large bouche, pratiquement pas de nez ni d'oreilles, et des yeux aux pupilles fendues verticalement.

— Si les gnomandres s'étaient trouvés sur votre chemin l'autre fois, vous n'auriez jamais traversé la forêt de Rassalhiën. Mais nous savions qu'ils n'y étaient point, partis guerroyer pour Drogomir dans les marais de Barwidd.

Ériane, la cheftaine des archers, arriva fort mécontente.

— Nous revenions, après avoir posté des archers tout le long du parcours. Nous aurions éventé cette embuscade en repassant ici : les gnomes devaient être remontés aux sorties de leurs terriers et nous les aurions repérés. Ma reine, si vous aviez attendu notre retour un moment de plus, votre vie n'aurait pas été mise en danger.

— C'est juste, Ériane, mais ne nous attardons pas. Avez-vous beaucoup de blessés ?

— Oui, mais pas de morts. Il n'y avait que deux troupes de gnomes dans l'Haguriën : apparemment ils n'ont pas eu le temps d'en appeler d'autres depuis cette nuit.

— C'est donc bien que le gros de leur peuple est retiré loin des berges du Sinduriën, comme nous le soupçonnions.

La reine parut réfléchir un instant, puis :

— Pour l'Haguriën, dit-elle, devançons le conseil de nos alliés. Cette péninsule était à l'Ithuriën, aujourd'hui nous la reprenons. Vos archers peuvent-ils la garder, Ériane ?

— S'il n'y a plus de gnomes au sud du chemin, oui. Nous établirons notre défense juste au nord du chemin : c'est la partie la plus étroite, la plus facile à tenir.

— Je vous enverrai du renfort dès que je serai à Féliuriën. Nous chasserons de l'Haguriën le souvenir même du Nécromant, et les arbres y seront aussi lumineux que dans la forêt autour.

Car les arbres qu'aiment les sylvains prospèrent du seul fait de leur présence. Il suffisait que le peuple blond revînt en l'Haguriën pour que, en quelques saisons, les arbres retrouvent leur vitalité d'antan. Les gnomes n'y avaient pas vécu assez longtemps ni en assez grand nombre pour polluer à jamais la terre d'Haguriën; les pluies du printemps laveraient bien vite cette souillure.

La compagnie de la reine et celle de Ludovic se remirent en marche. Fabrice et Patricius, ainsi que les quelques dryades qui allaient à licorne, laissèrent leurs montures aux blessés. Certains l'étaient gravement — ç'auraient été blessures fatales pour de simples mortels. Mais les sylvains sont presque invincibles et meurent rarement à la guerre.

Hors la guerre, ils ne meurent jamais. Certains se retirent, parfois, avec dans le cœur la lassitude d'une vie cinq fois longue comme celle des hommes. Où ils se retirent, nul mortel ne le sait.

9

Grand Conseil à Féliuriën

On accédait à l'îlot de Féliuriën par un pont relié à son extrémité ouest. C'est de ce côté que Thoriÿn, Fabrice et Patricius avaient été logés, dans de grandes tentes de soie offrant tout le confort d'une maisonnette. La reine Lauriane elle-même et sa cour habitaient la partie est de l'îlot, plus large. Ludovic y avait été emmené dès l'arrivée à Féliuriën, en fin d'après-midi. La reine avait ordonné qu'il se repose dans une des chambres du palais, c'est à dire dans une tente, sur une plateforme spacieuse à mi-hauteur d'un arbre.

— Mais je n'ai pas besoin de repos ! avait-il protesté. La potion de maître Thoriÿn a chassé toute lassitude.

— Vous avez voyagé la journée entière.

— Sur une licorne, au pas ! Il n'y a pas de randonnée plus reposante !

— Et l'embuscade des gnomes ? Vous vous y êtes reposé ? Comment va votre hanche ?

— Il y a eu des blessés bien plus graves.

Mais Ludovic s'était laissé convaincre de s'étendre quelques heures.

Le prince Fabrice et son cousin, après le souper qu'on leur avait servi, étaient allés se promener un peu sur la rive nord de l'îlot, celle faisant face à Rassalhiën, la forêt occupée par les gnomes.

— Crois-tu, demanda Patricius, que nous sommes autorisés à aller partout sur l'île ?

— Ils ne nous ont rien interdit, je crois ?

— Non, mais ils nous ont casés à l'écart.

— C'est une attitude inacceptable ! Ne nous sommes-nous pas battus pour défendre leur reine, tout à l'heure ? Nous devrions être traités en invités de marque.

— C'est déjà un privilège que d'être admis à séjourner sur l'île de Féliuriën.

Les nuages étaient passés sans que n'éclate l'orage. La lune verte, ce soir, était à son premier quartier, semant des fragments de jade sur le satin noir de la rivière. La forêt en face était parfaitement obscure, ses premiers arbres à peine discernables.

Fabrice et Patricius cheminaient sur les grosses roches plates de la berge comme au bord d'une falaise miniature, morcelée, dominant le Sinduriën. À leur droite, le relief montait : l'îlot était en fait un rocher, ses pentes les plus douces couvertes d'arbres, ses seules surfaces planes étant l'extrémité ouest et la clairière de Féliuriën.

Les deux jeunes hommes avaient dépassé sans le savoir l'emplacement du Pont des Brumes, lorsqu'ils entendirent des exclamations lointaines. Ce leur sembla être le bruit d'une escarmouche, et ils se mirent à courir vers l'extrémité est de l'îlot.

Ils virent alors le spectacle le plus étonnant: sur la rivière remontait une minuscule embarcation, une balancelle à la poupe relevée. À bord on distinguait quatre ou cinq rameurs — des enfants, d'après leur taille.

Ils essuyaient une attaque des gnomes: des cris aigres venaient de la rive nord, on devinait des silhouettes trapues s'agitant entre les arbres et parfois, brièvement, des paires d'yeux phosphorescents. L'embarcation était hérissée de sagaies, ses occupants ne devaient la vie sauve qu'à des boucliers fixés au plat-bord. Mais certaines lances avaient dû transpercer la coque sous la ligne de flottaison, car la balancelle s'enfonçait inexorablement. Elle ne semblait pas devoir atteindre la pointe de l'îlot avant de sombrer.

Fabrice et Patricius se défirent de leurs bottes, de leur épée et, courageusement, entrèrent dans l'eau froide. La berge, au bout de l'île, n'était plus escarpée, et le fond descendait en pente régulière.

Les passagers ramaient désespérément; l'eau atteignait presque le plat-bord.

— Tenez bon! cria le prince.

Lui et son cousin avaient de l'eau jusqu'au menton lorsqu'ils atteignirent l'embarcation, mais avaient encore pied.

— À cheval sur nos épaules! lança Patricius.

Deux des passagers quittèrent la balancelle, s'agrippèrent à leurs sauveteurs. L'esquif, allégé, remonta un peu.

Les gnomes, sur la terre ferme, étaient restés à hauteur de l'embarcation, mais elle était maintenant hors de leur portée et ils ne lançaient plus que des imprécations criardes.

Les deux jeunes hommes saisirent le bord de la barque et la remorquèrent vers l'îlot, chancelant sous le poids des enfants sur leurs épaules. Lorsque la balancelle coula, submergée, elle ne s'enfonça que de quelques centimètres et toucha le fond. Ses derniers occupants, après avoir hurlé d'effroi, en furent quittes pour une brève baignade.

— Des hommes! s'étonna celui que portait Fabrice. Ne sommes-nous pas à Féliuriën?

Mais le prince et son cousin étaient autrement plus étonnés: ces êtres aux voix claires, pas plus grands que des enfants de cinq ans mais proportionnés comme des adultes, avaient les yeux lumineux comme des petites flammes bleues ou mauves.

— Seriez-vous?...

— Farfadets, bien sûr, intervint la voix de

maître Thoriÿn, alerté lui aussi par l'incident.

— Je croyais qu'ils existaient seulement dans les légendes ! s'exclama Patricius.

— Du tout. Leur pays est sur la rive nord du Sinduriën, du côté des marais de Barwidd. Du moins il y était, jusqu'à ce qu'ils en soient chassés par Drogomir et doivent se réfugier en Esthuriën.

Et, pour Fabrice qui le considérait d'une air perplexe, le petit magicien ajouta :

— Oui, mon père était farfadet ; c'est un peu mon peuple. Et je reconnais mon cousin Thorfad, ajouta-t-il en se tournant vers l'un d'eux.

— Lointain cousin, rectifia l'intéressé sur un ton peu amène.

— Et pourquoi ce bain nocturne ? ironisa Thoriÿn.

— Nous avons fait un bout de chemin sur le Sinduriën même, répondit le farfadet avec dignité, pour ne pas être en retard au Grand Conseil.

— Navigation fort risquée, surtout la nuit.

— Nous n'avions pas le choix : nous étions jusqu'à hier en mission de reconnaissance en Farfahriën, afin de rapporter au Conseil les plus récentes nouvelles. Partis ce matin pour Féliuriën, nous étions obligés de prendre un raccourci.

Le prince Fabrice intervint :

— Quel est donc ce Grand Conseil dont nous entendons parler depuis ce matin ?

— Suivez-moi, répondit le magicien, et tous

lui emboîtèrent le pas sur un sentier gravissant le promontoire.

* * *

— Ce n'est pas tous les jours qu'un magicien est admis à visiter Féliuriën, dit Thoriÿn lorsqu'ils approchèrent du sommet, et voyez quel spectacle j'ai eu la chance de découvrir tout à l'heure.

L'autre versant du promontoire descendait vers la clairière de Féliuriën. En face, le Sinduriën s'élargissait en une vaste lagune, confluent de trois autres rivières. Elle était constellée de lumières, une multitude de lanternes se mirant à la surface du plan d'eau.

Le prince Fabrice et son cousin eurent une exclamation.

C'étaient des bateaux, des dizaines de barques et de gondoles arrivant des petites rivières, manœuvrant sur la lagune pour s'amarrer aux longues jetées de Féliuriën. Leurs fanaux étaient verts pour la plupart, certains jaune-vert, d'autres pareils à des émeraudes lumineuses; mais il y en avait aussi de bleus, d'autres dorés, quelques roses.

— Mes amis, fit le petit magicien à l'intention de Fabrice et Patricius, nous sommes arrivés à un moment important. Apparemment les sylvains se réunissent ce soir, y compris ceux de l'Esthuriën: on reconnaît leurs gondoles.

— Comment les connaissez-vous? s'étonna Fabrice.

— Les sylvains d'Esthuriën ont plus de rapports avec les mortels, parfois il en vient même à la cour d'Uthaxe.

— Et tous ces farfadets ! s'exclama Patricius en apercevant des balancelles comme celle de leurs rescapés.

— Et ces barques aux lanternes bleu turquoise sont celles des faunes, cousins des sylvains. Leur pays est sur la rive gauche du Sinduriën, près du duché de Mendaluÿn.

Patricius n'en croyait pas ses yeux : il avait toujours rêvé de rencontrer des sylvains et, le jour où cela se réalisait, il apprenait qu'il existait encore d'autres races aussi fabuleuses.

— Et je vois même des hommes, des mortels, poursuivait Thoriÿn. Ces boutres, ils viennent de Mendaluÿn.

Sur les longues jetées de l'îlot, illuminées elles aussi de flambeaux, tous les arrivants se dirigeaient vers la clairière, où le peuple entier de la Ghaste Forêt semblait réuni. Les grands arbres qui constituaient le palais de Lauriane étaient constellés de lumières.

— Bon, alors, vous descendez ? s'impatienta un des farfadets rescapés.

— C'est que nous n'avons pas été invités, répondit Patricius.

— Eh bien vous l'êtes maintenant, fit la voix d'un sylvain.

Ils baissèrent les yeux vers Lorelan, qui montait à eux, venant de la clairière, boitant sérieusement à cause de sa blessure à la cuisse.

— La reine vous mande au Grand Conseil des peuples fées.

— Nous? s'étonna Patricius, alors que son cousin le prince faisait semblant de trouver que cette convocation allait de soi.

Dans la clairière, la rumeur des voix prenait de l'ampleur à mesure que grossissait la foule.

* * *

— Pour Mendaluÿn des prairies bleues, le baron Dinuviar et le chevalier Liguviar.

Des hommes grands, sombres de cheveu et d'œil, au teint bronzé. À leur peuple, les sylvains avaient confié le privilège d'élever des licornes.

— Pour Panuriën aux verts bocages, Paunus, Lupercus, Incubus et Fatuus.

Les faunes étaient plus courts que les sylvains, et n'étaient pas imberbes, portant colliers frisés, châtains ou brun clair. Leurs oreilles étaient pointues et leurs yeux obliques.

— Pour Farfahriën aux mille étangs, la princesse Thorfée, Fadorfée et Osifée, Thorfad, Fagarfad et Eyrfad.

La plupart des farfadets étaient arrivés avant Thorfad, par un itinéraire plus long mais plus sûr. La mésaventure de Thorfad avait causé tout un émoi lorsqu'elle avait été racontée.

— Pour nos frères d'Esthuriën, le prince Alfelaï, Lyrelaï, Lagolaï, Artela.

Les dryades et les sylvains d'Esthuriën étaient plus grands que ceux d'Ithuriën, mais plus minces que les mortels de même stature.

Les présentations continuaient, faites par une dryade de la cour de Lauriane :

— Pour la Sumagne, dont une moitié est encore sous la tyrannie du Nécromant, le prince Fabrice, héritier du trône, et son cousin Patricius, fils du régent.

Patricius rougit violemment et même Fabrice se sentit intimidé.

— Et enfin, de l'Uthaxe, maître Thoriÿn, et sire Ludovic à qui nous devons l'éclipse du Nécromant.

Se rappelant le petit discours que Fréald d'Uthaxe avait fait en le présentant à sa cour, Ludovic songea : « Décidément, j'ai déclenché bien des événements en allant voir Drogomir. Et ce n'est même pas moi qui me suis battu contre lui ».

Le reste de l'assemblée, une quarantaine de personnes au total, était formé de dryades et de sylvains ithuriens. La salle du trône était une terrasse en hémicycle posée sur deux maîtresses branches du plus gros arbre. Les murs étaient de soie verte et or, fixée aux branches de l'arbre. Pour le Conseil, on avait disposé des tables formant un grand triangle aux sommets arrondis. Au milieu de l'un des côtés, la reine Lauriane siégeait sur une petite tribune, son trône adossé au tronc monumental. L'éclairage était dispensé par ces fantastiques lucioles encagées dans des lanternes de cristal.

— Pour nos visiteurs d'Uthaxe et de Sumagne, commença la reine, il est bon de rappeler comment l'éclipse du Nécromant nous est opportune. Jadis nos peuples habitaient la forêt sur les deux rives du Sinduriën. Puis le Nécromant a jeté un sortilège qui a enténébré nos bois, et les gnomes à son service nous ont refoulés en Ithuriën, les farfadets en Esthuriën, et menacé même les faunes en Panuriën.

Le prince Fabrice n'était pas à l'aise dans cette assemblée. Si ç'avaient été les rois et les ducs de royaumes mortels, son orgueil aurait été flatté. Mais une assemblée de sylvains, de farfadets et de faunes... Il ne partageait pas l'émerveillement enthousiaste de son cousin.

La reine poursuivit:

— Nous sommes des peuples paisibles, nous avons reculé trop complaisamment. Récemment le Nécromant a subi un revers majeur, il a perdu le principal instrument de sa magie. Sa puissance est en éclipse, son influence maléfique sur nos terres a reculé, ses alliés se retrouvent livrés à eux-mêmes.

Un messager sylvain s'approcha du trône, fit un signe discret. La reine et son frère se penchèrent vers lui. L'expression de Lauriane devint soucieuse. Puis la reine reprit son discours:

— Nous avons tous convenu qu'il était temps de ramener la lumière dans les forêts qui nous ont été prises. Ce Conseil est réuni pour arrêter une stratégie. Déjà aujourd'hui nous avons eu deux escarmouches en Haguriën. On m'apprend à l'instant qu'une bataille plus importante a eu lieu à la tombée de la nuit. Les renforts que j'avais envoyés à Ériane sont arrivés à temps et les gnomandres ont été repoussés.

Des hourras accueillirent cette nouvelle.

— Ce qui avait commencé par une simple escarmouche marquera le début de notre reconquête.

Nouveaux hourras. Ludovic nota que ceux qui acclamaient avec le moins de conviction étaient les Ithuriens eux-mêmes.

— Ithuriën n'avait pas d'armée, fit la reine. Aujourd'hui il en naît une, et je nomme ma sœur Noriane cheftaine de cette armée. Elle vous proposera une stratégie.

La dryade à gauche du trône se leva, ressemblant assez peu à sa sœur.

— Il faut, commença-t-elle, reprendre pied sur la rive nord en quatre points, reconquérir les quatre régions comprises entre les méandres du Sinduriën: Haguriën est déjà reprise, il reste Rassalhiën en face de l'Ile, Rassalhest en face de l'Esthuriën, et Farfahriën le pays du petit peuple. En commençant par Farfahriën, nous repousserions les gnomes vers leur pays.

— Jusqu'où croyez-vous qu'ils reculeront? demanda le baron Dinuviar de Mendaluÿn.

— De l'autre côté de leur vallée, si le Nécromant ne leur vient pas en aide. En un premier temps nous ramènerions la lumière dans les forêts reconquises. Puis, lorsqu'elles seraient régénérées, nous chasserions les gnomes qui seraient demeurés dans la zone restante, la lisière nord. Et la Ghaste Forêt rejoindrait ses frontières d'antan, des marais de Barwidd au pays garovingien. Les gnomes seraient refoulés dans Rassalhag, d'où nous n'aurions jamais dû les laisser sortir.

— J'ai une stratégie alternative, proposa Paunus de Panuriën, sa voix forte et claire dominant le brouhaha des murmures qui avait éclaté. Dans notre première offensive, au lieu de refouler les gnomes vers leur forêt, nous devrions les séparer et les isoler : de Haguriën vers le nord-ouest jusqu'à les pousser dans le pays garovingien, de Farfahriën vers l'est pour les acculer aux marches de Mendaluÿn. En rase campagne, les gnomes sont vulnérables, les cavaliers de Mendaluÿn en feraient un massacre ; et les Garovingiens ne les aiment guère non plus.

Alarmé, Ludovic se pencha vers Thoriÿn :

— Nous ne pourrons jamais traverser Rassalhiën, murmura-t-il, si les gnomes sont sur un pied de guerre.

— Noriane ne semble pas s'en être souciée.

Ludovic leva la main et s'adressa directement à la reine :

— Rappelez-vous que nous venions à Fêliuriën dans l'espoir de traverser Rassalhiën vers Troïgomor.

Lorelan intervint :

— Vous pourriez traverser derrière notre armée lorsqu'elle avancerait en Rassalhiën. Ce serait plus sûr pour vous.

— Et beaucoup plus lent: notre affaire est urgente.

Ludovic sentait déjà se dissiper l'effet tonique de la potion verte. Et la fiole que transportait Thoriÿn n'était pas inépuisable.

— Ludovic a raison, fit la reine. Lui et sa compagnie doivent se rendre au plus vite en Troïgomor. L'intention du prince Fabrice est nécessaire à notre stratégie.

— Et quelle est l'intention du prince ? demanda Thorfée, la princesse toute menue de Farfahriën.

Il se leva :

— Retrouver Arhapal, l'épée des rois, soulever le peuple de Sumagne orientale et aller tuer le prince Drogomir.

Un murmure incrédule parcourut l'assemblée, s'enfla en une rumeur où perçaient quelques voix ironiques. Patricius se cacha une moitié du visage dans la main, coude posé sur l'appui-bras de son fauteuil en un geste de découragement. Il avait espéré que Fabrice renonce à son projet. Maintenant, encouragé par tout ce qui se préparait au Grand Conseil, le prince se mettait en tête d'aller jusqu'au bout.

La reine Lauriane réclama le silence.

— Inquiété par l'insurrection dans les terres qu'il occupe, exposa-t-elle, Drogomir se souciera peu d'aider ses gnomes, si même il en a la capacité. Et la réciproque est vraie : inquiété par notre offensive conjuguée, il ne pourra peut-être parer efficacement les menées du prince Fabrice.

— Ce que je retiens, protesta Patricius, c'est que le prince Fabrice vous fournira une diversion commode, mais qu'il ne gagnera pas grand-chose à s'allier avec vous.

— Les affaires des mortels ne nous concernent guère, observa Noriane. Si j'ai bien compris, votre prince entendait défier le Nécromant de toute façon.

— Le fait est, intervint Thoriÿn qui connaissait parfaitement la géographie, le fait est que ni la stratégie de votre nouvelle maréchale ici présente, ni celle de messire Paunus, ne nous permettront de traverser Rassalhiën pour aller en Troïgomor. Dois-je rappeler à Lauriane, la plus généreuse des reines, combien il est urgent que Ludovic se mette en route ?

Le visage soucieux de la reine s'assombrit davantage : l'état de Ludovic lui avait été exposé ce matin, ainsi que le but de son voyage.

— C'est juste, répondit-elle sans hésiter, il faut une manœuvre qui libère Rassalhiën pour quelques jours. Sans renoncer à la stratégie de Noriane, commençons d'abord par la tactique de sire Paunus, mais à l'est seulement. Portons notre attaque en Farfahriën, avec assez de puissance pour que l'ennemi croie que c'est là notre seul objectif. Les gnomes convergeront vers l'est, il n'en restera presque plus en Rassalhiën.

Avec humeur, Noriane répliqua :

— M'avez-vous nommée cheftaine de votre

armée pour refaire entièrement la première stratégie que je propose ?

— Ce midi, Ludovic et ses amis ont risqué leur vie au combat pour me protéger. Ne fût-ce que pour cette raison, ils méritent qu'on les aide dans leur entreprise.

Thorfad intervint, feignant la réticence en formulant son compliment :

— Ce sont des hommes vaillants. Nous aurions atteint l'Ile sans leur aide, mais ils l'ont quand même offerte bravement. J'appuie la reine.

La discussion fut vive et dura bien après que Ludovic se fût retiré pour aller se coucher. Thoriÿn resta pour défendre leur point de vue, et la reine usa de toute son autorité pour faire pencher la balance en leur faveur. Finalement, Noriane se rallia à sa stratégie, non sans faire cette mise en garde :

— L'Ithuriën entière sera vulnérable si nous envoyons toute notre force à l'est. Souhaitons que les gnomes ne retrouveront pas assez d'audace pour nous attaquer, et que l'éclipse du Nécromant durera.

Le prince Alfelaï d'Esthuriën observa :

— Nul ne sait combien Drogomir est affaibli. Il n'est peut-être même plus en état de réagir contre nos attaques, d'où qu'elles viennent.

— Je ne compterais pas trop là-dessus, fit Thoriÿn sombrement.

* * *

Ludovic ouvrit l'œil sur un matin lumineux. Le soleil embrasait la soie orange de sa tente, où oscillait l'ombre du feuillage.

Le chevalier était las comme au jour de son départ de Corvalet, et sa hanche meurtrie durant le combat de la veille lui faisait encore mal.

Adossé à travers la soie à une grosse branche, Thoriÿn était assis en tailleur sur un coussin. Menton sur la poitrine, il semblait dormir. Mais il ouvrit une paupière lorsque le jeune homme se redressa sur sa couche.

— On... on ne vous a pas donné une chambre ?

— Une chambre ! grommela le magicien. Ce palais est un enchevêtrement de plateformes et ses chambres sont des tentes accrochées aux branches ! Non, on m'a prié de partager ta « chambre » : avec tous ces ambassadeurs, le palais est complet.

Il ouvrit l'autre œil.

— Le prince Fabrice ?... demanda Ludovic.

— Avec son cousin, dans un autre arbre... dirons-nous « une autre aile » du palais ?

Ludovic se recoucha.

— La santé n'est guère brillante, à ce que je vois, fit Thoriÿn en se levant, son inquiétude transparaissant sous un ton badin.

Il sortit de sous son vêtement la fiole de cristal :

— Quinze gouttes ce matin, et cinq de plus chaque matin jusqu'à ce qu'il n'en reste plus. Ce qui viendra vite, malheureusement.

Il ôta le bouchon, introduisit la pipette d'argent.

— Cette potion n'enraie pas le mal, expliqua-t-il après avoir aspiré une mince colonne de liquide. Elle te donne de l'énergie, ou plutôt elle remplace celle qui fuit ton organisme.

Soulevant légèrement son pouce qui bouchait le haut de la pipette, Thoriÿn laissa tomber goutte après goutte sur la langue du jeune homme.

— Mais elle ne peut remplacer la vie, et c'est ta vie qui s'en va.

— Alors il faut partir aujourd'hui, fit Ludovic après avoir dégluti.

— Demain. Demain, les archers d'Ithuriën et d'Esthuriën, les farfadets avec leurs sarbacanes et leurs dards, traverseront en Farfahriën. Ils auront sonné de l'olifant tout le long du chemin pour que les gnomes sachent bien où portera l'attaque.

— C'est donc acquis ?

— Oui. Pendant ce temps, nous traverserons en Rassalhiën. Si nous sommes fortunés, nous aurons la voie à peu près libre.

— Noriane a fini par céder ?

— Et elle fait diligence. Tu entends ce branle-bas, dehors ? Sa nouvelle armée se prépare au départ. Mais il a fallu que sa sœur la reine déploie toute son éloquence. Tu as de la chance qu'elle se soit entichée de toi.

— Entichée de moi ? Allons donc ! C'est simplement parce que...

— Et cette pierre de sylve qu'elle t'a donnée le premier jour qu'elle t'a vu? Les dryades ne font pas de tels cadeaux à la légère.

— C'est parce que j'allais affronter Drogomir, que son peuple hait.

Écartant la portière de la tente, Thoriÿn s'apprêtait à sortir:

— Si tu préfères croire cela, c'est ton choix.

Mais Ludovic ne savait plus trop que croire.

* * *

Faisant résonner la Ghaste Forêt de l'appel clair de leurs olifants, les archères et les archers s'étaient mis en marche de grand matin. Il fallait non seulement faire route vers Farfahriën, mais il fallait surtout le faire au su des gnomes. Aussi les sylvains qui allaient à pied suivaient-ils un itinéraire qui les garderait le plus longtemps possible sur la rive du Sinduriën, repérables de l'autre bord.

D'autres, autant que pouvaient en emporter leurs yoles rapides, avaient entrepris de descendre le Sinduriën, négligeant les petites rivières qui offraient des raccourcis et suivant tous les méandres du fleuve de façon à rester en vue des gnomes. Excellents rameurs, profitant du fort courant du Sinduriën, ils ne craignaient guère les lances des gnomes en longeant leur propre rive, la rive droite. Il faisait plein soleil, et les gnomes, contraints de rester à l'ombre des arbres, ne pouvaient se placer au plus près pour tirer.

À Féliuriën, presque déserte après le départ des délégués, la journée se déroulait paisiblement pour Ludovic et ses compagnons. Mais Lauriane n'était guère visible; le soir tombé, n'y tenant plus, le chevalier se mit à sa recherche. Les passerelles et les escaliers suspendus du palais étaient quasi déserts, dégarnis de leur éclairage de fête. Sur les galeries, on rencontrait toujours l'un ou l'autre joueur de luth; mais aujourd'hui ils étaient absents, ayant troqué leurs instruments pour d'autres à corde unique, les arcs.

Ludovic traversa une des salles du palais où Dydald et Fabrice, lui tournant le dos, conversaient devant une fenêtre ouverte.

— Renonce à ton projet, disait le vieil homme. Tu es parti sur un coup de tête et tu t'obstines par orgueil; tu le regretteras bien vite.

— Ce n'est pas parce que je suis jeune, répondait calmement le prince, que toutes mes décisions sont irréfléchies. J'ai foi en l'épée Arhapal; vous ne soupçonnez pas sa puissance.

— Oh si. Tu me fais penser au fils que j'ai eu. Impétueux et entêté, il trouvait tous les arguments pour vous convaincre de...

Ludovic, étant passé sans bruit, sortit de la salle par une deuxième porte et n'entendit pas le reste.

Il finit par apercevoir la reine sur un balcon de ses appartements, la lune bleue faisant d'elle, avec sa longue robe blanche, un spectre de la nuit. Elle baissa vers lui ses yeux, qui dans leur mouvement accrochèrent un rayon de lune et s'allumèrent brièvement, deux flammes vertes qui le percèrent comme flèches de glace.

— Montez, Ludovic, et me rejoignez.

Les chambres de la reine étaient au plus haut niveau habité du plus grand arbre ; le panorama était magnifique et Ludovic s'y attarda, se sentant incapable de soutenir la vue de la reine.

Sous la lune bleutée brillant tel un diamant, l'herbe de la grande clairière prenait une texture irréelle, la mousse d'un univers intangible ; la lagune au-delà, agitée par aucun aviron, était un lac de ténèbres face au firmament, un gouffre ouvrant sur une autre nuit.

Tout autour s'étendait la forêt, tel un moutonnement de nuages sombres avec parfois, au creux d'une tranchée profonde, le reflet de la lune sur une petite rivière.

Sur le garde-fou en soie tressée, les mains de la reine étaient deux fines sculptures de marbre vivant, ou plutôt de porcelaine car elles étaient diaphanes.

— Comment vous sentez-vous, ce soir ?

— Moins fatigué qu'hier, merci, mais...

Il se tut lorsque son regard monta vers le visage de Lauriane. Sous le feu glacé de ces yeux verts on perdait le souffle, il était impossible de tenir une conversation banale. On se sentait comme celui qui monte une vertigineuse falaise.

— Pourquoi, fit Ludovic en retrouvant sa voix, pourquoi m'avoir fait ce cadeau d'une si grande valeur, le Silvaran ? Jamais mortel n'en a reçu de pareil, m'a-t-on dit, et vous ne me connaissiez pas du tout.

Lauriane non plus ne prit pas de détour:

— Jamais la vue d'un mortel ne m'avait touchée ainsi. Vous...

Elle ne le regardait pas, fixant l'horizon. Non qu'elle ne pût soutenir son regard, mais peut-être par pudeur.

— ... vous n'êtes pas comme les autres mortels, poursuivit-elle. Il y a en vous quelque chose de neuf, de différent.

— Mais je suis quelconque! objecta Ludovic, et sa voix n'était qu'un murmure.

— Ce dont je parle ne se voit point avec les yeux du corps. Je parle de ce que nous sylvains, dryades ou magiciens, savons voir au-delà du corps tangible.

— La flamme de vie ?

— Oui. Et la vôtre, Ludovic...

Elle posa à nouveau son regard sur lui:

— Vous n'êtes pas de ce monde.

— Je ne suis quand même qu'un simple mortel.

— Je ne le sais que trop, murmura-t-elle, et il se demanda à quoi elle songeait en disant cela.

Dans le silence qui suivit, Ludovic tenta de rassembler son courage pour lui déclarer ce qu'il était venu lui dire. Sa respiration était bruyante tant il avait la poitrine oppressée.

— Lauriane, je suis venu vous dire... C'est pure folie de ma part, mais...

À nouveau son regard rencontra celui de la reine et les mots moururent dans sa gorge. « Insensé ! Comment ai-je pu envisager un instant ?... »

— Je sais ce que vous voulez me dire, sire Ludovic, prononça-t-elle doucement.

Il ne voyait plus que ses yeux, deux lunes vertes hors de la portée d'un mortel.

— Allez d'abord retrouver ce grimoire, que maître Thoriÿn sache quelle malédiction pèse sur vous. Ensuite vous reviendrez et nous aurons plus longtemps pour parler.

10

La magie de maître Thoriÿn

Le lendemain, le soleil brillait autant, par chance pour Ludovic et ses compagnons :

— Les feuillages de Rassalhiën ne sont pas si lourds qu'aucune lumière ne pénètre jusqu'au sol, leur expliqua-t-on. Ces jours-là, les gnomes vulgaires sortent moins volontiers de leurs trous, comme les mortels préfèrent rester chez eux les jours de pluie.

— Et les gnomandres ?

— Il faut espérer qu'ils se sont tous portés au-devant de notre armée, en Farfahriën.

Partis avant l'aube avec Lorelan, Ludovic et ses compagnons se dirigeaient à travers bois vers un méandre du Sinduriën, en amont de Féliuriën. Ils avaient allégé leur bagage et renoncé à un cheval pour le transporter : la rapidité et la discrétion étaient maintenant primordiales.

Ludovic et le prince Fabrice chevauchaient botte à botte.

— Avez-vous su qui était ce vieil homme, Dydald ?

— Non, répondit le prince. Je soupçonne qu'il est de la noblesse d'Uthaxe, un ancien chevalier sûrement. Peut-être même de sang royal.

— Il se serait exilé volontairement ?

— Pour l'amour d'une dryade, rencontrée un jour qu'il s'était aventuré dans la Ghaste Forêt.

— Et on l'a autorisé à vivre en Ithuriën…

La matinée était avancée lorsque la compagnie parvint au méandre du Sinduriën.

— C'est en face d'ici, expliqua Lorelan, que la forêt de Rassalhiën est la moins large à traverser.

— Mais la première fois, lorsque je suis passé sur le Pont des Brumes, vous m'aviez fait prendre un chemin plus long.

— Il n'y avait aucun danger, nous en étions sûrs. Nous savions tous les gnomandres en guerre vers les marais de Barwidd.

Lorelan scruta attentivement la rive d'en face, un mur dense avec des taches rousses ou brunes dans le vert du feuillage. Mais pour lui ce n'était pas un mur : sa vue perçante de sylvain pénétrait loin entre les troncs, l'ombre des frondaisons n'était pour lui que pénombre et aucun détail visible ne lui échappait.

— Personne sur la rive ou à proximité,

déclara-t-il enfin. Nous pourrons débarquer en sécurité.

Pendant ce temps, Thoriÿn avait sorti de sous ses vêtements un drageoir en bois sculpté. Il ouvrit discrètement la petite boîte plate et en sortit ce qui semblait être un caillou. De son sac il tira un mortier et un pilon, déposa le petit « caillou » dans le mortier.

Ludovic vit que c'était un champignon gris-brun, presque sphérique.

— Vous vous servez de l'eau de Finngal pour vos décoctions ? observa Lorelan sur un ton sévère.

Il l'avait vu verser dans le mortier l'eau d'une gourde.

— La reine n'a pas formulé de restrictions en nous donnant cette eau, répliqua maître Thoriÿn, en broyant le champignon. L'eau de la source magique réveillera le principe du myco-mage.

Ludovic et ses compagnons se rapprochaient, curieux, mais le magicien les rabroua :

— Allez donc vous occuper des chevaux !

Par une des petites rivières aboutissant à la lagune de Féliuriën, un bac avait été apporté la veille jusqu'au méandre du Sinduriën. Camouflé dans une crique près du confluent, ses bateliers attendaient le groupe de Ludovic.

Licornes et chevaux furent embarqués sur le petit bac.

— Je viens avec vous, annonça Lorelan malgré sa blessure à la cuisse, qui le faisait encore souffrir. Je connais bien la forêt de Rassalhiën, c'est là que je vivais avant que le Nécromant y jette son ombre.

— Vous n'avez pas à vous exposer pour nous, protesta Ludovic.

— Je vous serai utile pour trouver le chemin le plus court.

— Mais...

— Ne protestez pas, c'est la reine qui m'a demandé de vous escorter.

Et, s'adressant à maître Thoriÿn resté derrière :

— Vous venez, petit sorcier ?

Grimaçant après avoir avalé d'une traite le contenu de son mortier, Thoriÿn répliqua en sautant dans le bac :

— Ne sois pas injurieux, sylvain. Tu as beau connaître les chemins de Rassalhiën, tu me seras reconnaissant lorsque je te préviendrai de l'approche des gnomes.

L'embarcation fut poussée hors de la petite rivière et, une fois dans le courant du fleuve, les bateliers troquèrent leurs perches pour des rames.

Les chevaux étaient nerveux, sur ce radeau sans rambarde, mais le calme des licornes les rassurait. Un des bateliers murmura en observant la rive nord :

— Ce doit être à cause de l'éclipse du Nécromant : il me semble que la lumière regagne cette forêt.

— J'en suis sûr, fit Lorelan. Je l'avais remarqué depuis quelque temps, mais maintenant j'en suis sûr. L'orée de la forêt, en tout cas, est d'un vert moins sombre qu'avant.

— Elle reçoit la lumière de l'Ithuriën en face.

À cet endroit, le cours du fleuve était lent. Le petit bac ne dériva pas trop et accosta à l'endroit désiré, là où la berge était moins escarpée. Dès que montures et passagers eurent débarqué, le bac retourna vers l'embouchure de la petite rivière.

Le sentier partant de la berge était connu de Lorelan; il prit la tête de la compagnie. Maître Thoriÿn paraissait absent, ou plutôt absorbé dans une contemplation intérieure. Il regardait droit devant lui mais ne semblait pas voir les autres, laissant sa pouliche suivre les montures de ses compagnons. Ses lèvres étaient entrouvertes.

— Remarquez ses dents, souffla le prince Fabrice à l'intention de Ludovic qui l'observait à la dérobée.

Plus blanches que jamais, les dents du magicien avaient décidément une teinte mauve, presque phosphorescente.

L'ombre de la forêt se referma vite sur les cinq voyageurs. Le silence était total, lourd, tel une substance ajoutant de l'épaisseur à l'air. Des gnomes, aucun signe. Peut-être craignaient-ils d'être éblouis malencontreusement par un des rares rayons de soleil qui parvenaient à percer jusqu'au sous-bois.

Durant des heures, les cinq compagnons voyagèrent sans échanger une parole. Leurs montures, semblant deviner le danger, s'abstenaient elles-mêmes de piaffer ou de renâcler.

— Halte ! souffla soudain Thoriÿn.

Chacun arrêta sa monture et se tourna vers lui. Main à demi levée pour leur faire signe de se taire, il ferma les yeux, paraissant prêter l'oreille à un son lointain que lui seul percevait.

— Les gnomes approchent.

La poitrine des jeunes gens se serra. Lorelan se mit à scruter la forêt, accomplissant avec le tronc et la tête un lent pivotement. Le soleil était encore haut dans le ciel et, pour le sylvain, Rassalhiën n'était absolument pas obscure. Aucun mouvement dans le bois n'aurait pu lui échapper, pas le moindre frémissement de broussailles.

— Il n'y a pas de gnomes aux alentours, murmura Lorelan.

— Si, répondit Thoriÿn. Sous terre. Ils ont été alertés par le pas de nos montures. Les yeux de Lorelan se tournèrent vers un trou de gnome qu'il avait repéré, entre deux grosses racines d'un vieil arbre.

— Je les vois, continuait le magicien sous l'influence du mycomage. Ce sont six gnomandres. Ils arrivent au pied de la cheminée qui mène à ce trou.

— Éloignons-nous au galop ! fit le prince Fabrice. Ils ne pourront jamais nous rattraper.

— Non ! répliqua le magicien. Ça leur confirmerait qu'il y a des intrus sur leur territoire, ils sonneraient l'alerte et nous ne parviendrions jamais à sortir.

— Alors, que faire? demanda Lorelan. Les tuer sur place?

— Il risque de s'en échapper un. Non, ne bougez pas, calmez vos montures.

Il avait sorti son bâton d'argent et le serrait entre ses mains, front appuyé sur la tête du sceptre. Ses yeux clos, plissés, son visage crispé témoignaient d'un intense effort mental.

Alors Ludovic vit le prince Fabrice et son cheval, qui étaient un peu en avant de lui, devenir translucides. Oui, translucides, comme si de vêtements, de chair et d'os, ils devenaient fumée ou vapeur.

Un mouvement au ras du sol capta son attention: là-bas, au pied du vieil arbre, les herbes masquant à demi le trou venaient d'être écartées. La tête d'un gnomandre surgit, grisâtre, cheveu rare, yeux globuleux. « Nous sommes faits! » songea Ludovic en portant la main à son épée. Mais, son regard revenu au prince Fabrice, il ne vit plus qu'une forme quasi transparente: la vapeur était devenue mirage, et le mirage disparut. Ludovic constata que sa propre licorne était devenue invisible, bien qu'il la sentît toujours entre ses cuisses.

Et son propre corps n'était plus visible!

Un à un les gnomandres émergeaient du trou entre les racines. Coutelas ou glaive en main, ils firent un cercle et scrutèrent la forêt autour d'eux, en particulier les deux directions du sentier. Leurs regards vifs, éveillés, traversèrent Ludovic et ses compagnons comme s'ils n'existaient point.

Se répartissant en deux groupes, les gnomandres firent quelques pas dans chaque direction, examinant le sentier à la recherche de traces. Malgré l'étrangeté de leur physionomie, on reconnaissait l'expression de leur visage : perplexes, intrigués, même méfiants. Peut-être, ne voyant personne aux alentours, doutaient-ils d'avoir entendu des pas à travers la terre ?

« Ils vont voir nos pistes ! » s'inquiéta Ludovic.

Mais il n'avait pas plu depuis plusieurs jours et même la terre de Rassalhiën, souvent humide, était trop dure aujourd'hui pour conserver des pistes nettes.

Toutefois il y avait plus grave : licornes et chevaux étaient devenus invisibles, mais pas intangibles. Les gnomes, s'ils faisaient quelques pas de plus, allaient heurter les pattes des licornes. Le premier était déjà tout proche. Il s'arrêta sous le museau de Shaddaÿe et Ludovic craignit qu'elle ne renâcle.

Le petit être recula brusquement, effrayé, heurta ses congénères dans sa retraite : il avait senti sur son front le souffle chaud de la licorne. Il écarquillait les yeux, ne voyant devant lui que le vide.

Les deux autres gnomes le questionnèrent sèchement. Il répondit d'une voix incertaine, l'inquiétude marquant encore ses traits.

Le silence suivit. Les gnomandres ne cessaient de regarder vers les invisibles. « Ils savent que quelque chose n'est pas normal. Ils sentent notre présence ! »

Oui, ils sentaient qu'il y avait devant eux quelque chose. Et graduellement, la peur les gagnait car, ils le supposaient, *cela* venait de la Ghaste Forêt. Autant les sylvains perçoivent la proximité de leurs ennemis, autant les gnomes sentent celle des sylvains et des peuples fées en général. Ils les craignent comme les mortels craignent les fantômes, car ainsi les sylvains apparaissent aux gnomes : des êtres de lumière et de magie, redoutables dans leurs ruses, formidables dans leurs colères.

Les trois gnomandres reculèrent vers leur trou, fixant sans cesse la position des invisibles. Sur un ton impératif, ils appelèrent leurs congénères partis dans l'autre direction et, en quelques mots pressés, leur firent part de leurs soupçons. Ou peut-être, craignant de passer pour lâches, inventèrent-ils de faux prétextes.

Toujours est-il qu'ils rentrèrent dans leur trou. Le dernier, celui qui avait senti sur son visage le souffle de Shaddaÿe, jeta un ultime regard avant de disparaître.

Il était temps, car Ludovic commençait à distinguer un spectre là où se trouvait Fabrice. Un spectre qui lentement devenait image, une image qui graduellement retrouvait sa substance. « Thoriÿn est en train de flancher, c'est trop pour ses forces ! »

Sur sa monture, Thoriÿn chancela, pâle comme un drap. Patricius, tout près de lui, tendit un bras et le soutint pour qu'il ne tombe pas de sa selle.

— Votre ami, murmura Lorelan, n'est pas qu'un petit sorcier !

Et il y avait de l'admiration dans sa voix.

* * *

— Quelqu'un a-t-il compris ce qu'ils se disaient ? demanda Ludovic lorsque, longtemps après le départ des gnomes, lui et ses compagnons se remirent en route.

— Des elfes ! répondit Lorelan en souriant. De la magie d'elfe, voilà ce qu'ils ont cru. Et s'ils se sont éloignés assez, sous terre, pour ne pas nous entendre repartir, rien ne changera leur conviction.

— Les elfes, expliqua Thoriÿn d'une voix qui trahissait encore sa faiblesse, sont les esprits de l'air, ils se rendent visibles seulement lorsqu'ils veulent. Ils n'ont pas de royaume délimité, mais il y en a qui vivent en Ithuriën.

— S'il y a des êtres que les gnomes craignent encore plus que nous, commenta le sylvain, ce sont les elfes. Celui qui s'est approché, en sentant le souffle de ta licorne sur son visage, a cru que les elfes lui jouaient un tour en battant des ailes, silencieusement.

Le prudent voyage de Ludovic et sa compagnie se poursuivit. Thoriÿn semblait récupérer : il se tenait en selle fermement, maintenant. Son regard fixe indiquait qu'il était toujours sous l'influence du champignon des magiciens. Cette drogue, selon la volonté, étendait la conscience ou la vision de l'usager : vers le passé, le futur, vers l'esprit d'autrui, ou plus simplement à distance, à travers les obstacles, sous terre et dans la nuit. C'était une vision totale, allongeant la portée de tous les sens — et pas seulement ceux connus des mortels. Mais les magiciens en faisaient un usage modéré car le champignon était extrêmement rare, et difficile à trouver.

La pénombre s'épaississait dans la forêt lorsque le petit barbu murmura :

— Ouvre l'œil, ami Lorelan, car je ne vois plus.

Le sylvain observa Thoriÿn. Son visage avait perdu sa rigidité, ses yeux leur fixité : le mycomage ne faisait plus effet.

— Nous ne sommes plus loin de l'orée, souffla Lorelan. Tout de même, mettez sabre au clair.

Lui-même encocha une flèche dans son petit arc.

Le magicien sortit de sous ses vêtements un pendentif d'argent représentant un œil, au centre duquel était enchâssée, pupille verte, une pierre de sylve.

Des cinq compagnons, trois maintenant portaient une pierre magique — Lorelan portait la sienne à une oreille, que dégageaient ses cheveux peignés vers l'arrière. Ludovic recommanda:

— Prince, Patricius, restez derrière Lorelan.

Thoriÿn et Ludovic se placèrent de chaque côté, un peu en retrait, et la compagnie continua ainsi, en formation triangulaire.

Le soleil devait être bas à l'horizon de l'ouest, car il régnait déjà sur la forêt une ombre crépusculaire, où les pierres de sylve luisaient doucement. Seul Lorelan voyait au-delà des plus proches arbres, et sa tête tournait sans cesse à droite et à gauche.

Ludovic, Fabrice et Patricius sentaient l'angoisse resserrer son étau sur eux. Il leur semblait que, dans cette quasi-obscurité, une sagaie pouvait surgir de n'importe où et les transpercer.

— Votre champignon a cessé de faire effet au mauvais moment, fit Lorelan en se tournant à demi vers Thoriÿn.

Du menton, il désigna le sous-bois à leur droite. Ludovic força son regard, mais en vain. Puis une lueur se répandit dans la forêt et deux yeux jaunâtres, au ras du sol, la reflétèrent.

Le sceptre de Thoriÿn brillait d'une lumière bleutée.

Mouvement de fuite dans le sous-bois, froissement de broussailles et couinements aigres: la magie de Thoriÿn, à nouveau, conjurait temporairement le danger.

— C'étaient des gnomes vulgaires, fit Lorelan. Ne doutez pas qu'ils iront prévenir les gnomandres s'il s'en trouve dans le voisinage.

— Puisque nous sommes repérés, décida Ludovic, il devient inutile d'avancer sans bruit. Allons au trot.

Il en fut ainsi. Mais au trot de leurs montures répondit un autre martèlement, de sonorité claire, comme lorsqu'on tambourine avec des baguettes sur un cylindre de bois creux.

— Ce sont leurs signaux, lança le sylvain. Si les gnomandres ne sont pas tous partis à la guerre, nous sommes faits !

L'obscurité était presque totale, maintenant, et les chevaux se fiaient à l'instinct de la licorne de Lorelan. Le magicien ne faisait plus briller son sceptre : toute énergie que déployait cet instrument venait en fait de lui, Thoriÿn, et il devait ménager ses forces.

— Pourquoi ne pas nous mettre au galop ? demanda Fabrice.

— Trop dangereux, lança Lorelan. Si l'un de nous frappait une branche basse en travers du chemin, ce serait sa mort. Au trot, il aurait des chances d'être seulement assommé.

— Et la lande est encore loin ?

— Plus très loin. En terrain découvert, les gnomes ne nous suivront pas longtemps.

Ainsi ils allaient et, dans la nuit maintenant tombée, on ne voyait d'eux que trois taches lumineuses, pâles et verdâtres.

Après ce qui leur parut une heure de fuite, Lorelan aperçut au bout du chemin une zone moins sombre.

— Nous arrivons ! lança-t-il.

Mais aussitôt il cria :

— Halte ! Votre lumière, Thoriÿn !

La tête du sceptre brilla à nouveau, et un éclairage bleuté se répandit sous les feuillages.

Le chemin, à une portée de lance devant eux, se remplissait de gnomes. Ils parurent saisis devant le prodige de Thoriÿn, mais ils ne reculèrent point. À cela, et à leur stature supérieure, Lorelan vit que c'étaient des gnomandres.

— Ceux-là ne s'écarteront pas, dit-il. Et il y en a d'autres qui sont en train de nous encercler. Une centaine au total.

Ludovic, Fabrice et Patricius se tournèrent ensemble vers Thoriÿn, sachant que le salut pouvait venir de lui seul. Mais il n'avait pas attendu leur supplique.

— Place ! souffla-t-il, et il fit avancer sa pouliche en tête du groupe.

Dans son poing appuyé à sa mâchoire, il tenait le sceptre, la tige passant devant son œil, la tête lumineuse collée à son front au-dessus du sourcil. Yeux clos, il inspira profondément.

— Au galop ! chuchota-t-il.

Lorelan regarda Ludovic, indécis. Déjà, à un geste de son cavalier, la pouliche s'élançait.

— Au galop ! cria le magicien.

De ses talons, Ludovic éperonna Shaddaÿe. Une seconde d'hésitation, et ses compagnons en firent autant.

Là-bas, les gnomandres tenaient leur terrain, faisant une haie, piques dressées vers l'avant, appuyées au sol. Rassalhag n'était pas loin et ils se sentaient ici chez eux, par droit de conquête. Les ténèbres étaient leur élément, ils avaient la force du nombre : ils ne céderaient pas.

Les cinq galops montaient vers eux. En tête, une étoile bleue dont l'éclat augmentait plus vite encore que le bruit des sabots. Le courage de certains gnomandres faiblit, le milieu des rangs chancela. Une dizaine de sagaies furent brandies à l'horizontale, les bras ramenés en arrière pour les lancer.

Mais elles ne partirent pas. Le premier cavalier pointa son bras, et dans le prolongement de son geste un éclair fusa, une longue flamme blanche qui embrasa comme un fagot sec la haie des gnomandres.

Ludovic cria d'horreur : une seconde il avait vu la terrible flamme lécher les gnomes. Puis l'embrasement avait eu l'apparence d'une explosion. La forêt à cet instant avait été traversée d'une intense lueur bleutée où chaque arbre se profilait avec précision, comme si la foudre avait éclaté là, sur le chemin.

Déjà les cavaliers arrivaient au barrage. Shaddaÿe sauta, enjambant les corps brûlés, certains se tordant encore sous de petites flammes. Cependant la pouliche de Thoriÿn avait eu moins de chance : elle s'était embrochée sur une pique encore dressée vers l'avant, tenue par une main crispée dans la mort.

Juste derrière, Ludovic n'eut que le temps de voir s'écrouler le petit cheval et Thoriÿn passer par-dessus l'encolure en agrippant son sac; déjà Shaddaÿe passait à côté.

Ludovic tourna la tête, vit Fabrice et Patricius éviter de justesse le magicien qui boulait sur la terre du chemin.

Lorelan venait le dernier. Avec des réflexes de chat, il se pencha et empoigna au passage le col du magicien. Dans un effort surhumain, qui le fit grimacer à cause de sa blessure à la cuisse, il le souleva d'un bras et le jeta sur l'encolure de sa licorne, comme un sac.

Tenant toujours d'une main sa sacoche et son sceptre, le magicien s'agrippa à la crinière et, ainsi, se mit à califourchon, Lorelan le retenant par ses vêtements.

De part et d'autre du chemin, une clameur avait salué le passage des fuyards, cris de fureur et d'épouvante mêlés. Une sagaie était plantée dans la selle de Fabrice. Une autre était passée au visage de Patricius, avant le saut, et il l'avait heurtée avec son menton; il saignait abondamment.

Des lances filèrent derrière les fuyards, mais retombèrent au sol sur leurs marques de sabots.

— Pour Thoriÿn ! cria Lorelan.

— Hourra ! exultèrent les trois mortels, leur peur subitement transformée en joie.

— Pour Ithuriën ! lança Thoriÿn d'une voix tremblante.

— Hourra !

Ils laissaient derrière eux un arceau rougeoyant, troncs et branches proches du lieu de l'embrasement, débris de piques au sol parmi les corps calcinés.

Au bout du chemin, la tache moins sombre s'élargissait, tous la voyaient maintenant. Les arbres devenaient clairsemés, le ciel visible entre leur feuillage. Bientôt les cavaliers débouchèrent sur la lande, semée de quelques arbres seulement et de buissons. Ils eurent la surprise de voir qu'à l'ouest le ciel était encore clair, orangé à l'horizon et jaune-vert plus haut. Le soir était bien moins avancé qu'il ne semblait dans la forêt. Ludovic fit signe qu'on arrête.

— Thoriÿn, vous nous avez sauvés encore une fois.

Épuisé, le petit homme plaisanta quand même:

— J'ai sauvé mon sac à malice, c'est l'essentiel.

— La bouteille d'Arthanc? s'inquiéta Ludovic.

— Tout est dans cette sacoche. Le reste était sans importance: couverture, vivres. Mais... pauvre Brunette!

Ils compatirent mais, après le péril dont ils étaient sauvés, la mort d'une pouliche ne parvenait pas à les affliger vraiment. Ludovic était plus préoccupé de sa douleur à la hanche, réveillée par la galopade, et surtout de la blessure au menton de Patricius; mais elle n'était pas très grave, bien qu'elle eût saigné beaucoup.

Comme l'avait prévu Lorelan, Déïmil brillait dans le ciel limpide.

— Croyez-vous, demanda Ludovic, que nous ayons à craindre les clans garovingiens ?

— La plupart, répondit le prince Fabrice, habitent vers l'ouest. Avec un peu de chance nous traverserons la steppe sans être remarqués.

— Ne nous réjouissons pas trop vite, fit Lorelan.

Ils virent qu'il prêtait l'oreille, visage aux trois quarts tourné vers l'endroit d'où ils venaient. Il leur fit signe d'écouter.

Et ils finirent par entendre : des aboiements encore lointains, mais se rapprochant sans aucun doute.

— Les gnomandres n'ont pas de chevaux ni de licornes, murmura Lorelan, mais ils ont des molosses. Hauts comme des veaux et rapides comme un cheval au galop ; les gnomes les montent sans selle.

— Mais ils ne viendront pas dans la steppe ? La lune...

— La lumière de Déïmil les agacera, tout au plus : il s'agit de gnomandres et non de leurs cousins couards. Ils avanceront dans la steppe aussi loin qu'ils le pourront en se ménageant le temps de rentrer avant le matin. S'ils sont assez enragés, ils peuvent même endurer une ou deux heures de jour, en allant dos au soleil. Bien plus, si par malheur le temps se couvre d'ici l'aube.

La joie de Ludovic et de ses compagnons tomba aussi vite qu'elle avait éclaté.

— Au galop, alors, décida le chevalier. Espérons que leurs montures auront moins de résistance que les nôtres.

Au moment où il disait cela, les premiers ennemis apparurent entre les arbres clairsemés, à l'orée du bois. Sous la lumière crue de la petite lune blanche, ils étaient parfaitement visibles, de grands chiens minces mais d'allure robuste, leur dos semblant orné d'une grosse bosse.

Shaddaÿe s'élança; les autres suivirent. Heureusement les inégalités du chemin étaient parfaitement visibles, les chevaux ne risquaient pas de se briser une patte.

Lorelan avait confié à Thoriÿn les rênes de sa licorne. Elle tirait un peu de l'arrière, alourdie par ce passager supplémentaire. Aussi le sylvain s'était-il à demi retourné sur sa selle et, une flèche encochée à son arc, il entendait tenir à distance les poursuivants.

Fraîchement lancés à la course, les molosses gagnaient du terrain. Bientôt, Lorelan fut en mesure de tirer. Il n'y avait pas en ce monde de meilleurs archers que les dryades et les sylvains. Sur une licorne à la foulée souple, Lorelan était à peine handicapé. Les gnomandres les plus proches s'en rendirent compte à leurs dépens: plusieurs boulèrent sur la dure terre de la steppe, leur monture tuée sous eux. Peu de flèches se perdaient, surtout au début alors que les poursuivants étaient groupés en une meute dense.

Lorelan visait les molosses plutôt que les gnomandres, car un molosse sans cavalier continuerait quand même la chasse et, allégé, n'en serait que plus rapide.

En tête, obligé de modérer Shaddaÿe pour ne pas distancer ses compagnons, Ludovic se retournait pour dénombrer les poursuivants. « Cent gnomes », avait estimé Lorelan au début de l'embuscade. Une dizaine étaient morts, autant étaient trop grièvement brûlés pour continuer. Sur les gnomandres restants, manifestement, tous ne disposaient pas de montures.

« Une trentaine, peut-être plus. Qu'est-ce que ce serait si la plupart n'étaient pas partis pour la guerre ! »

Protégés sur leurs arrières, les fugitifs ne semblaient pas devoir être rattrapés, malgré la fatigue de leurs montures.

Mais un obstacle apparut bientôt, sous la forme d'une rivière. Ses berges étaient escarpées, elle devait être trop profonde pour qu'on puisse la traverser à gué.

— Vers l'amont ! lança Fabrice. C'est notre seule chance.

Mais cela les contraignait maintenant à fuir en diagonale, permettant à leurs ennemis de les dépasser sur le flanc et à les attendre plus loin. La seule consolation de Lorelan était qu'il n'avait plus à tirer vers l'arrière, position qui devenait fatigante même pour un souple sylvain. Et les poursuivants, pour profiter de leur avantage et réaliser leur tactique, devaient se rapprocher. Les flèches de Lorelan ne ratèrent plus une cible.

— Là-bas ! cria Ludovic. Il y a peut-être un gué !

Au loin, en effet, les berges de la rivière s'adoucissaient et la rivière s'élargissait. La lune, s'y mirant, révélait la présence de bancs de gravier dans son cours, indice sûr qu'elle était moins profonde.

Mais, avant cela, la rivière faisait un méandre prononcé et, en longeant la rive, les fuyards allaient carrément être rabattus vers leurs poursuivants. Il était déjà manifeste que quelques-uns atteindraient le sommet de la courbe avant Shaddaÿe.

Ludovic ralentit sa licorne, pour que ses compagnons le rejoignent. Fabrice et Patricius, déjà, avaient tiré leur épée. Lorelan, regardant maintenant vers l'avant, visait ceux des ennemis qui allaient leur barrer la route.

— Fonçons, c'est notre seule chance ! lança Ludovic.

Quatre ou cinq molosses, sans cavaliers, furent les premiers à se jeter sur eux. Ludovic fit tourner Shaddaÿe pour les affronter de face. En plein élan, la licorne baissa la tête et encorna le plus proche. Elle galopa une seconde avec la bête embrochée sur son front, le sang coulant à flot de son poitrail, puis d'un coup de tête elle l'envoya voler au-dessus de Ludovic.

Déjà les autres harcelaient les chevaux de Fabrice et Patricius. L'un tomba sous une flèche avant d'avoir pu mordre. L'autre eut l'épée du prince sur le museau et, étourdi, fut piétiné par la monture de Patricius.

Les molosses étaient si grands que leur tête venait à hauteur des mollets des cavaliers. Patricius sentit un museau heurter son talon mais, avant que le chien n'ait pu mordre, son épée lui brisa le cou; le molosse boula sur les cailloux.

Ludovic, en tête, arrivait sur les premiers gnomandres. Par pure chance, il dévia une sagaie d'un coup d'épée. Une autre le frappa au flanc, mais ricocha sur sa cotte de mailles.

Ces gnomandres n'avaient pas leurs piques, trop encombrantes pour la poursuite; ils étaient donc relativement vulnérables, une fois leur sagaie lancée. Ils n'en foncèrent pas moins, coutelas brandi. L'un se trouva encorné, son molosse bousculé par Shaddaÿe. Un autre passa à droite mais eut le bras lacéré par l'épée de Ludovic et perdit son arme.

Avec leurs seules cottes de mailles pour se protéger des sagaies, Fabrice et Patricius fonçaient, épée pointée comme une lance. Le prince, au moment où Ludovic ouvrait le bras d'un attaquant, en vit un troisième, de l'autre côté, sauter de son molosse et s'accrocher à la selle pour chevaucher la licorne, dans le dos de son cavalier. Ludovic, avec son épée, débarrassait Shaddaÿe du gnome encorné sur son front. Le temps de comprendre qu'il avait en croupe un passager clandestin, celui-ci sortait son coutelas pour l'en frapper.

— Gare, sire Ludovic! cria Fabrice en éperonnant son cheval.

Le gnomandre, agrippé d'une main à la cape

de Ludovic, se dressait pour l'égorger. Mais il n'en eut pas le temps : l'épée de Fabrice le frappa au flanc, deux fois, et le nabot tomba de la licorne. Le duc Drorimius, qui avait entraîné son fils et son neveu, aurait été fier de les voir manier l'épée, bien plus habilement que Ludovic.

Lorelan, lui, protégeait le flanc et l'arrière car, ralentis, lui et ses compagnons étaient vite rattrapés. Il savait que Thoriÿn, épuisé par son dernier effort, ne pouvait cette fois faire sa part.

Le sylvain eut un cri de douleur : un gnomandre désarçonné venait de s'accrocher à sa jambe valide et lui mordait le mollet. Mais, avant que Lorelan n'ait eu le temps de réagir, le sceptre de Thoriÿn s'abattait sur l'épaule du nabot avec un petit éclair bleu. La cuirasse fumante, le gnome lâcha prise et boula sur le sol.

Lorelan se remit à son tir, conscient que son carquois n'était pas inépuisable. Mais les flèches avaient plus de portée que les sagaies : pour chaque lance qui se perdait sur les cailloux du chemin, il y avait une flèche qui, généralement, touchait sa cible.

Ils passèrent, le poète, le magicien et leurs compagnons, ils passèrent le méandre de la rivière et laissèrent derrière eux une jonchée de corps et quelques molosses hargneux qui s'obstinaient, aboyant et traînant la patte.

Lorsque les fugitifs atteignirent l'endroit où le cours d'eau s'élargissait, il n'y avait plus derrière eux qu'une dizaine de poursuivants, même moins. Ludovic choisit un endroit en face duquel deux bancs de gravier émergeaient de la rivière. Puis il se fia à la sûreté du pas de Shaddaÿe.

Le premier banc fut atteint sans que les cavaliers ne se mouillent les bottes. Entre les deux bancs de gravier, toutefois, le lit était plus creux. Au plus profond, les chevaux, plus petits que les licornes, eurent de l'eau jusqu'aux naseaux et durent lever la tête. Mais ils continuèrent vaillamment, sans perdre pied. Le courant était à peine perceptible.

Le dernier bras de la rivière fut traversé en quelques éclaboussements.

Sur la rive gauche, les molosses se jetaient dans l'eau en jappant. Mais les trois premiers perdirent pied dans le plus profond. Les gnomandres, ne sachant pas nager, s'accrochaient à leurs montures, hurlaient en pataugeant, leur criant peut-être de retourner. Mais les molosses s'obstinèrent et gagnèrent tant bien que mal le deuxième banc de gravier.

Cependant, les autres retenaient leurs montures.

— Les gnomandres ont peur de l'eau, expliqua Lorelan sur un ton méprisant.

Les trois gnomes qui avaient déjà traversé hésitaient, ne voulant pas repasser la rivière, mais ne pouvant faire la poursuite à eux seuls.

De leur voix aigre, ils glapissaient presque aussi fort que leurs chiens, les uns querellant leurs congénères trop lâches, les autres hurlant d'effroi car deux nouveaux molosses s'étaient jetés à l'eau malgré leurs cavaliers et les entraînaient dans le plus profond du courant.

Par prudence, Lorelan abattit les chiens qui avaient traversé, prenant le temps d'encocher et de viser, comme à l'exercice. Il épargna les nabots:

— Nous leur laisserons le choix entre la rivière et le soleil.

Il sentait encore à son mollet la féroce morsure d'un gnomandre, et sa haine pour les petits êtres n'était pas près de s'apaiser.

11

Comte Lysius de Tanerau

Lorsque Thoriÿn ouvrit l'œil, sans bouger la tête, il vit Patricius agenouillé devant son sac. Le jeune homme en avait tiré le sceptre argenté et en donnait de petits coups dans l'air comme s'il espérait en faire jaillir quelque chose.

Thoriÿn était aussi l'amuseur de la cour de Cormélion; il décida de lui jouer un tour. Entre les mains de Patricius, le bâton fut brusquement pris d'une vibration qui se propagea à ses bras. Le jeune homme eut une exclamation et jeta le sceptre.

— Et que cherchiez-vous à faire, messire Patricius? demanda calmement le magicien, sur un ton ironique.

— Je... j'essayais de comprendre comment cela fonctionnait.

— Non pas «comment», mais *par qui*, rectifia Thoriÿn. Il faut un magicien pour que ce sceptre agisse; il n'en sort que l'énergie du magicien, rien de plus.

— Ce que vous avez fait hier...

— Ce que j'ai fait hier m'a épuisé et j'aurais voulu dormir jusqu'à demain matin. Pourquoi fouillais-tu mon sac?

— Sire Ludovic se sent très faible; il a demandé sa potion. Comme je vous savais fatigué, j'ai pensé...

— Elle n'est pas dans cette sacoche. La prochaine fois que tu voudras fouiller, regarde ici.

Ce disant, il ouvrait son manteau et montrait le baudrier cousu de grandes poches qu'il portait sur sa cotte.

Il se leva, sa lenteur témoignant encore d'une grande lassitude. La compagnie avait passé la nuit dans un ancien refuge de berger; il n'en restait plus que deux murs et un vestige de toit. Durant la nuit, le ciel s'était couvert d'une mince couche de nuages. Sous un jour blafard, la lande s'étendait presque à perte de vue vers l'ouest, tandis que dans les autres directions elle était encerclée par la ligne sombre des forêts, Rassalhiën au sud, Rassalhag à l'est, Chuvigor au nord.

Le prince Fabrice dormait encore, quelques mèches bouclées lui pendant sur la joue. Dans le sommeil, son visage était celui d'un enfant, sans cette dureté qu'il lui imposait pour paraître un homme.

— Futur roi de Sumagne, hein? marmonna Thoriÿn en le contournant.

Lorelan, refaisant les pansements à sa cuisse et à son mollet, eut un sourire complice en l'entendant.

— Et vous, maître sylvain, bougonna Thoriÿn, vous ne dormez jamais ?

— Pas autant que les vieux magiciens, en tout cas. Merci pour le cataplasme, ma blessure au mollet semble bien propre.

Le petit homme hocha la tête, alla se pencher sur Ludovic.

— Et pour vous, baron de Corvalet, combien de gouttes aujourd'hui ? Vingt-cinq, je pense ?

— J'ai l'impression qu'il me faudrait toute la bouteille, murmura le chevalier.

— Vingt-cinq gouttes devront suffire, pourtant. Dis « Ligéliaaaa ».

Lorelan grimpa sur un muret, prudemment à cause de ses blessures aux deux jambes, et examina l'horizon.

— La lande est déserte, vous aurez au moins un départ tranquille.

— « Vous » ? s'étonna Ludovic entre deux gouttes.

— Oui, ma tâche est accomplie. Je resterai ici aujourd'hui et, au coucher du soleil, je me mettrai en route vers le sud-ouest pour contourner Rassalhiën. Je ne crois pas qu'il serait prudent pour moi de retraverser la forêt.

— Mais tu auras à parcourir sur toute sa longueur le pays des Garovingiens !

— Je ne crains rien des mortels. Ils ne pourront jamais m'attraper, seul sur ma Shinuïn.

D'ailleurs, si quelqu'un aperçoit une licorne filant dans la nuit, et un sylvain dessus, que crois-tu qu'il fera ?

« Il se cachera » songea Patricius. Il se rappela les superstitions qu'il entretenait lui-même au sujet des sylvains, même pas une semaine plus tôt.

— Ton arc nous manquera, fit Thoriÿn.

— Et ta compagnie, ajouta Patricius.

— Tu diras à la reine… commença Ludovic.

Mais que lui faire dire ? Qu'il reviendrait aussitôt que possible ? Il n'était sûr de rien, et le niveau de la potion baissait notablement dans la fiole. Si rien ne se produisait sur l'Osmériath, Ludovic serait même incapable de rentrer. Un instant il songea à retourner immédiatement en Ithuriën, passer avec Lauriane les quatre ou cinq jours qu'il lui restait à vivre plutôt que de poursuivre une quête sans grand espoir. Mais sa raison prit le dessus :

— Dis-lui simplement que je pense à elle.

* * *

La couverture nuageuse s'était épaissie, le temps s'était mis décidément au gris ; un vent froid balayait la plaine. Ludovic s'étonnait du fait que l'hiver ne fût pas encore arrivé en ces contrées. Dans les Osmégomor, raconta-t-il, il avait vu une importante chute de neige un mois plus tôt.

— Un caprice du climat, commenta Thoriÿn. C'était encore l'automne et la neige était bien avant son temps.

La lande de Chuvigor paraissait aussi triste à Ludovic que lors de son premier passage. Le seul indice de vie humaine était un hameau dont on apercevait les toits au loin, dans un faible creux de terrain.

— Je ne comprends pas, fit Ludovic, pourquoi vous risquez votre vie pour reprendre à Drogomir ce pays perdu.

— À l'ouest, répondit sèchement Fabrice, la contrée est plus verdoyante. Et ici même, paissaient autrefois de grands troupeaux de moutons, avant que Drogomir ne livre toute la campagne aux Garovingiens pour qu'ils pillent et rançonnent les paysans.

Ludovic regretta d'avoir ainsi formulé sa question. Il vint près de s'excuser mais s'en abstint: après tout, il pensait vraiment ce qu'il avait dit.

— Et puis, continua le jeune prince, le pays n'est pas désert; regardez là-bas, un village. Je veux y aller, voir dans quel état vit le peuple, et sonder ses dispositions pour un soulèvement. Il faudrait visiter quelques villages, de cette façon, pour se rendre compte de…

— Vous *voulez* y aller, prince? l'interrompit Ludovic. Vous êtes libre de le faire, bien entendu. Quant à Thoriÿn et moi, nous comptons entrer dans la forêt de Chuvigor et en suivre l'orée vers le nord. Il n'y habite personne, nous risquons moins d'être vus.

Désarçonné, le prince fut un instant sans parler. Il avait oublié, encore une fois, que c'était l'expédition de sire Ludovic et que lui, Fabrice, avait demandé de l'accompagner.

— Pourtant, il faudrait...

— Ce qu'il me faut à moi, c'est de parvenir à l'Askiriath le plus tôt possible : un jour de retard peut m'être fatal.

Les lèvres serrées de Fabrice s'agitèrent : il contenait à grand-peine sa contrariété. Il marcha sur son orgueil :

— Un seul, alors. Ce village que nous apercevons là-bas. Ce sera un détour d'une heure au plus, et après nous pourrons gagner la forêt.

— Je n'aime pas ça, fit Ludovic. Dans un village, il risque d'y avoir des soldats de l'occupant, un gouverneur militaire ou son représentant. Avec ma licorne, nous n'avons aucune chance de passer inaperçus.

— Alors Patricius et moi entrerons seuls dans le village, nous avons l'air de simples voyageurs. Vous pourrez nous attendre quelque part, je vous demande seulement une heure.

« Je lui dois bien ça » songea Ludovic. Il se rappelait la panique qui l'avait saisi, hier durant la bataille, lorsqu'il avait senti le gnomandre grimpant dans son dos et qu'il avait vu son coutelas du coin de l'œil. Sans la promptitude de Fabrice, il aurait été égorgé.

— Bon, allons-y. Mais vous devrez être très prudents.

La compagnie vira vers le hameau, profitant de quelques haies effeuillées pour camoufler un peu son approche. Ils arrivèrent à une grande ferme qui paraissait avoir été incendiée quelques années plus tôt.

— Nous vous attendrons ici, décida Ludovic. Il y a une excellente vue sur le village, nous vous observerons.

Le prince Fabrice et Patricius continuèrent, sur une longue pente qui descendait vers les maisons.

Dans la cour de la ferme, Ludovic descendit de licorne, puis aida le petit magicien.

— Je monte surveiller nos jeunes amis, dit Thoriÿn en sortant de son sac une longue-vue.

Par un escalier à demi consumé, il gagna ce qui avait été un étage de la maison. Dans le mur sans toit, une fenêtre béait du côté du hameau. Le temps était encore plus sombre, le ciel plombé semblait prêt à déverser une tempête de neige. Au-dessus des maisons, la fumée de quelques cheminées était fortement inclinée par le vent.

D'où il était, Thoriÿn voyait la place du village, dans le prolongement d'une rue large. Et ce qu'il distingua dans le cercle de sa lunette n'était guère rassurant: une troupe de hussards s'arrêtant devant une maison de la place.

— Ludovic! appela le magicien.

Fabrice et Patricius, eux, n'étaient pas en mesure de voir cela. Leur itinéraire allait les mener au centre du hameau avant qu'ils ne sachent ce qui s'y passait.

— Qu'y a-t-il? demanda Ludovic en grimpant rejoindre son compagnon.

— Nos amis vont arriver nez à nez avec une patrouille.

Il passa sa lunette à Ludovic, et ajouta :

— Cet écervelé de Fabrice est capable de les défier, même s'ils sont dix fois plus nombreux.

— Patricius le forcera à la prudence. Oh oh...

— Du nouveau ?

— Un début d'attroupement. Les hussards de Drogomir ne sont pas les bienvenus, apparemment...

* * *

Comme l'avait redouté Thoriÿn, Fabrice et son cousin étaient arrivés au hameau sans rien soupçonner de ce qui s'y préparait. Ils entendirent la rumeur d'une émeute en arrivant à l'angle d'une rue. Le coin tourné, ils se trouvèrent à une maison de la place publique, juste en face des hussards. Perchés sur leurs montures, certains des militaires les virent par-dessus la foule et furent immédiatement intrigués : peu de gens possédaient des chevaux et personne n'avait le droit de se promener en armes, sauf les spadassins et les hussards du prince Drogomir.

Parmi la petite foule assemblée sur la place, on apercevait les casques de cinq hussards, au centre d'une bousculade : apparemment des villageois les empêchaient de regagner leurs chevaux.

— Que se passe-t-il ? demanda le prince Fabrice à une femme qui s'éloignait en hâte de la place.

— Les hussards sont venus arrêter notre bourgmestre, parce que nous refusons le nouvel impôt. Quelques têtes brûlées essaient d'empêcher l'arrestation : il va y avoir un massacre.

La dame n'avait pas tort : les hussards commençaient à faire avancer leurs chevaux à travers la foule, faisant tournoyer leurs sabres au-dessus des têtes pour disperser les gens. Un poing levé fut brisé net ; des hurlements dominèrent le tumulte.

— Nous ne pouvons laisser faire ça ! Des gens vont être piétinés, tués !

Patricius agrippa violemment son cousin par le bras :

— Tu es fou ! Cette fois je ne te laisserai pas y aller, je t'assommerai plutôt !

Il avait crié, et Fabrice le regarda un instant, dérouté par sa colère. Mais c'était trop tard. L'officier des hussards fendait la foule en leur direction, suivi de quelques autres, et les interpellait :

— Halte-là ! Qui êtes-vous ?

Fabrice porta la main à son épée, mais son cousin lui souffla :

— Pas d'affrontement ! Nous sommes de simples voyageurs.

Mais l'officier avait remarqué le geste de Fabrice, et il éperonna sa monture. Les voyageurs furent vite encerclés par six hussards.

Cependant, sur la place, le tumulte augmentait. Fabrice vit un hussard tressauter violemment de la tête, porter la main au visage et s'effondrer. Puis un autre, le nez en sang. Un de leurs compagnons cria pour alerter leur officier, mais en vain : la foule criait plus fort encore. Le hussard emboucha un cor mais, avant qu'il n'ait eu le temps de sonner, une tache rouge éclata dans sa face. Deux autres hommes subirent le même sort.

« Des frondes ! » songea Fabrice.

Les cinq hussards chargés de l'arrestation du bourgmestre disparurent, engloutis par la foule. Ils n'avaient pas assez de place pour manier leur sabre, des mains cherchaient sur leur cuirasse les endroits vulnérables et y enfonçaient des couteaux.

Les quatre survivants éperonnèrent leurs chevaux, bousculant les gens, abattant leurs sabres aveuglément. Le tumulte était à son comble. Aux hurlements, l'officier de la troupe tourna la tête vers la place.

— Maintenant ! cria Fabrice en tirant son épée.

Il frappa le plus proche hussard, distrait par le massacre de la place publique. Sans hésiter, Patricius en fit autant, brisant le poignet d'un hussard.

Le duel était inégal : Fabrice et Patricius avaient chacun trois adversaires et parvenaient tout juste à parer les coups. Déjà ils auraient péri, frappés par derrière, si quelques villageois ne leur étaient venus en aide en lapidant les chevaux des hussards, qui se cabraient et s'affolaient.

Mais cela ne pouvait durer.

Alors une bourrasque surgit dans le hameau, traversa la place publique, fonça sur les hussards. C'était un tourbillon blanc, où l'on distinguait la tête d'une licorne, naseaux fumants, ses pattes à peine visibles dans leur galop effréné. Du cavalier, on ne voyait qu'une tache de lumière, une épée étincelante tournoyant en l'air, une tête blonde dont le visage évoquait la colère des dieux.

Un hussard fut désarçonné, sa monture se cabrant devant la bourrasque. Un autre fut transpercé malgré sa cuirasse et sentit son cheval renversé sous lui. Un troisième eut la gorge ouverte par l'épée de Ludovic. Mais le poète-guerrier brisa sa lame sur le sabre d'un autre hussard.

— Galopez ! cria Ludovic.

Tous les chevaux s'étaient égaillés devant la bourrasque. Fabrice et Patricius en profitèrent pour foncer, estoquant au passage chacun un adversaire. Une clameur salua la fuite de Ludovic et de ses compagnons, mais c'étaient autant des cris de frayeur que des hourras.

Les hussards encore valides, sur les ordres de leur capitaine, se lancèrent à la poursuite. Une fois dissipée l'illusion créée par Thoriÿn, ils virent que la licorne était montée par un homme ordinaire… ou plutôt deux.

Leur fuite menait les compagnons dans une direction que Ludovic n'avait pas choisie : cette route n'allait point vers la forêt de Chuvigor.

Mais ils n'avaient guère le choix ; c'était un chemin creux, bordé de chaque côté par des talus, pas très hauts mais garnis de haies.

Leurs poursuivants avaient seulement quelques foulées de retard. Ludovic et ses compagnons ne disposaient plus que d'une épée. Plus un bâton de magicien et un magicien fatigué. La blessure au menton de Patricius saignait à nouveau. Fabrice avait reçu sur le bras un coup de sabre, heureusement presque à plat ; il y avait une coupure et son membre était engourdi par la douleur.

Leur infortune fut à son comble lorsque, en prenant un tournant, les fugitifs virent venir vers eux une nouvelle troupe de hussards : des renforts appelés dès qu'il y avait eu signe d'émeute au hameau.

Ludovic tourna la tête, affolé. Les poursuivants étaient toujours là.

Mais ils tombaient. Fauchés en pleine course ils tombaient, sans qu'on pût voir d'où venait l'attaque. Les survivants firent halte, essayèrent de rebrousser chemin, mais ils furent frappés à leur tour avant d'avoir pris un élan.

« Des arbalètes ! » songea Ludovic.

— Fabrice, Patricius ! lança-t-il. Halte !

Il scruta les haies de part et d'autre du chemin, et distingua... oui, des hommes embusqués, des dizaines d'hommes tout le long de la route.

Les autres hussards, les renforts, approchaient au galop. Pour Ludovic et ses amis, la retraite était bloquée par six chevaux agités, enjambant les corps de leurs cavaliers.

— Grimpez ! lança une voix.

Ludovic et ses compagnons hésitèrent.

— Laissez vos chevaux et grimpez le talus ! insista la voix.

— Allez ! recommanda Ludovic, et il prit Thoriÿn pour le déposer sur le chemin.

Fabrice et Patricius sautèrent de cheval, grimpèrent le talus abrupt, en aidant le petit magicien. Ludovic repéra un trou dans la haie, fit prendre à Shaddaÿe le peu de recul que permettait la largeur du chemin, puis l'éperonna de ses talons.

— Saute ! cria-t-il. Vole !

Une enjambée, un bond, et la puissante licorne parut s'envoler, ses sabots prenant appui sur le talus. Elle prit pied au sommet, de justesse, et franchit le trou.

Les hussards, une trentaine, arrivaient sur les lieux. Ils virent les corps de leurs congénères tués et comprirent trop tard qu'ils tombaient dans une embuscade. Les carreaux d'arbalètes sifflèrent, une grêle de métal qui perçait cuirasses et cottes de mailles.

À la queue de la troupe, certains tentèrent de fuir, mais en vain. En tête de la troupe, il y avait maintenant un tel encombrement de chevaux que le passage était bloqué.

Certains hussards descendirent de cheval, grimpèrent bravement les talus. Mais ils furent reçus par des piques, repoussés, et tombèrent à la renverse sur le chemin, où certains furent piétinés.

La grêle de fer continuait, moins fournie; bientôt il n'y eut plus un seul hussard debout.

Alors la pluie, la vraie pluie, se mit à tomber, et le silence régna un instant sur la campagne.

* * *

— Comment cela s'est-il passé au village? demanda le chef des arbalétriers.

— Une émeute, répondit Fabrice avec enthousiasme. Une quinzaine de hussards ont été massacrés.

— Et parmi les villageois?

Le prince hésita, pris de court par le ton de la question.

— Il y a eu des blessés, même quelques morts, sans doute.

— Et qui êtes-vous?

— Des voyageurs, répondit Ludovic en coupant la parole à Fabrice. Les hussards nous ont interpellés et nous avons pris peur.

— Pas des voyageurs ordinaires, en tout cas. Une licorne... la plupart des gens croient qu'elles existent seulement dans les légendes.

Thoriÿn fit un geste de la main qui ne voulait rien dire:

— Oh, vous savez, les raretés...

Sur la route, en contrebas, on entendait les maquisards achever les hussards blessés, rassembler les chevaux et ramasser les sabres.

— Et vous, demanda Fabrice, vous êtes un chef de l'insurrection?

— Comte Lysius de Tanerau, répondit-il. De quelle insurrection parlez-vous ?

Manifestement il se méfiait. Si résistance il y avait, il n'avait pas l'intention d'en décrire l'organisation à des inconnus.

— Mais... tous vos hommes, dit Fabrice en faisant un geste circulaire.

En fait, « tous » les hommes du comte n'étaient qu'une trentaine, dont plusieurs adolescents ; il y avait même quelques femmes. Les hussards devaient être bien assurés de la terreur qu'ils inspiraient, pour s'être laissé prendre en embuscade dans un chemin creux.

À ce moment arriva un cavalier, un simple villageois sur une vieille jument.

— Prodige ! cria-t-il fort excité, mais il perdit la voix en trouvant devant lui la licorne et le chevalier blond qui avaient semé tant d'émoi au hameau.

Lorsqu'il retrouva la parole, ce fut pour rapporter avec quelque exagération la déroute des hussards sur la place du village.

— De simples voyageurs, hein ? commenta Lysius en regardant d'un air intrigué Ludovic et ses compagnons. Nous allons converser un peu, je crois, si vous voulez bien me suivre chez moi.

Ludovic protesta :

— Nous voulons faire encore un bout de route avant la fin du jour.

— Le soir tombe déjà. Et, d'ailleurs, ce n'était pas simplement une invitation.

Les quatre compagnons regardèrent autour

d'eux, virent que plusieurs maquisards étaient revenus faire un cercle autour d'eux, à bonne distance, et avaient encoché des carreaux à leurs arbalètes.

Ludovic envisagea un instant de tenter une évasion. Mais il était las, il avait assez bataillé et galopé aujourd'hui. Cette fois, presque désarmés, ses compagnons et lui n'avaient aucune chance de s'échapper. Il se résigna :

— Un bon feu et une bonne soupe chaude, j'espère que vous aurez cela à nous offrir.

* * *

Lysius, comte de Tanerau, vivait dans un château d'apparence austère, murs épais et fenêtres étroites : pas tout à fait un château fort, mais pas du tout un de ces élégants petits palais d'Uthaxe.

Avec quelques-uns de ses lieutenants, il reçut Ludovic et sa compagnie à souper dans la salle d'armes, haute de plafond et sombre, avec un âtre immense. Ludovic et ses compagnons n'étaient pas prisonniers, mais les hommes du baron avaient gardé leurs arbalètes à portée de main. Ils ne montraient aucun signe d'hostilité, mais ils gardaient leur réserve et avaient bien l'intention de connaître la vérité.

Lysius, un homme court et massif, collier de barbe parfaitement noire malgré la cinquantaine avancée, ne cessait de les observer de ses yeux sombres, petits et vifs. Il se taisait, laissant son fils poser des tas de questions — son fils

Phylius qui était déjà un jeune homme robuste et faisait partie des maquisards de l'embuscade.

— Etes-vous des sylvains ? demanda-t-il un peu naïvement. Sire Ludovic est blond, il chevauche une licorne...

— Non, fit Ludovic avec un sourire las. Lorsque tu rencontreras un sylvain, tu n'auras pas à lui poser la question pour en être sûr.

— Mais la licorne, et les prodiges ?...

— Les licornes sont très communes dans les prairies bleues de Mendaluÿn, elles galopent librement par centaines. Et les Mendalouins, parfois, en envoient à la cour d'Uthaxe. C'est de là que vient la mienne.

— L'Uthaxe est bien loin, remarqua Phylius, et nous soupçonnons que vous êtes venus par l'Ithuriën. Ce petit homme, avec vous, n'est-il pas un sylvain ?

Thoriÿn éclata d'un rire aigu, retrouvant un instant son rôle d'amuseur à la cour de Cormélion :

— S'il y avait des sylvains dans cette salle, ils seraient humiliés : un avorton comme moi, sylvain ! Non, je ne suis qu'un petit magicien.

— Un illusionniste habile, ajouta Ludovic. Quelques artifices et l'effet de surprise ont suffi à dérouter les hussards.

L'interrogatoire avançait peu, Phylius se laissant trop facilement désarmer par des répliques habiles. Son père observait en silence et, vers la fin du repas, il dit :

— Les voyageurs, même les voyageurs les

plus ordinaires — il eut ici un demi-sourire — ont une destination et une intention. Quelles sont les vôtres ?

Les compagnons de Ludovic ne répondirent point, lui laissant le soin de parler. Il le fit d'une voix basse, où perçait sa fatigue :

— Nous nous rendons dans les Osmégomor, pour une affaire qui ne concerne que nous. Je ne puis vous dire que ceci : cela ferait du tort à Drogomir.

Lysius scruta longuement le chevalier. C'était un homme d'expérience, sûr de son jugement en ce qui concernait la franchise des gens.

— Le peu que vous me dites, fit-il enfin, c'est peut-être la vérité, et je suis porté à y croire. Mais l'histoire est très incomplète. Je vais y ajouter un élément.

Il fit une brève pause, tourna les yeux vers Fabrice et Patricius :

— L'un de vous est le prince héritier du trône de Sumagne.

Ludovic lui-même se trouva un instant interloqué.

— Pas difficile, dit Lysius : je vous ai entendu prononcer le nom de Fabrice durant l'embuscade. Et puis j'ai connu le père du prince au temps où il était jeune roi, et il y a une ressemblance avec ces deux chevaliers. Ma mémoire me fait rarement défaut.

Ludovic, vif d'esprit, répondit avant ses compagnons :

— Vous êtes très fin, comte. C'est juste : voici le prince Fabrice, et son cousin Patricius.

Les deux jeunes gens cachèrent leur étonnement : Ludovic avait interverti leurs noms en les présentant, et Patricius se retrouvait héritier du trône de Sumagne.

Peut-être Lysius décela-t-il le mensonge dans la voix de Ludovic. Il parut un instant méfiant, puis se leva pour saluer :

— C'est un grand honneur, fit-il en inclinant le buste, que de recevoir chez moi le futur roi de Sumagne.

Son fils et ses hommes en firent autant.

— Nous avons appris, bien que les officiers de Drogomir le nient, que la Sumagne occidentale a été libérée de l'occupant sarse. Venez-vous, prince Fabrice, libérer la Sumagne orientale ?

Fabrice, extrêmement flatté, voulut répondre mais Patricius le prit de vitesse :

— Du moins je viens voir dans quel esprit est mon peuple, et s'il est prêt à se soulever contre Drogomir.

— Mais les Osmégomor sont inhabités, et ils n'appartiennent pas à la Sumagne.

Ici, Ludovic intervint :

— Nous serons francs si vous, de votre côté, nous parlez de la résistance à Drogomir : l'ampleur du mouvement, sa force...

Lysius fronça à nouveau les sourcils : qui était ce Ludovic qui paraissait le meneur de cette compagnie, pourquoi le prince le laissait-il parler et décider au nom des autres ?

— Parlez, fit le comte, comme s'il acceptait l'échange.

Ludovic regarda Patricius, un regard appuyé, et le faux prince raconta leurs intentions, l'épée légendaire à retrouver, l'espoir de soulever le peuple, le projet téméraire de défier Drogomir en personne et de le tuer.

Fabrice, pendant ce temps, rongeait son frein en silence : lui-même aurait dit tout cela avec bien plus d'ardeur. Mais il devinait la ruse de Ludovic : si Lysius s'avérait un traître et tentait d'assassiner l'héritier pour Drogomir, ce ne serait pas le vrai prince qu'il viserait. C'était très courageux de la part de Patricius que d'avoir accepté spontanément ce rôle.

Lorsqu'il eut terminé, Lysius commenta :

— Audacieux. Je dirais même insensé, pour ce qui est d'aller défier l'usurpateur. Mais pour ce qui est de soulever le peuple, nous sommes avec vous : comme vous l'avez vu, la résistance est forte. Ces hommes qui sont avec moi sont mes vassaux, les chevaliers de Tanerau. Toute la chevalerie de Sumagne orientale s'est réarmée ainsi, en secret, et constitue des maquis sous la gouverne des nobles. Depuis que le bruit a couru de la défaite de Drogomir dans sa forteresse du nord, le peuple reprend courage, redresse l'échine contre les gouverneurs militaires. Un nouvel impôt venait d'être levé : presque partout les villageois refusent de le payer. Les paysans se préparent à affronter les hussards, avec de simples frondes et des fourches s'il le faut. Vous avez vu ce qui s'est passé à Byrau et sur la route: presque toute la garnison de Byriath a été tuée cet après-midi. Et Byriath est le seul fort des occupants dans la région. Demain à l'aube il sera assiégé. Et lorsque le gouverneur militaire sera capturé, nous le promènerons enchaîné dans tous les hameaux de la région.

Le visage de Fabrice s'illuminait; Patricius dut feindre encore plus d'enthousiasme pour garder son rôle de prince héritier. Il se confondit en félicitations, en remerciements et en promesses de récompense.

Lysius offrit:

— Le siège ne devrait pas être long: le fort se retrouve presque sans défenseurs. Si vous voulez patienter, nous vous fournirons une escorte jusqu'à l'Askiriath.

Mais Ludovic intervint à nouveau, déclinant l'offre:

— Notre meilleure garantie de succès, c'est encore de passer inaperçus. Si nous repartons dès demain, votre attaque contre Byriath nous servira de diversion. Les autres garnisons seront plus pressées d'aller en renfort à Byriath que de patrouiller la forêt de Chuvigor.

— Byriath était la seule garnison sur votre route vers le nord. En marchant avec prudence, vous devriez atteindre les Osmégomor sans faire de mauvaise rencontre.

Là-dessus, Ludovic demanda pour lui et ses compagnons la permission de se retirer: leur journée, expliqua-t-il, avait été épuisante. Lui-même n'avait pas à feindre pour qu'on voie sa fatigue.

— Allez, répondit le comte. Nous-mêmes devons nous coucher tôt, et nous mettre en route en pleine nuit pour assiéger Byriath.

La confiance semblait être établie, mais les invités n'en furent pas moins escortés à leurs chambres par des arbalétriers. C'étaient deux pièces communicantes. Ludovic et Thoriÿn devaient coucher dans l'une, le prince et son cousin dans l'autre.

Patricius s'approcha d'une fenêtre à ogive; elle surplombait la cour intérieure du château. Il faisait nuit noire et il pleuvait, mais quelques lanternes sous un préau permettaient d'y voir.

— Nous sommes surveillés, annonça le jeune homme en distinguant l'un des arbalétriers qui venait de se poster sous une arche du préau, en bas.

Fabrice rejoignit son cousin, jeta lui aussi un coup d'œil à travers les carreaux en losange.

Thoriÿn, sans ruser, alla ouvrir la porte d'une des chambres. Il y avait un garde à chaque bout du couloir. Ils virent une tête à demi chauve paraître dans l'entrebâillement, à un mètre du sol, leur grimacer un sourire comique et rentrer dans la chambre.

— Prisonniers, en fait, commenta le petit magicien à l'intention de ses compagnons.

— Pendant ce temps, avança Patricius, le comte a peut-être envoyé prévenir le gouverneur militaire de la région, ou Drogomir lui-même. Ce ne serait pas la première trahison dont nous serions victimes.

— Non, je crois que nous pouvons lui faire confiance, lança Ludovic du lit où il était affalé. Sinon il aurait laissé les hussards nous capturer.

— Nous ayant entre ses mains, répliqua Patricius, il peut nous échanger contre une rançon. Peut-être n'est-il que le chef d'une bande de brigands, plutôt qu'un loyaliste.

— Le château est plein de guerriers, rétorqua Ludovic. Vous voulez tenter de vous évader, et passer la nuit sous la pluie si vous y parvenez ? Moi je choisis de dormir.

Et il souffla la chandelle à son chevet.

— À tout hasard, établissez un tour de garde, marmonna-t-il avant de s'endormir.

C'est ainsi que les deux princes Fabrice, le vrai et le faux, veillèrent à tour de rôle pour se protéger mutuellement, et que Thoriÿn dormit d'un œil seulement. On appuya aux portes des chambres deux petites tables assez lourdes, en équilibre, de façon à ce qu'elles tombent si quelqu'un poussait le battant.

Ludovic, lui, sombra dans cette torpeur qui, de nuit en nuit, avait un peu plus la profondeur de la mort.

* * *

À Doribourg, les festivités en l'honneur du mariage royal étaient terminées depuis une semaine déjà. Le roi Fréald était vite retourné aux affaires sérieuses. Ce qui l'avait occupé cette semaine, c'était de préparer le départ d'une armée vers la frontière de l'Empire sarse. L'Empire, désemparé depuis sa récente défaite, ne donnait aucun signe de vouloir riposter, mais on n'était jamais trop prudent.

L'armée d'Uthaxe devait partir le lendemain vers le segment nord de la frontière, le plus exposé selon Fréald. Pour la baie de Sars, la construction de nouvelles galères avait été accélérée et la flotte serait bientôt augmentée.

« Il y a aussi » songeait le roi en remontant à ses chambres, « l'affaire de l'incursion troïgomoise. Que le Chevalier pourpre ait pu traverser le cœur de l'Uthaxe pour enlever Ligélia à Cormélion, c'est proprement intolérable. Et pourtant je ne puis fortifier la frontière de l'Ithuriën : d'abord elle est trop longue, et surtout cela outragerait les sylvains ; leur neutralité bienveillante est notre meilleure défense, au nord. Mais alors, comment le Chevalier pourpre a-t-il pu traverser l'Ithuriën ? »

La géographie de la Ghaste Forêt était peu connue des mortels. Fréald ignorait qu'au bout de la pointe de l'Haguriën, l'Ithuriën était à son plus étroit. C'est par l'Haguriën, alors aux mains des gnomandres, que l'envoyé de Drogomir avait pu impunément se rendre si près de l'Uthaxe, après quoi il avait eu la chance de ne rencontrer aucun sylvain dans ses brèves traversées de l'Ithuriën, à l'aller et au retour.

Dans la dernière antichambre des appartements royaux, le maire du palais attendait Fréald. Il paraissait bouleversé.

— J'ai pris la liberté d'introduire un visiteur dans votre salon.

— À cette heure ? s'irrita le roi. Et qui est-ce ?

— Un voyageur, qui a couru à cheval deux jours d'affilée. Je lui ai fait monter à souper.

Fréald fronça encore davantage les sourcils. Mais pour que le maire du palais, placide sexagénaire, agisse ainsi, le visiteur devait être quelqu'un de très spécial.

— Vous le connaissez ? lui demanda Fréald, remarquant son émoi.

Le maire du palais hocha la tête affirmativement, rendu muet par l'émotion. Le roi entra dans son salon.

Voulant peut-être se reposer en attendant le monarque, le visiteur avait éteint tous les chandeliers sauf un, auquel il tournait le dos. Mais il ne devait pas vraiment dormir, car il se leva dès qu'entra Fréald. Celui-ci ne reconnut pas la silhouette ; mais la voix, même après vingt ans, lui était familière :

— Eh bien, Fréald, tu t'en tires fort bien, ce me semble. On me dit que tu viens de faire un beau mariage.

Le roi resta saisi, un moment incapable de parler. Pendant ce temps, le visiteur étira le bras et ramena entre lui et Fréald le seul candélabre allumé. La lumière révéla un visage qui avait à peine vieilli en vingt ans ; seuls les cheveux avaient blanchi, sans pour autant devenir clairsemés.

L'homme que Fréald avait devant lui était celui qui, en Ithuriën, se faisait appeler Dydald. Sous le nom de Fréald 1er, il avait régné trente ans sur l'Uthaxe, avant d'abdiquer pour l'amour d'une dryade rencontrée un jour de chasse, à l'orée de la Ghaste Forêt.

* * *

— Père, s'impatienta le roi, ce que vous me demandez est impossible.

— Pas « impossible », Fréald : j'ai vu une armée entière qui campe aux portes de la ville, et on m'a dit qu'elle partait demain, justement vers l'ouest.

— Vers la frontière de l'Empire sarse, oui. Pas vers la Sumagne.

— Le chemin est le même sur les deux tiers.

— Oui, mais c'est le dernier tiers qui compte : je dois protéger ma frontière.

— Ton armée y retournerait après une campagne en Sumagne orientale.

— Mais dans quel état reviendrait-elle ? Je l'ai déjà dit au prince Fabrice : j'ai perdu assez d'hommes cette année.

Fréald faisait les cent pas, évitant de regarder son père : cela lui rappelait trop les années d'adolescence qu'il avait vécues à l'ombre de son autorité. Il ne se sentait plus souverain, il se sentait apprenti, un élève à qui on enseignait le métier de roi.

Absurde, bien sûr : Fréald était roi depuis vingt ans, maintenant.

« Sauf que le vieux a encore raison : il n'y a

pas urgence à envoyer cette armée sur la frontière sarse. Mais je préfère ne pas prendre de chance : ça aussi, c'est lui qui me l'a enseigné ».

Fréald s'immobilisa, une main sur la table. Dans son dos, le vieil homme parla à nouveau, à voix plus basse cette fois :

— Vois-tu, lorsque j'ai rencontré ce petit prince, là-bas, à Féliuriën, et qu'il a parlé de son projet insensé, j'ai tout de suite pensé à toi. Et quand j'ai essayé de le raisonner, le lendemain, je croyais t'avoir devant moi : fougueux, déterminé, mais ce n'était pas l'obstination d'un enfant gâté. À force de l'écouter on se serait laissé persuader, tant ses arguments paraissaient raisonnables. Je me suis dit : on ne peut laisser ce garçon aller se faire tuer en vain.

— Il ne mérite pas mieux, grommela Fréald.

— Que dis-tu ? se fâcha Dydald. Son grand-père et le tien étaient cousins, tous deux petits-fils de l'empereur Garthbar. Vos royaumes sont frères, ils se doivent aide et loyauté !

Fréald se retourna, fit un geste apaisant :

— Bon, je m'excuse : ma parole a dépassé ma pensée.

— J'espère que tu es sincère. Et maintenant, que comptes-tu faire ?

« Il a encore gagné ! » songea le roi. « J'espère qu'il rentrera dans la forêt après cela ».

Fréald soupira :

— Bon, ce sera la Sumagne.

Il leva un doigt :

— Mais une brève campagne. Juste de quoi attirer au sud-ouest les forces d'occupation, en espérant que cela aidera le prince Fabrice dans le nord-est, et qu'il en profitera pour organiser une insurrection. Je ne vais pas envoyer mon armée dans toute la Sumagne orientale à la recherche du prince !

— Je n'en demande pas tant.

Le roi alla ouvrir la porte de son bureau.

— Nous attaquerons la ville de garnison la plus proche, dit-il en marchant vers un cabinet à plans. Farau, je crois.

Il tira un tiroir plat portant une carte de Sumagne.

— Tarau, corrigea-t-il. Nous prendrons le bourg et son fort, nous le rendrons à la Sumagne orientale en espérant qu'elle aura quelques troupes pour l'occuper, puis nous rentrerons en Uthaxe.

— Excellent, fit son père qui l'avait suivi dans le bureau.

— Ça m'obligera, conclut le roi sur un ton courroucé, à laisser des troupes à Valente pour nous protéger d'une riposte. Ce sera autant d'hommes de moins pour la frontière sarse.

— Tout ira bien, tu verras, répondit le vieux sur un ton apaisant.

Puis, avec un sourire narquois, il observa :

— Tu as dit « nous ». C'est donc que tu comptes accompagner ton armée ?

— Il le faut bien. Ce sera une affaire grave.

— Avoue que tu n'as pas perdu le goût de la bataille.

Fréald détourna les yeux : son père lisait en lui comme dans un livre ouvert.

12

L'ermite de Chuvigor

Fabrice sursauta, réveillé par une douleur au bras. Il était affalé sur une chaise et Thoriÿn lui secouait gentiment l'épaule, ayant oublié sa blessure de la veille. Il y songea en voyant le prince grimacer, et s'excusa promptement.

Un jour gris entrait par les fenêtres; le soleil devait être levé depuis un bon moment déjà. Honteux, le jeune prince se redressa vivement: il s'était endormi pendant son tour de garde. Le petit magicien s'abstint d'ironiser et murmura:

— Vous entendez?

Inquiet, Fabrice prêta l'oreille, mais le silence était complet.

— Non, je n'entends rien.

— Justement. Le château semble désert. Nos gardes, dans le couloir et dans la cour, ne sont plus là.

Ludovic entra à son tour. Le magicien devait

lui avoir donné sa potion, car il paraissait en forme ; sa hanche ne le faisait presque plus souffrir. Rien ne laissait deviner que Thoriÿn avait mis un quart d'heure à le réveiller, en l'asseyant dans son lit et en le secouant rudement.

— Le comte et ses hommes, fit-il, doivent être partis assiéger Byriath. J'espère qu'il avait plus d'hommes que ceux que nous avons vus hier : ça m'a semblé bien peu pour assiéger un fort.

Ils réveillèrent Patricius et descendirent tous quatre sans rencontrer âme qui vive. Dans la salle d'armes où ils avaient mangé la veille, la table était mise à nouveau, pour un plantureux déjeuner. Et le château n'était pas entièrement déserté : la fille du comte, qui hier soir avait dirigé le service du repas, attendait les invités de son père.

Alia était jolie, bien qu'un peu forte de carrure. Aînée des enfants du comte, elle remplaçait sa défunte mère et gouvernait le château, chargée même d'en organiser la défense si, en l'absence de son père, il devait être attaqué par surprise.

Patricius s'était entiché d'elle et il regrettait de passer pour l'héritier du trône car c'est cela seulement, il en était sûr, qui éloignait Alia de lui : elle était trop impressionnée par son titre et se montrait réservée.

Les préoccupations de Ludovic étaient ailleurs : partir au plus tôt pour faire aujourd'hui un long trajet. Il ne devait y avoir aucun obstacle, d'après ce qu'avait dit Lysius, et très peu de risques de rencontrer quiconque.

Aussi le repas fut-il expédié rondement, la fille du comte remerciée avec chaleur, Patricius traîné presque de force. Les chevaux de Fabrice et de son cousin avaient survécu à l'embuscade, on avait gardé pour Thoriÿn un de ceux des hussards tués, et Shaddaÿe manifesta sa joie de revoir Ludovic. Les quatre compagnons partirent dans le matin gris, à l'heure où, à quelques lieues de là, Byriath tombait aux mains du comte Lysius.

* * *

Le comte Lysius avait plus de combattants que n'en avaient vu Ludovic et ses compagnons : près d'une centaine, environ, dont les trois quarts avaient gagné les environs du fort dès le soir. Cependant Lysius ne s'attendait quand même pas à si peu de résistance : cinquante hussards avaient été tués la veille, mais Byriath avait-il seulement une garnison de cinquante hommes ?

— Allez lui mettre des fers aux pieds, ordonna le comte aux hommes qui tenaient le gouverneur militaire.

Lysius se retrouva seul avec son fils dans le bureau du gouverneur, un peu mis en désordre par l'invasion. D'autres hommes entrèrent aussitôt, avec un nouveau prisonnier :

— Regardez, sire, qui nous avons trouvé caché dans les caves.

— Mélachios ! fit le comte en feignant la surprise. On vous trouve chez des gens peu recommandables.

— Le traître ! s'exclama Phylius. Il faut le pendre, il ne mérite même pas de procès : on l'a aperçu dans tous les villages, servant d'indicateur aux officiers du tyran !

Le comte s'approcha du prisonnier, un homme grand et maigre au teint rose.

— Tu entends ça, mon bon Mélachios ? Le futur comte de Tanerau a la justice expéditive, n'est-ce pas ? Je crois bien que je vais suivre son verdict.

Le traître fit mine de se débattre, puis cessa vite.

— À moins, fit Lysius, à moins que tu ne trahisses tes maîtres de Troïgomor et que tu répondes à quelques questions.

— Je ne sais rien d'important.

— On verra. Ce qui m'intéresse, c'est la répartition des troupes dans la région. Il y a déjà eu plus de soldats ici, à Byriath. Où ont-ils été envoyés ? Que prépare Drogomir ?

— Je ne suis pas dans ses secrets.

— Très bien. Pendez-le.

Ses gardes le tirèrent vers la porte.

— Un instant ! Que m'offrez-vous ?

— Ce que je t'offre ? éclata le comte. Crois-tu que je vais te payer ? Je t'offre de ne pas être pendu sur-le-champ, voilà ce que je t'offre. Si tes renseignements sont d'importance, je te laisserai peut-être choisir l'exil.

Mélachios fit mine de soupeser l'offre du comte; mais c'était juste pour crâner. Lysius ne patienta pas:

— Allez, pendez-le dans la cour.

— Attendez !

— Drogomir a-t-il un autre soulèvement sur les bras, ailleurs dans le pays ?

— Je ne crois pas. Les... les hussards qui manquent ici ont été envoyés dans les Osmégomor. Il a dégarni deux ou trois garnisons comme ça.

— Envoyés dans les Osmégomor ? !

— Sur l'Osmériath. Peut-être veut-il protéger sa forteresse en attendant de la rebâtir, je ne sais pas.

— L'Askiriath ! s'exclama Lysius atterré. Combien ? Combien de hussards y a-t-il là-bas ?

— Je ne sais pas, je n'y suis jamais...

— COMBIEN ?

— Peut-être deux cents ?

Le comte échangea avec son fils un regard consterné.

* * *

Chuvigor était une forêt... ordinaire, comparée à celle de Rassalhag. Les conifères, nombreux, lui donnaient une teinte sombre, mais elle était assez aérée, ses arbres un peu plus maigres qu'au sud. Le sol y était accidenté, parfois traversé de zones rocheuses.

Le prince Fabrice, Ludovic le remarqua, était fort nerveux. Le visage tendu, un peu pâle, il regardait fréquemment vers la droite, vers le cœur de la forêt. Nul doute qu'il se rappelait cette nuit, pas si lointaine, où il avait été emmené dans une clairière et ligoté sur un dolmen pour être livré au Nécromant. Mais la petite clairière encerclée de roches était plus à l'est et nul tambour ne troublait le silence.

Pendant ces longues heures de chevauchée, les pensées de Ludovic allaient souvent vers Lauriane. Il avait cru qu'en s'éloignant de la Ghaste Forêt, s'apaiserait en lui cet amour insensé d'un mortel pour la reine des dryades. Mais c'était le contraire: il y avait deux jours, maintenant, que Ludovic et ses compagnons avaient quitté l'Ithuriën, et son sentiment envers Lauriane semblait encore plus intense. Il aurait tourné à l'obsession si les péripéties du voyage n'avaient le plus souvent occupé son esprit.

Il s'inquiétait aussi de la guerre en Ithuriën. Elle devait maintenant être à son plus fort, tous les peuples fées devaient être entrés en Farfahriën et s'être heurtés aux gnomandres. Que pourraient les archers sylvains si l'ennemi restait sournoisement terré dans ses trous?

Patricius n'était pas tranquille lui non plus. Son père le duc Drorimius devait avoir appris, depuis quelques jours maintenant, que Fabrice avait à nouveau désobéi pour se lancer dans une aventure. Il devait se faire du mauvais sang, et Patricius se sentait responsable de ce tourment infligé à son père. Il avait failli à la tâche qu'on lui avait confiée, de prévenir les frasques du prince. Pire encore, Fabrice risquait d'être tué dans cette aventure, et Patricius n'y pouvait pas grand-chose.

Au crépuscule, à l'orée de la forêt, Ludovic et ses compagnons furent en vue des Osmégomor. S'étendant d'est en ouest, c'était une chaîne de montagnes basses et arrondies, fort anciennes; elle avançait un prolongement vers le sud, des collines s'étirant jusqu'à quelques lieues de Chuvigor.

— Nous passerons la nuit sous le couvert de la forêt, décida Ludovic. Il est trop tard pour s'engager dans les collines.

— Je préférerais dormir ailleurs, murmura Fabrice, mais il n'en dit pas plus.

Ils cherchèrent un endroit pour camper, et cela les mena à un rocher dont la face supérieure, en pente douce, était plantée d'arbres. Sa face antérieure était un ressaut ménageant un espace entre sol et roche, une sorte de vaste grotte. Cet espace avait été muré de rondins et, manifestement, il était habité. Un potager et un minuscule pâturage enclos occupaient l'aire devant le rocher, dégagée d'arbustes et de broussailles; quelques chèvres y paissaient.

De derrière un enclos plus petit qui servait de basse-cour, un homme jetait à ses volailles une quelconque provende. Très grand, chevelure et barbe longues, peu soignées, grises mêlées de blanc, il portait une robe à amples manches serrée à la taille comme celle d'un moine.

— Un druide ! s'exclama Fabrice, déjà prêt à rebrousser chemin.

— Peut-être un simple ermite, avança Thoriÿn.

— J'aurais préféré que personne ne nous voie, fit Ludovic. Nous sommes trop près de Troïgomor, il faut se méfier de quiconque.

— S'il y a une garnison dans les parages, ce bonhomme pourrait aller prévenir les hussards durant la nuit.

— La solution, c'est de passer la nuit ici et le surveiller.

Ludovic descendit de licorne et s'avança :

— Bonsoir, mon brave. Pouvons-nous passer la nuit près de chez vous ?

— D'abord, je ne suis pas brave, grinça le vieil homme. Et puis, même si je refusais, vous êtes assez forts pour imposer votre présence.

Il alla remplir un seau au ru qui coulait près de sa cabane.

Les compagnons de Ludovic descendirent de cheval et attachèrent leurs montures à des arbres.

— Je ne vous offre pas à manger, disait l'ermite, manifestement vous êtes mieux nantis que moi. Vous pouvez prendre de cette eau, elle est à tout le monde.

Ils n'étaient pas à court de vivres, en effet : Alia les avait chargés de provisions et il leur restait beaucoup de céruel donné par les sylvains.

Le vieil homme n'était pas seulement méfiant : il semblait craindre ces quatre inconnus qui lui arrivaient à l'improviste. Il avait dû être volé plus souvent qu'à son tour, et pas seulement par des brigands: les hussards du prince Drogomir ne payaient pas souvent les vivres qu'ils réquisitionnaient.

Mais le comportement des visiteurs le rassura et, malgré ce qu'il en avait dit, le vieillard leur offrit plus que l'eau de son ru: il fit un bouillon de légumes et le partagea avec eux. En retour, ils lui offrirent des galettes de céruel, dont le goût subtil était inconnu des mortels. Il parut fort touché de cette générosité inattendue.

Il parla peu de lui-même. Il n'était pas un druide, comme l'avait cru Fabrice sur la foi des apparences. Il n'était pas non plus un de ces moines qui s'isolent pour mener une vie sainte: il n'était même pas pieux. Il avait quitté son village, en Troïgomor, alors qu'il était encore dans la force de l'âge, pour suivre en exil une femme qu'il aimait et qui avait été bannie parce que lépreuse. Mais elle avait refusé qu'il vécût avec elle, voulant que personne ne voie le visage de sa maladie. Alors Alfir s'était résigné à la solitude, déterminé à ne jamais retourner dans son village si cruel.

Thoriÿn parut très touché par son histoire, et il offrit à l'ermite de le soigner. Alfir avait aux mains une sécheresse qui fissurait sa peau, une affection mineure mais parfois douloureuse. Le petit magicien lui donna un baume qui devait le guérir en quelques jours; Ludovic se demanda si Thoriÿn avait apporté avec lui toute sa pharmacopée, lui qui avait soigné chaque blessure des membres de l'expédition.

Après le repas, Ludovic, moins las que les soirs précédents, monta avec ses compagnons au sommet du rocher. Sur la plus proche des collines, moins basse que celles derrière, se dressait un château fort, qui jadis gardait la frontière entre Sumagne et Troïgomor, du temps où les deux territoires étaient rivaux, avant même qu'un prince de Sumagne, Drogomir encore jeune, n'hérite du trône de Troïgomor. Sur son éperon rocheux, le château de Karpiath se profilait contre le ciel indigo, où ne restaient plus que quelques nuages.

— La première fois je suis passé plus à l'ouest, je crois, fit Ludovic. Nous serons aperçus à coup sûr si nous traversons la steppe juste devant ce château.

— Il n'y avait plus de garnison depuis longtemps parce que les voisins étaient en paix, intervint Alfir qui était monté avec eux. Maintenant que Sumagne et Troïgomor sont sous la même tyrannie, il n'y a pas non plus besoin de garnison à la frontière.

Fabrice aurait réagi, mais Ludovic le regarda avec insistance pour lui recommander de se taire.

Thoriÿn s'était avancé tout au bord du rocher, et Ludovic le suivit. Le petit magicien avait sorti sa longue-vue à l'insu d'Alfir; il la braqua sur la silhouette noire et crénelée.

— Si ce château est désert, commenta-t-il

après un moment, je me demande pourquoi il y a de la fumée à l'une des cheminées. Les fantômes n'ont pas besoin de se réchauffer, généralement.

Ludovic prit sa lunette et regarda à son tour.

— Mais une garnison allumerait plus de feux, observa-t-il. Je ne vois qu'une fumée, et bien mince.

Il se retourna vers Alfir, resté à quelque distance derrière :

— Se peut-il que le château soit hanté ?

Le vieillard ricana :

— C'est ce qu'on croit dans les villages des alentours. Certains racontent qu'une sorcière en a fait son refuge, et qu'elle jette le mauvais œil sur quiconque traverse la steppe entre ici et les collines. Ça n'empêche pas les troupes du prince Drogomir de passer.

— Et vous, insista Ludovic, y croyez-vous ?

Alfir haussa les épaules et répliqua d'un ton méprisant :

— Il n'y a pas plus de sorcière là-bas que dans ma cahute.

Et il tourna les talons pour redescendre.

Mais plus tard dans la soirée, lorsque tout le monde fut couché, le vieillard remonta au sommet du rocher avec un flambeau. Thoriÿn, qui feignait de dormir, se leva pour le suivre. Assis face aux collines, Alfir parlait seul, comme s'il s'adressait à quelqu'un d'invisible, et Thoriÿn distingua au loin une minuscule flamme dans le château fort abandonné.

* * *

Au petit matin, les voyageurs quittèrent l'abri de la forêt, quatre cavaliers en ligne sur un terrain rocailleux, tandis qu'à l'est le ciel à nouveau couvert se déchirait en échancrures lumineuses. Le trajet qu'ils suivaient, ces cavaliers, était la ligne de l'ancienne frontière, ponctuée de quelques fortins abandonnés.

Juste avant leur départ, Alfir avait pris à part le petit magicien et lui avait demandé :

— Ce baume que vous m'avez donné, croyez-vous qu'il guérirait la lèpre ?

— Si je savais guérir la lèpre, mon pauvre ami !... Non, ce baume pourrait au mieux soulager les démangeaisons, éclaircir un peu la peau. Il contient de la poudre de miraflore, importée du Sud. Peut-être qu'un onguent de miraflore très concentré... Mais c'est un ingrédient hors de prix, on peut l'utiliser seulement en quantités infimes.

Alfir hocha la tête avec résignation.

— C'est à cette femme que vous pensez, celle qui a été bannie à cause de sa lèpre ? Savez-vous même où elle vit aujourd'hui ?

Mais l'ermite ne répondit pas directement :

— À quoi bon ? fit-il, et il leur souhaita bonne route.

Après avoir traversé l'étroite étendue de steppe, ils s'engagèrent entre les deux premières collines, dans le défilé qui menait au mont Osmériath. La grisaille du jour devenait plus sombre au fond du canyon.

Ludovic était soucieux depuis un instant.

— Entendez-vous ? demanda-t-il enfin au moment où Thoriÿn ouvrait la bouche lui aussi.

— Oui, un grondement... Comme lorsque la terre tremble.

— Ou qu'une troupe de cavaliers approche au galop. Montons là, pour voir.

Il désignait l'amorce d'un chemin qui devait mener au sommet de la colline. En s'élevant de quelques mètres, il leur serait possible de voir par-dessus un bosquet d'arbustes épineux qui leur masquait la vue.

Ils s'y engagèrent, mais c'était trop tard : la rumeur venait soudain d'augmenter, comme si l'hypothétique troupe de cavaliers venait de contourner un obstacle qui jusque-là assourdissait le bruit de leur galop.

Ludovic et ses compagnons s'engagèrent dans la côte au moment où surgissait tout un régiment, deux ou trois cents cavaliers. Les premiers de la troupe les virent.

— Au galop ! cria Ludovic.

Ses compagnons éperonnèrent leur monture. Le château fort abandonné, là-haut, était leur seul espoir. Fuir vers la plaine aurait été vain : en terrain plat, ils feraient des cibles faciles pour les arbalètes.

Les capitaines des hussards se consultèrent rapidement. Manifestement ils couraient vers une mission importante ; pourtant ils choisirent de poursuivre les quatre voyageurs. Peut-être la consigne avait-elle été lancée de capturer un inconnu chevauchant une licorne ; son intervention au village de Byrau avait été assez remarquée. Le tiers de la troupe s'élança sur la côte, derrière les fugitifs. Le reste se remit au galop vers la sortie du défilé.

Ludovic les vit du coin de l'œil avant de prendre un virage en épingle à cheveux, et il eut une brève pensée pour le comte Lysius et ses hommes : peut-être s'agissait-il de renforts pour le fort de Byriath. Or le comte n'avait avec lui, selon Alia, qu'une centaine d'hommes pour assiéger le fort. Mais, pour l'instant, Ludovic et ses amis étaient dans un danger plus immédiat. Avec leur casque noir à cornes, attribut de la garde personnelle du Nécromant, les hussards ressemblaient à une horde de démons.

La distance entre fugitifs et poursuivants diminuait graduellement. Il n'y avait aucune échappatoire : à droite une pente raide et rocailleuse, à gauche une falaise, il fallait suivre la route.

Les fugitifs passèrent sous un bosquet de pins maigres et sombres, inclinés vers la route, les racines les plus proches mises à nu par l'effritement du talus. Thoriÿn ralentit l'allure de son cheval, serra vers le talus, se laissa dépasser par Fabrice et Patricius. Il avait sorti son petit sceptre d'argent et le serrait dans son poing, avec cette expression concentrée qu'on commençait à lui connaître. Il repéra un arbre penché sur la route et, d'un geste vif comme l'éclair, il le frappa au passage. La foudre parut éclater au bout de son bâton ; le pin, son tronc instantanément carbonisé, bascula en travers du chemin. Une demi-douzaine de hussards furent écrasés par ses branches, le reste de la troupe s'empila derrière dans une terrible confusion qui en envoya quelques-uns débouler la pente raide.

Fabrice et Patricius avaient ralenti pour attendre Thoriÿn ; il les rejoignit et les dépassa.

Trois hussards seulement étaient passés avant la chute de l'arbre. N'ayant plus la force du nombre, ils interrompirent leur poursuite. Mais ils prirent leur arbalète, accrochée à leur selle, déjà armée, encochèrent des carreaux et tirèrent.

Ludovic, qui allait en tête, entendit crier derrière lui. Il se retourna vivement. Sa joie, après le bon coup du magicien, tomba aussitôt : Patricius grimaçait de douleur, Thoriÿn avait le bras en sang et le cheval de Fabrice boitait, blessé à la cuisse. En pleine course, Fabrice s'accrocha au cheval du magicien, monta en croupe et prit les rênes tout en maintenant Thoriÿn en selle. Patricius ne ralentit pas son allure.

La garde du prince Drogomir était composée d'excellents arbalétriers. Mais lorsqu'ils tirèrent à nouveau, les fugitifs étaient presque hors de portée. Alors ils descendirent de cheval et aidèrent leurs camarades à enlever l'arbre tombé. Les fugitifs, ils le savaient, ne pourraient leur échapper.

Ludovic, ayant freiné Shaddaÿe, se retrouva au niveau de ses compagnons.

— Ça ira, haleta Patricius.

Sous sa cape déchirée, on voyait le sang sourdre entre les mailles de sa cotte, au flanc droit. Les mailles de fer avaient été rompues lorsque le carreau d'une arbalète avait ricoché dessus. La peau avait été lacérée, mais la blessure n'était pas profonde.

Thoriÿn, par contre, était dans un état plus sérieux : le carreau d'une arbalète lui avait traversé le gras du bras, côté intérieur, et il saignait abondamment. Ce semblait un épanchement régulier, toutefois : aucune artère n'avait été sectionnée.

— Je me rendrai jusqu'au château, fit Thoriÿn, mais sa voix était à peine plus qu'un souffle. Tu as Shaddaÿe : prends de l'avance, Ludovic, et trouve un moyen de bloquer l'entrée du château fort.

Ludovic répugnait à distancer ses amis, mais la recommandation de Thoriÿn était juste : leur seule chance, à un contre vingt, était de se retrancher derrière des murs de pierre.

Il remit Shaddaÿe au grand galop. Après un nouveau tournant, la route repassait au-dessus du bosquet et de l'endroit où les hussards étaient bloqués. Le jeune homme vit que l'ordre était rétabli dans leurs rangs et qu'ils entreprenaient de pousser le pin. Ils y parviendraient sans peine, et vite.

Jouant du talon, Ludovic réclama encore plus de vitesse de sa licorne. En quelques minutes il atteignit le sommet de la colline, un plateau couvert de hautes herbes sèches, jaunies, clairsemées. Le petit château fort se dressait au bord de la falaise, du côté de la steppe; un fossé sec, assez profond, l'isolait. Un pont-levis le franchissait; il était abaissé et ses chaînes semblaient intactes.

« Un peu de chance, pour faire changement ! » songea Ludovic.

La porte à double vantail était fermée, mais non barrée. Le chevalier sauta lestement de Shaddaÿe, tira les deux battants, se précipita à l'intérieur. Un bref tunnel franchissait la courtine et débouchait sur une cour intérieure. Avisant un escalier de pierre, Ludovic monta sur le chemin de ronde, entra dans une salle où il trouva le treuil du pont-levis. Mais c'était un treuil conçu pour être manœuvré à deux.

« Je n'y arriverai jamais tout seul ! »

Cependant il ne perdit pas de temps à se lamenter. Il sortit et sauta dans la cour, à côté de sa licorne. Il décrocha de la selle un rouleau de corde et en attacha le bout à la corne de Shaddaÿe, à la racine. Ensuite il remonta, laissa pendre la corde à l'extérieur du fort par le trou ménagé pour la chaîne. Puis il redescendit, courut au pont-levis et noua le bout au dernier maillon de la chaîne.

Ses compagnons débouchaient sur le plateau, les premiers hussards derrière eux. Ludovic courut à Shaddaÿe, lui fit tourner la croupe à l'entrée et prendre le mou de la corde.

— Quand je crierai « tire », tu tireras, vaillante. De toutes tes forces, comme un cheval de labour.

La licorne souffla, peut-être vexée par la comparaison — si toutefois elle comprenait ce qu'on lui disait.

Ludovic remonta dans la salle du treuil et se mit à l'effort. Un instant, un bref instant de panique, il eut l'impression que ça ne bougeait pas. Mais il vainquit la résistance du vieil engin.

Par une meurtrière, il vit que ses amis étaient tout proches, et les poursuivants à leurs trousses. Il cria :

— Tire, Shaddaÿe, tiiiire !

Et il força jusqu'à s'éreinter. Lentement, trop lentement, le lourd tablier du pont se souleva. Un pied, puis deux.

D'un élan, les chevaux de Patricius et de Thoriÿn sautèrent sur le pont, qu'ils dévalèrent jusqu'à la porte. Sous leur poids, le pont-levis s'immobilisa, redescendit un peu.

— PLUS FORT ! hurla Ludovic. PLUS FORT, SHADDAYE !

Le tablier du pont remonta, un demi-mètre, un mètre. Le plus proche poursuivant sauta à son tour, et passa. Le deuxième réussit moins bien : le cheval trébucha sur le bord du tablier, roula avec son cavalier sur la pente jusque dans le passage. Les deux suivants ne freinèrent pas à temps et se retrouvèrent dans le fossé.

Maintenant allégé, le pont montait plus vite. Approchant de la verticale, il se faisait encore moins lourd. Il claqua contre la muraille et Ludovic mit le frein. Il sortit sur le chemin de ronde, tirant son épée du fourreau.

Dans la cour, le jeune prince et Patricius faisaient face au premier hussard. Fabrice avait déposé Thoriÿn sur la selle de Shaddaÿe pour se libérer, mais Patricius était handicapé par sa blessure. Ludovic descendit leur prêter main forte, se retrouva devant le second hussard, désarçonné quand son cheval avait sauté de justesse. Il s'était foulé un poignet en tombant; Ludovic, pourtant un escrimeur très moyen, le vainquit. Lorsqu'il se retourna, Fabrice et son cousin avaient le dessus sur l'autre hussard.

Par précaution, Ludovic alla fermer la double porte et mit la barre sur les crochets. Puis, avec Fabrice et Patricius, il monta sur le chemin de ronde.

Autour de Karpiath, plus de soixante hussards s'alignaient au bord du fossé, arbalètes armées.

Une volée de carreaux siffla au-dessus des assiégés, le fer ricochant sur la pierre. Les trois compagnons se firent plus prudents, et entreprirent l'inspection de leur forteresse.

Le faîte de la muraille était effondré par endroits, les pierres comblant le fossé partiellement. C'était suffisant pour favoriser les assiégeants, même s'ils ne disposaient pas d'échelles.

Ludovic posta Patricius au sommet d'une tour d'angle, envoya Fabrice explorer le château et descendit auprès de Thoriÿn. Le magicien s'était assis dans les premières marches de l'escalier près de la porte et avait retiré son manteau maculé de sang. Sa cotte en était imbibée. Il avait roulé jusqu'à l'épaule la manche de sa tunique et tenait sur sa blessure une poignée d'herbe, verte comme si elle venait d'être cueillie. C'était de la sidoine, une plante connue pour aider la coagulation du sang; il en avait fait usage sur les blessures des autres au cours de l'aventure.

Mais Thoriÿn paraissait avoir perdu déjà beaucoup de sang: il était blême.

— Y a-t-il quelque chose que je puisse faire?

Ludovic était bouleversé: il en était venu à considérer Thoriÿn comme un être à peu près invincible.

— Trouve une chambre où tu puisses faire du feu. Et de l'eau à faire bouillir.

Ludovic n'eut pas à chercher loin: sur l'un des côtés de la cour intérieure se trouvait une ancienne écurie et, sous son toit, des fagots étaient empilés, une réserve de bois bien sec. Dans un coin de la cour, une grande citerne contenant de l'eau de pluie, sûrement récente. Au sous-sol du bâtiment principal, une vieille marmite était suspendue dans l'âtre d'une grande salle qui avait dû servir de cuisine.

Ludovic s'appliqua à y allumer un feu.

Pendant qu'il regardait les petites flammes s'attaquer aux branches mortes, il entendit un son. Un bruit de pas furtifs, un glissement de semelles sur les dalles: quelqu'un approchait subrepticement.

« Un fantôme! » pensa Ludovic en scrutant

la pénombre du sous-sol. Mais il se rabroua intérieurement: les spectres n'ont pas de bottes qui puissent traîner sur la pierre. Il se leva, main sur la poignée de son épée, et à cet instant une silhouette parut dans l'ombre d'une porte, à l'amorce d'un couloir.

— Fabrice! Vous m'avez fait peur!

Le jeune prince s'approcha. Manifestement, lui aussi était inquiet.

— Est-ce vous que je suivais à l'instant? demanda-t-il.

— Pas du tout. Je suis dans cette salle depuis un bon moment.

— Il m'a semblé, dans le couloir, que quelqu'un me précédait.

Il fit une pause, puis, baissant le ton:

— Peut-être que ce château n'est pas inhabité.

Ludovic ne répondit pas, mais c'est aussi ce qu'il soupçonnait. Ces fagots qu'il avait trouvés, ils ne traînaient sûrement pas depuis l'abandon du château. Quelqu'un vivait ici, quelqu'un de chair et d'os qui avait besoin de se chauffer comme tout mortel, et de faire cuire ses repas.

— Pourtant Alfir a dit que c'étaient des racontars, rappela Fabrice.

— Il a dit qu'il n'y avait pas de sorcière au château, non qu'il n'y avait personne. Y a-t-il des chambres meublées, des traces de séjour?

— Je n'en ai pas vu. Mais je n'ai pas encore exploré tout le château. Dans la pénombre, ces couloirs se ressemblent tous.

De toute façon, habité ou pas, ils n'avaient pas le choix, ils étaient enfermés. Ils remontèrent trouver Thoriÿn et le transportèrent auprès du feu. Ludovic chargea le garçon de faire bouillir de l'eau et de préparer pour le blessé un repas qui puisse refaire un peu ses forces. Puis il alla rejoindre Patricius sur la terrasse de la tour d'angle, d'où on dominait les deux faces du château exposées à l'assiégeant.

— Ils se sont retirés, dit Patricius. Ils ne tenteront rien à la clarté du jour.

Les hussards avaient attaché leurs chevaux à des arbustes et établissaient un campement sommaire sur le plateau : pas de tentes, seulement quelques feux pour préparer un repas de campagne. Manifestement ils comptaient en finir avec cette affaire avant le lendemain.

Ludovic eut un geste d'humeur. Au crépuscule, lui et ses compagnons auraient dû être en vue de l'Askiriath, ou presque, s'ils n'avaient eu la malchance de tomber sur un parti de hussards. Or il ne restait plus beaucoup de potion dans la fiole de maître Thoriÿn : chaque heure de retard comptait, maintenant.

Et ce n'était pas simplement une question de retard : ils étaient incapables de défendre leur position.

— Ils vont attaquer dès le soir tombé, dit Patricius. La magie de maître Thoriÿn sera notre seule défense, encore une fois.

— Maître Thoriÿn ne sera pas en état de faire des prodiges, je le crains.

C'était quand même leur seul espoir, et Ludovic retourna auprès du petit magicien pour voir si son état se stabilisait.

Il ne saignait plus et, avec l'aide de Fabrice, il avait lavé et pansé sa blessure. Mais il avait pour Ludovic une bien mauvaise nouvelle : lorsque le carreau d'arbalète lui avait transpercé le bras, Thoriÿn avait laissé échapper son bâton de magicien. Le sceptre d'argent gisait là-bas, au bord de la route, et Thoriÿn se trouvait désarmé.

13

Une alliée dans la nuit

La journée avait passé dans l'abattement le plus total. Ce n'était pas seulement un délai dans leur entreprise, c'était la mort inéluctable. Même si les hussards ne donnaient pas l'assaut, s'ils se contentaient d'attendre que les assiégés se rendent, Ludovic mourrait au bout du troisième jour, du quatrième s'il pouvait rationner la potion de Thoriÿn en ne fatiguant pas son organisme. Mais les hussards n'avaient aucune raison d'attendre : l'une des brèches dans la muraille, avec le fossé presque entièrement comblé juste en dessous, constituait une excellente voie d'invasion. À la faveur de la nuit, les assiégeants pourraient attaquer presque par surprise. Si Ludovic et ses compagnons n'étaient pas tués au combat, le sort qui les attendait était pire encore : les geôles du Nécromant, et les tortures qu'il infligerait pour venger sa défaite de l'Askiriath.

Après avoir appris à ses compagnons la perte du sceptre de Thoriÿn, Ludovic était allé inspecter les faces nord et est du château, celles qui se dressaient à l'extrémité abrupte de la colline et dominaient la plaine. L'ennemi n'avait pas vue sur ces façades : il lui aurait fallu disposer des hommes au pied de la falaise et il n'y en avait pas assez. La fuite aurait donc été possible de ce côté si Thoriÿn n'avait été privé de l'usage d'un bras. Mais, se penchant par d'étroites fenêtres, Ludovic constata qu'il fallait des cordes — et des cordes assez longues — pour descendre jusqu'à un niveau où la falaise devenait moins escarpée. Or il n'avait pas de corde assez longue, et il n'en trouva point dans le château.

Ce que lui et ses compagnons découvrirent, par contre, ce fut une porte verrouillée, dans un recoin sombre qui avait échappé aux premières recherches de Fabrice. Divers indices leur prouvèrent qu'ils n'étaient pas seuls à se trouver enfermés dans le château de Karpiath.

* * *

Une pénombre pourpre, comme une nuit éclairée par de gigantesques feux ou par le crépuscule d'un soleil froid, très lointain. Une terre plate et désolée, une lande de tout temps destinée à servir de champ de bataille.

Et une bataille, farouche, cruelle : armures et cuirasses s'entrechoquent, poitrails de chevaux se heurtent. Les carreaux d'arbalète ont depuis longtemps volé, et jeté sous les sabots les corps de plusieurs malheureux. Maintenant, boucliers ferrés et épées luisent sombrement dans la nuit rouge, et le son métallique de leurs coups perce le tumulte des vociférations. Tout semble confus, des cavaliers se croisent, des bras tournoient, des corps vacillent, culbutent. Et le sang coule, clair sous cet éclairage sinistre; aux articulations laissées vulnérables par les cuirasses, les membres se rompent; les cris se font aigus, brièvement, les râles s'éteignent dans un épanchement vermeil.

Et sans cesse le métal perce la peau, brûle la chair, glace les entrailles en une caresse mortelle.

Thoriÿn s'éveilla en sursaut, étouffant un cri de douleur: dans son sommeil il avait dû s'agiter, heurter son bras blessé. Il s'assit et regarda son pansement à la lueur mourante du feu. L'hémorragie n'avait pas repris: la sidoine exerçait son effet.

Les grands soupiraux donnant sur la cour intérieure étaient obscurs: le soir était venu. Thoriÿn avait donc sommeillé plusieurs heures, s'étant endormi vers le milieu du jour.

Thoriÿn ramena sur ses épaules le manteau qui lui avait servi de couverture; il avait eu chaud, mais maintenant la fièvre était tombée.

À ce moment il prit conscience qu'il était observé. Il se retourna vivement, réprima un sursaut. Dans le mur du fond une porte était ouverte, qui ne l'était pas précédemment; peut-être n'avait-elle pas été remarquée par Ludovic et Fabrice.

Une lueur rouge entrait par là, et une silhouette s'y profilait, comme encapuchonnée, et drapée d'une robe informe. Une vague odeur de pourriture, très subtile, se répandait. Thoriÿn se leva.

— C'est vous qui habitez ce château, dit-il à voix basse.

Ce n'était pas une question, et la personne ne répondit point.

— Et c'est vous que les habitants du pays considèrent comme une sorcière...

Elle eut un rire bref, amer, un son à peine humain.

— Vous avez de la poudre de miraflore? demanda-t-elle d'une voix faible et rauque, qui n'avait peut-être pas servi depuis des années.

— C'est Alfir qui vous en a parlé?

— Vous avez été bon pour lui.

Un peu moins amère.

— Comment vous a-t-il parlé?

— Nos pensées se rejoignent, parfois.

Thoriÿn revit l'ermite sur son rocher, parlant seul dans la nuit face au château.

— Les hussards ne feront pas de quartier, dit l'apparition. Venez.

Elle disparut dans ce qui semblait un étroit corridor, démasquant une fenêtre par où entrait la lueur écarlate. Thoriÿn se leva, chancelant, et suivit la silhouette encapuchonnée.

* * *

Si les hussards devaient attaquer ce soir, Ludovic et ses compagnons savaient où cela se ferait; à l'endroit où une petite tour s'était autrefois effondrée, créant une brèche dans la courtine, comblant presque entièrement le fossé.

Ils avaient trouvé de nombreux flambeaux et en avaient fixé plusieurs, allumés, autour de cette brèche. Ils surveillaient, risquant un œil derrière les créneaux, se méfiant du tir des arbalètes. Lorsque l'ennemi viendrait par là, au moins ils le repéreraient avant qu'il n'escalade l'éboulis de pierres.

S'ils comptaient sur un peu de surprise, les hussards allaient devoir attaquer bientôt : à l'est, la grosse lune rouge était levée, portant sur le plateau l'ombre du château fort; mais à mesure qu'elle montait, la zone d'ombre se rétrécissait.

— Que ces flambeaux brûlent mal ! s'exclama Patricius, la brise ayant poussé vers lui une volute de fumée âcre.

De l'autre côté de la brèche, Ludovic lui faisait face. Entre eux, tout un pan de parapet manquait, le chemin de ronde lui-même était défoncé, dévoilant les mœllons de la voûte en dessous. « Peut-être que, sous le poids des hussards, tout ça va s'effondrer et qu'ils se retrouveront dans la pièce au-dessous ! »

La fatigue de Ludovic croissait, bien qu'il ne bougeât pas. Il devait constamment lutter contre son mal, l'effet de la potion prise au matin se dissipait.

De son côté, Patricius, pansé lui aussi à la sidoine, ne souffrait pas trop de sa blessure au flanc, du moins lorsqu'il ne bougeait pas. Il parlait, sans vraiment attendre de réponse, juste pour meubler le silence et tromper son angoisse :

— Je ne crois pas que les hussards puissent faire quelque chose avec le bâton de Thoriÿn, si par malheur ils l'ont vu tomber et l'ont ramassé. Il faut être un sorcier pour savoir…

Mais l'arrivée de Fabrice l'interrompit. Le garçon était alarmé :

— Je l'ai encore entendue. Et vue, je crois.

— Qui ça ?

— La sorcière, je suppose. Ou *les* sorcières. Des ombres, des mouvements, jamais rien de bien clair : au bout d'un couloir ou derrière une arcade. Des voix, des chuchotis. Et des bruits, comme des choses traînées, heurtées.

Patricius pâlissait en écoutant son cousin.

— Et puis du feu, la lueur d'un feu sous une porte… Je n'ai pas osé m'approcher.

— Le château est hanté !

— Où était-ce ? demanda fermement Ludovic.

— Je ne sais pas exactement, je… Avec ces escaliers qui tournent, je ne me situe pas encore dans les couloirs. Probablement de ce côté-ci.

« Hanté, le château ? » s'inquiéta Ludovic. « Et si c'étaient les hussards qui étaient parvenus à entrer ? Ils connaissent peut-être une poterne, un passage secret. Et ils se préparent à nous capturer par surprise ».

— Écoutez ! chuchota Patricius.

On entendait des glouglous, comme le bouillonnement d'un liquide épais. Mais c'était assourdi, à peine audible.

Accroupi, Ludovic s'approcha de la fissure dans le chemin de ronde. Plusieurs dalles manquaient, le trou était profond et donnait même vue dans la chambre ou la salle en dessous.

— L'odeur de brûlé, tout à l'heure ! s'exclama-t-il. Ça ne venait pas des flambeaux !

Par la fissure il distinguait des flammes, voilées par une vapeur verdâtre. Il n'eut pas le temps de formuler des hypothèses.

— Ils attaquent !

Ludovic tourna la tête, vit par la brèche l'assaut des hussards : au bord du fossé, ils surgissaient dans la lueur des flambeaux.

Les assiégés disposaient de deux arbalètes, prises aux hussards qui avaient franchi le pont-levis au terme de la poursuite. Fabrice et Patricius tirèrent deux carreaux, eurent le temps de tendre les ressorts pour en tirer deux autres, puis deux autres encore, presque à bout portant. Chacun toucha un attaquant. Ludovic, lui, les lapidait avec des fragments de pierre qu'il avait accumulés à cet effet.

Les hussards gravissaient l'éboulis de mœllons. C'était pour eux un escalier, menant à la brèche assez large pour qu'ils s'y engouffrent trois ou quatre de front.

— Ne vous découvrez pas tout de suite ! cria Ludovic.

Car des carreaux d'arbalète sifflaient à travers les créneaux : l'assaut était couvert par des tireurs. Les défenseurs ne pouvaient se dresser au-dessus de la brèche pour frapper les attaquants de haut. Ludovic fut cinglé au visage par un éclat de pierre arraché par un trait.

— Seulement quand ils auront atteint le chemin de ronde ! recommanda Ludovic. Ils seront entre les arbalétriers et nous.

Ils y étaient déjà.

Patricius au milieu, Fabrice et Ludovic chacun sur une lèvre de la brèche, ils se dressèrent devant les premiers assaillants, profitant du bref instant où ceux-ci étaient désavantagés par leur position, leur sabre tenu d'une seule main, leur équilibre un peu vacillant.

Deux s'écroulèrent, tombèrent à la renverse : les défenseurs frappaient avec l'énergie du désespoir. Mais à cause de sa blessure au flanc, Patricius ne pouvait lever l'épée aussi haut et frapper aussi fort. Il dut reculer ; Fabrice et Ludovic prirent son adversaire de côté. L'assaut fut ralenti ; mais l'avantage des défenseurs ne pouvait durer, devant le nombre des assaillants. Une nouvelle vague de trois franchissait la brèche ; deux furent repoussés, mais Patricius dut reculer à nouveau devant celui du centre. Déjà une troisième vague prenait pied sur le chemin de ronde. Ludovic sentit sa gorge se serrer : le prince Fabrice se trouvait seul de l'autre côté de la brèche, un frêle garçon face à deux colosses. Il reçut à la poitrine un coup d'estoc, qui l'aurait tué sans sa cotte de mailles. Sans réfléchir, Ludovic fonça, bousculant le plus proche hussard, franchissant d'un bond la fissure dans le dallage. Il se retourna pour faire front aux côtés du jeune prince.

Le hussard qu'il avait heurté gisait sur le dos, tête en bas. Un autre s'écroula sous un coup de taille de Fabrice, comme s'il était déjà assommé.

L'assaut ralentissait, au moment où les défenseurs allaient succomber.

Parmi les assaillants, dans le fossé, un murmure d'effroi.

Les deux hussards encore sur le chemin de ronde, réalisant que quelque chose n'allait pas, furent distraits une seconde et les défenseurs en profitèrent pour redoubler leurs coups. Ludovic en envoya un choir dans la cour intérieure, aida Patricius à battre le dernier.

Ludovic se risqua à pencher le buste par le plus proche créneau. La première chose qui le frappa fut une odeur singulière, ne ressemblant à rien qu'il eût déjà senti. Ensuite il crut un instant que sa vision avait été brouillée par un coup sur son casque. Mais non, il y avait bien un voile translucide au-dessus du fossé, une vapeur d'un jaune verdâtre, ses lourdes volutes coulant vers le bas comme un liquide cascadant lentement sur l'éboulis jusqu'au fond du fossé. À la lueur des flambeaux, on voyait la vapeur s'échapper de la muraille. Plus exactement, de deux meurtrières ouvertes juste au-dessus de l'amoncellement de pierres.

Au milieu de cette vapeur, les hussards gisaient, interrompus dans leur escalade, aussi immobiles que ceux tués par les défenseurs. D'autres sur le bord du fossé titubaient comme des hommes ivres, chancelaient sous le poids de leur cuirasse.

À nouveau les carreaux d'arbalètes frappèrent la pierre avec un bruit métallique.

— Garez-vous ! cria Ludovic à ses compagnons qui, eux aussi, s'étaient penchés sur le parapet.

Un étourdissement le prit. Était-ce l'épuisement ? Seule son énergie nerveuse l'avait soutenu dans le combat. « Non, c'est cette vapeur ! » Il eut la présence d'esprit de lancer :

— Éloignez-vous de la brèche !

Dès qu'ils l'eurent fait, lui et ses compagnons se trouvèrent mieux.

— Qu'est-ce qui se passe ? s'alarmait Fabrice. Quelle est cette odeur ?

« Thoriÿn ! » songea Ludovic. Mais Thoriÿn était là-bas, dans le bâtiment principal du château, censé dormir pour se remettre de sa blessure. Puis il se rappela les flammes dans la chambre en dessous, le bouillonnement d'un liquide porté à ébullition.

— Suivez-moi ! ordonna Ludovic en prenant un flambeau.

Courbés pour échapper au tir des arbalètes, lui et ses compagnons gagnèrent une tour d'angle, descendirent un escalier en colimaçon jusqu'à l'étage inférieur. Là un étroit corridor desservait la façade nord, et quelques portes se découpaient dans le mur de gauche.

— C'est ici que vous avez vu de la lumière ? demanda Ludovic.

— Oui, sous une de ces portes.

À la troisième, des chiffons étaient enfoncés sous le battant et tout autour, entre pierre et bois. La singulière odeur était nettement perceptible et on entendait crépiter un feu dans la chambre. Par prudence, ils s'arrêtèrent à deux pas de la porte.

Ludovic se rendit compte qu'ils n'étaient pas seuls. Il y eut un mouvement au bout du couloir, une silhouette furtive dans la noirceur, sortant d'une porte et marchant vers un autre corridor.

— Eh, vous !

La silhouette de figea, à l'angle de deux couloirs. Ludovic ne distinguait rien sous le capuchon. Il avança un peu son flambeau en levant le bras ; la personne, là-bas, recula d'un pas. Mais la flamme était trop faible pour éclairer son visage.

À cet instant, une autre ombre apparut au fond du couloir et, à sa courte taille, Ludovic la reconnut :

— Thoriÿn ?

— Oui, c'est moi.

— Qui est... cette autre personne ?

Je suis avec la... la dame dont Alfir nous a parlé hier.

— La lépreuse ? s'exclama Patricius, mais

Ludovic lui décocha un coup de talon au tibia.

— Oui, la lépreuse, répondit-elle aigrement. La sorcière. La bannie.

Il y eut un silence malaisé, durant lequel on entendit le crépitement décroissant du feu dans la chambre close.

— Elle connaît des champignons vénéneux, expliqua Thoriÿn. Lorsqu'on les met à bouillir avec certains sels, il s'en dégage une vapeur méphitique, plus lourde que l'air. Nous avons bloqué la porte. Quand la vapeur a rempli cette chambre jusqu'au niveau des meurtrières, elle a commencé à s'écouler à l'extérieur. Ça a marché au-delà de mes espérances.

— Est-ce que... est-ce qu'ils sont morts, vous croyez ?

— Pas sur le coup. Mais ceux qui sont tombés là, inconscients, et qui ont continué d'absorber la vapeur... oui, probablement.

C'était une étrange conversation, Ludovic et ses compagnons au milieu du couloir, Thoriÿn à l'autre bout avec la sorcière qui n'était qu'une voix sans visage.

« Est-ce qu'il ne risque pas d'attraper sa maladie ? » s'inquiétait Ludovic.

— Et votre bras, Thoriÿn ?

— Ça va. Je me sens très faible, mais ça va.

Il écarta cette préoccupation comme secondaire.

— Prince Fabrice, lança-t-il. Je lui ai promis que, si son astuce réussissait à nous sauver, vous la récompenseriez généreusement.

— Dès que je serai roi. Je le promets. Mais… que demande-t-elle ? De l'or ?

Lépreuse, âgée, que représentait pour elle un sac d'or ?

— Un or bien plus fin, petit prince.

C'était elle qui avait parlé, et sa voix était moins rauque.

— Une poudre dorée qui vient d'une plante rare, la miraflore. Je suis seulement une pauvre femme qui a appris à connaître les champignons, les racines, certaines mousses et certains sels. Mais maître Thoriÿn, lui, a la science. La science qui guérit.

— Ce baume que j'ai donné hier à Alfir, lança le magicien. Si je composait un onguent beaucoup plus concentré, il pourrait…

— Guérir la lèpre ?

— Du moins arrêter la progression du mal. Peut-être éteindre la douleur et régénérer la peau, assez pour que vous puissiez à nouveau être regardée sans répulsion.

— Si vous pouvez faire cela, dit le prince, toute l'humanité vous sera…

— On ne pourrait traiter dix lépreux par an avec toute la miraflore du Sud. Et la poudre de miraflore coûte plus cher que les plus précieuses épices.

Fabrice se tut un instant, peut-être dépassé. Mais il était généreux et laissa parler son cœur :

— La quantité que vous demanderez, Thoriÿn, je ferai en sorte que vous l'obteniez, dès que je serai roi.

Il y eut un mouvement, au bout du couloir, et Thoriÿn sembla bientôt être seul.

— Ne restons pas ici, lança-t-il, nous finirons par être intoxiqués nous aussi.

La lune rouge était assez haute, maintenant, et éclairait parfaitement le plateau. Les hussards survivants, une quarantaine, s'étaient regroupés loin du fossé où stagnait la vapeur. Manifestement ils étaient effrayés : pour eux, le magicien n'était sûrement pas désarmé et il venait de déployer un nouveau prodige.

— Tant que l'odeur subsistera près du fossé, fit Thoriÿn, ils n'approcheront pas. Quant à nous, il faut nous éloigner, nous retirer au sommet de la tour d'angle.

* * *

C'était le tour de garde de Fabrice. Pour lutter contre le sommeil, il avait parcouru le chemin de ronde afin de remplacer les flambeaux presque consumés. Sans eux l'ennemi pouvait se glisser jusqu'aux murailles, car les nuages étaient revenus couvrir le ciel, masquant presque en permanence la lune rouge. Il restait peut-être deux heures avant l'aube. Ensuite, les adversaires ne pourraient rien tenter par surprise.

Mais après ? Ils étaient encore nombreux, et la sorcière avait épuisé en une fois sa réserve de champignons et de sels. Déjà il ne restait plus de vapeur au fond du fossé, elle avait dû fuir par les mêmes crevasses qui l'avaient vidé d'eau. Si les hussards s'en apercevaient, ils tenteraient peut-être un nouvel assaut.

Sauf qu'ils craignaient un nouvel artifice du magicien.

Mais le magicien dormait, affaibli par l'effort qu'il avait fourni pour aider la sorcière à préparer son stratagème. Et tous les défenseurs étaient blessés, pas gravement par chance. En plus de sa coupure au bras, qui s'était rouverte dans la bataille, Fabrice avait à la poitrine une fort vilaine plaie: une perforation peu profonde par une pointe d'épée, et la marque sanglante des mailles de sa cotte incrustée dans sa peau par la force du coup.

Fabrice sursauta.

Adossé au mur, il avait dû s'assoupir un instant malgré le froid. Qu'est-ce qui l'avait réveillé? Un bruit?

Il alla à un créneau surplombant le chemin de ronde, du côté nord, et ne vit rien. Du côté ouest, rien, si ce n'est qu'un ou deux flambeaux étaient éteints, tout au bout de la courtine. Inquiet, Fabrice scruta la zone d'ombre, là-bas, mais ne distingua rien. Ses yeux fatigués avaient tendance à imaginer du mouvement mais, lorsqu'il y regardait mieux, il n'y voyait rien.

— Trois heures avant l'aube, Altesse.

Fabrice se retourna en sursaut, mais déjà il avait reconnu le ton un peu sarcastique de maître Thoriÿn.

— Je ne suis pas encore roi.

— Mais déjà ton royaume est en guerre.

Le jeune prince fronça les sourcils, intrigué. « Parle-t-il de cette escarmouche à Byrau, avant-hier ? »

— Comme un feu de brousse la guerre se propagera. La première bataille a déjà eu lieu, et il y en aura d'autres dans ton sillage : les guerriers du Nécromant aiment le combat, ils ne rendront pas la Sumagne orientale sans la noyer dans le sang.

— Le peuple est prêt à se soulever.

— Justement. C'est son sang qui coulera.

— Devrais-je le laisser sous la tyrannie de Drogomir ? s'irrita Fabrice.

Thoriÿn hocha la tête négativement.

— Tel est le lot des rois. Et je comprends mal ceux qui convoitent un trône.

Il avait raison et, depuis quelques jours, Fabrice avait acquis beaucoup de maturité. Il avait tué. Des gnomes, des hussards, toujours pour se défendre. Mais c'étaient quand même des vies d'êtres pensants, qu'il avait prises. Et c'était tout différent que de pratiquer l'escrime ou de rêver d'aventures. Il avait senti son épée s'enfoncer dans des entrailles, reçu sur la main des giclées de sang tiède, et seul le péril pour sa propre vie l'avait empêché de s'évanouir devant pareilles horreurs.

— Une bataille, disiez-vous. Le siège de Byriath ?

— Non, une vraie bataille, au début de la nuit, sous la lune rouge. La lande, à l'ouest de Chuvigor, a été abreuvée de sang.

— Le comte Lysius ?

— Et d'autres. Ils ont affronté le régiment de hussards que nous avons croisé hier dans le défilé. Quelque courrier s'était peut-être échappé de Byriath pour aller chercher en renfort un régiment cantonné dans les Osmégomor.

— Qui a gagné ?

— Je ne sais pas, la vision fut brève. Les forces paraissaient égales de part et d'autre.

« Cette fois c'est vrai : la guerre est commencée. Mais elle aurait commencé sans moi : Lysius était prêt à attaquer Byriath, et ses voisins les barons rassemblaient eux aussi des hommes armés ».

Un cri étouffé attira l'attention de Fabrice et de Thoriÿn. Ils se retournèrent brusquement, virent des hussards dans la cour intérieure éclairée par quelques flambeaux.

— ALERTE ! hurla Fabrice, ALERTE !

Cinq ou six, sans armure ni casque, les hussards étaient arrêtés presque au pied de la tour d'angle, épée sortie. Leur visage exprimait l'horreur ; certains même reculaient, pointant leur épée comme pour tenir à distance un fauve.

Se penchant dans un créneau, Thoriÿn et Fabrice virent qui c'était : la lépreuse, son capuchon rabattu dans le dos, s'avançait tête nue. Elle avait vu les hussards entrer en cachette, et s'était portée au-devant d'eux avec la seule arme qui lui restât, sa laideur, l'horreur qu'inspirait sa maladie.

Fabrice eut une brève vision de son crâne

chauve, galeux. Vivement il détourna son regard, visa avec son arbalète un des envahisseurs qui levait son épée sur la femme. L'homme tressauta en recevant le trait, s'écroula.

De son côté, Thoriÿn cria :

— Vos yeux, Ilma ! FERMEZ VOS YEUX !

Il avait plongé la main sous son vêtement, l'en avait ressortie avec un flacon qu'il déboucha, caché dans son poing. Une gerbe d'étincelles éblouissantes fusa au bout de son bras tendu. D'un geste sec il lança le flacon, mais on vit seulement une traînée brillante, d'un blanc argenté. Parmi les hussards en fuite il y eut au sol une explosion aveuglante, un milliard de soleils microscopiques aussitôt éteints.

— Quel gaspillage ! fit Thoriÿn pendant que les intrus regagnaient en titubant l'escalier par où ils étaient descendus dans la cour.

Patricius, sorti en courant du corps de garde, avait saisi l'autre arbalète et il tira, ne réussissant qu'à blesser un des hussards.

— Comment sont-ils entrés ?

Et comme Fabrice ne répondait pas, ce fut Thoriÿn qui expliqua :

— Probablement par la brèche près de la tour sud-ouest, après avoir suivi le mur du fossé, là où les flambeaux sont éteints. Ils étaient sans armure, pour l'agilité et la discrétion : ils espéraient nous surprendre et nous égorger.

Prenant le commandement de la défense, le petit magicien ordonna :

— Il faut allumer des flambeaux à tous les

créneaux du chemin de ronde. Cela épuisera la réserve mais, de toute façon, nous ne passerons pas une autre nuit ici.

— Et inspecter à nouveau le château ?

— Non, nous ne sommes pas assez nombreux, nous pourrions tomber dans un guet-apens. Enfermons-nous au sommet de cette tour pour le reste de la nuit.

Fabrice se retourna, pâle, muet, comme s'il avait vu marcher une morte. En bas, la lépreuse avait remis son capuchon et traversait en hâte la cour intérieure, pour regagner son logis avant que le soleil ne la voie.

* * *

Les flambeaux pâlissaient dans la froide grisaille de l'aube. Le ciel était lourd, de pluie ou de neige. Et c'est la neige qui tomba, peu après le lever du jour, une neige mouillée qui fit fumer les torches.

Du sommet de leur tour d'angle, les quatre assiégés contemplaient le glacis du château fort. Traits tirés, yeux cernés, n'importe qui aurait constaté qu'ils étaient malades ou avaient peu dormi.

Le fossé était blanc, déjà, et de cette blancheur émergeaient les éboulis de mœllons sous les brèches, taches noires aux contours anguleux. Au lieu de l'assaut, les corps des hussards n'avaient pas encore de linceul : sur le chemin de ronde, dans la brèche et parmi les pierres ils gisaient, les uns face contre terre, les autres sur le dos. Parmi ceux-là, certains avaient le visage mauve: la vapeur empoisonnée avait été impitoyable.

Sur le plateau ponctué d'arbustes noirs, les assiégeants étaient eux aussi debout, autour de grands feux.

— Ils vont revenir, fit sombrement Ludovic. À la lumière du jour, ils ne craindront rien, ou ils maîtriseront leur crainte. Ils savent que nos défenses sont insuffisantes, ils ne se laisseront plus arrêter par quelque peur que nous leur ferons.

Ludovic voyait ces grands guerriers aux casques cornus, cuirasses noires, longs sabres, et il se demandait comment même ils avaient pu fuir devant une vieille lépreuse et un feu d'artifice, comme on le lui avait raconté.

— Le mieux, décida-t-il, est de rester ici: nous n'avons qu'un étroit escalier à surveiller, fermé par une lourde trappe.

— Et ensuite?

Ludovic se tourna vers Fabrice. Était-ce lui, d'habitude si brave, parfois crâneur, était-ce lui qui venait de demander cela d'une voix si pathétique? Ludovic ne put s'empêcher de lui mettre la main sur l'épaule; mais il avait lui-même bien peu de courage à lui donner.

— Nous n'avons pas dit notre dernier mot, fit-il.

* * *

Du camp des assiégeants, on avait vu une

épaisse fumée s'élever de la terrasse de la tour d'angle, et une autre s'échapper de la grande brèche. L'inquiétude avait retardé l'attaque : on se rappelait trop bien la vapeur mortelle de la nuit précédente. Mais les capitaines, en selle sur leurs chevaux, finirent par ordonner l'attaque : cette fumée avait une odeur plus ordinaire, on allait s'y risquer.

Une véritable meute prit d'assaut l'amoncellement de pierres et la brèche, franchit sans encombre la fumée qui s'éclaircissait. Des arbalétriers, répartis en deux groupes, surveillaient la tour d'angle où les assiégés s'affairaient depuis l'aube.

Les hussards se divisèrent : les uns descendirent dans la cour intérieure et atteignirent la porte au pied de la tour, les autres coururent sur le chemin de ronde et s'en prirent à une autre entrée de la tour.

Les deux battants résistèrent à leurs coups d'épaule. Les assaillants n'étaient pas équipés de béliers et n'apercevaient rien dans la cour qui pût leur servir.

Des cris d'alarme éclatèrent, mais trop tard : sur le chemin de ronde, ceux qui s'attaquaient à la porte reçurent une douche d'eau bouillante. Ils reculèrent en hurlant ; quelques-uns, fous de douleur, perdirent pied et tombèrent dans la cour.

Cinq secondes plus tard, du sommet de la tour tombait une autre pluie, celle-là de pierres, qui assommèrent ou blessèrent les attaquants devant la porte d'en bas. Ce groupe-là recula aussi.

Un troisième s'était rendu à la porte ouest de la tour, sur l'autre chemin de ronde. Ils reculèrent, de peur d'être bombardés à leur tour. Cependant, vingt secondes s'écoulèrent sans que rien ne tombe d'en haut. Mais, par des meurtrières au deuxième étage, des carreaux d'arbalètes filèrent : deux hussards furent gravement touchés. Les autres battirent en retraite.

Partout dans la cour et sur les chemins de ronde, les attaquants ouvraient les portes, en trouvaient plusieurs fermées par des barres, y compris celle du passage menant au pont-levis. La lépreuse, elle, était hors de leur atteinte, cachée dans une chambre connue d'elle seule.

Dans la tour d'angle, les assiégés ne donnaient plus signe de vie.

Car ils n'y étaient plus : hors du château, les arbalétriers et les deux officiers à cheval virent le pont-levis s'abattre à grand fracas, démasquant la double porte déjà ouverte. Un des tireurs qui avaient été postés de ce côté à tout hasard, fut fauché par des traits d'arbalète. Les quatre autres tirèrent, un cheval qui sortait au galop fut abattu et tomba dans le fossé. Mais il était sans cavalier.

Shaddaÿe en tête, les quatre assiégés sortirent à leur tour comme une bourrasque, franchirent le pont-levis au galop. Les arbalétriers s'égaillèrent. Une clameur de rage et de dépit salua cette sortie : du chemin de ronde, les attaqués trempés étaient impuissants, armés de leurs seuls sabres.

Les arbalétriers qui guettaient la tour se retournèrent, ceux qui étaient placés du côté ouest tirèrent, mais les cibles étaient trop mobiles.

Les deux hussards qui étaient à cheval se lancèrent à leur poursuite. L'un était assez proche pour les intercepter, mais Ludovic et Patricius passèrent de chaque côté, suivis de Fabrice, et le hussard tomba sous leurs coups.

Les fugitifs foncèrent en hurlant et en sabrant l'air vers les chevaux regroupés des hussards. Les chevaux se cabrèrent, quelques-uns brisèrent les arbustes qui les retenaient. Dans la panique, le quart d'entre eux se libérèrent et s'enfuirent au galop vers l'autre bout du plateau; les autres, énervés, ne se laisseraient pas seller facilement.

Lorsque Ludovic et ses compagnons atteignirent le chemin descendant, un seul cavalier les poursuivait, le reste des hussards quittaient le château et couraient vers leurs chevaux.

Excité par le succès inespéré de la manoeuvre, Fabrice riait presque hystériquement. Thoriÿn et Patricius, eux, grimaçaient car la course réveillait la douleur de leurs blessures.

Dans la neige qui s'épaississait, leurs montures galopèrent le long de la pente. Après un tournant, ils furent en vue de l'arbre qu'avait abattu Thoriÿn.

— C'est vers ici que j'ai laissé échapper mon sceptre, cria le petit magicien.

Ils arrêtèrent leurs montures. Patricius, Fabrice et Ludovic firent face. Le hussard ne passa pas.

Plus loin sur la route, Thoriÿn était descendu de cheval et le tenait par la longe. Il marchait sur le bord, rapidement. La neige avait tout couvert, mais le magicien était sûr de sentir la présence de son sceptre lorsqu'il passerait tout près.

— Hâtez-vous ! lui cria Ludovic, tandis que Fabrice et Patricius tendaient le ressort de leurs arbalètes et encochaient des carreaux.

Sur le segment du chemin qui passait plus haut, on entendait déjà approcher les galops.

Thoriÿn ne trouvait toujours pas ; pourtant ce ne pouvait plus être loin. Brusquement, le souvenir détaillé lui revint : il revit un ponceau, entendit le bruit des sabots sur les madriers, sentit à nouveau dans son bras la cuisante douleur.

Le ponceau était là-bas, à peine visible, quelques troncs équarris, sans garde-fou, jetés audessus d'une étroite ravine.

Là-haut, trois hussards parurent dans le tournant.

— Trop tard ! cria Ludovic. Remontez en selle !

Fabrice et Patricius pointèrent leurs arbalètes, visèrent, attendirent pour tirer presque à bout portant. De si près, les traits percèrent les cuirasses ; les chevaux portèrent sur quelque distance leurs cavaliers morts.

Le troisième suivait de près, mais il ralentit face à trois adversaires. Ils ne le laissèrent pas reculer.

Là-haut, on entendait dévaler toute une troupe, maintenant.

— Thoriÿn, en selle ! Il est trop tard !

Mais le petit magicien s'obstinait, penché vers le sol. Le sceptre était là, derrière une touffe de hautes herbes courbées par l'automne, invisible sous un centimètre de neige. Thoriÿn le sentait, aussi nettement qu'un aveugle décèle la proximité d'une barre chauffée à blanc.

— Je l'ai !

À cet instant de nouveaux cavaliers paraissaient dans le tournant.

Ludovic descendit de Shaddaÿe, alla soulever Thoriÿn pour le mettre en selle : avec son bras en écharpe, ce lui était impossible tout seul.

Mais Thoriÿn ne bougea pas, même quand ses trois compagnons partirent au galop. Il laissa sa monture faire quelques pas dans la même direction ; les madriers du ponceau résonnèrent sous ses sabots.

Les gros flocons de neige fondaient en touchant l'eau du ruisseau, un mince filet parmi les roches noires. Les hussards fonçaient, sabre au clair.

Thoriÿn fit face, releva la tête, ses sourcils roux mêlés de blanc se froncèrent. Le sceptre était dans sa main.

La foudre à nouveau frappa, le ponceau s'embrasa, dégageant un nuage de vapeur.

Affolée, la monture du magicien s'éloigna ; il la mit au galop.

Sous les premiers chevaliers, les madriers calcinés se rompirent. Chevaux et hommes s'écrasèrent sur les roches de la ravine ; ce n'était pas profond, mais quelques-uns y laissèrent la vie, et les autres furent stoppés dans leur poursuite.

Thoriÿn rejoignit ses compagnons, qui l'attendaient. Ensemble ils reprirent la descente, passèrent près de l'arbre tombé qui avait été tiré sur le bord du chemin.

« Bon » songea Ludovic, « allons-nous nous en sortir ? S'ils sont coincés là pour un moment, nous pourrons peut-être les perdre dans les collines. Avec beaucoup de chance, nous serons en vue de l'Askiriath au crépuscule. Si la neige ne se change pas en tempête ».

Mais le sort semblait s'acharner sur Ludovic et ses amis. Les hussards de Troïgomor devaient bien connaître la topographie de cette colline, car ils rebroussaient chemin jusqu'à l'amorce d'un sentier étroit qui constituait un raccourci et rejoignait la route plus bas, permettant d'éviter le ponceau. C'était un sentier pour marcheurs, mais les chevaux s'y aventurèrent, menés par d'habiles cavaliers. Ils ne descendaient pas vite, mais leur retard ne serait plus insurmontable.

Un cheval perdit pied, puis un deuxième, précipitant leurs cavaliers dans une chute mortelle. Mais les autres continuèrent.

Ludovic et ses compagnons pressèrent leurs montures.

Mais ce n'était pas la fin de leurs malheurs : dans le défilé, une autre troupe de cavaliers arrivait, venant de la steppe. Ils étaient une vingtaine, le même nombre que les poursuivants, peut-être plus.

Ludovic sentit son cœur sombrer. Cette fois c'était bien la fin : il n'y avait plus qu'à se laisser rattraper et se faire tuer. Peut-être serait-ce pour Ludovic le seul moyen de retourner dans le monde d'où il venait.

Mais il pensa à Lauriane, joyau vivant de l'Ithuriën, et se ressaisit. Il ne pouvait mourir sans la revoir. Peut-être y avait-il moyen d'échapper aux deux groupes de cavaliers, par exemple un autre sentier comme celui que suivaient les hussards. Peut-être même, à bien calculer, était-il possible d'atteindre le bas du chemin avant la nouvelle troupe de cavaliers, leur passer au nez et fuir le long du défilé. Leurs chevaux étaient peut-être moins frais que ceux de Ludovic et ses amis.

Derrière, les premiers hussards atteignaient le chemin et se lançaient au galop.

À cet instant, Fabrice cria de joie :

— Ce sont des alliés ! En bas, le comte Lysius et ses hommes !

14

Dans les ruines de l'Askiriath

La neige tombait toujours, plus lourde qu'à l'aube. Le défilé, le bas du chemin de la colline, étaient un champ de bataille; mais le silence avait succédé au bruit de fer, aux cris et aux hennissements. Toute la neige piétinée, le sol était sombre, la terre et le roc mis à nu, jonchés de corps.

Il y avait peu de survivants. Le prince Fabrice et ses compagnons avaient été écartés de la bataille par le comte Lysius, qui voulait protéger le futur roi de Sumagne; ils n'avaient affronté que deux ou trois hussards. Maintenant ils étaient réunis, avec son fils Phylius, autour du comte agonisant.

La bataille que Thoriÿn avait vue en rêve avait bien eu lieu, contre les hussards venus des

Osmégomor : avant le siège de Byriath, un messager du gouverneur militaire avait été dépêché pour appeler en renfort le régiment cantonné devant l'Askiriath.

Victorieux à Byriath, Lysius avait été rejoint par les milices de deux barons voisins : le soulèvement souhaité par Fabrice était commencé. Sur les exhortations de Lysius, les barons et leurs hommes s'étaient mis en route, au galop de leurs chevaux, vers les monts Osmégomor. Le prince Fabrice allait se jeter dans la gueule du loup, ignorant que l'Askiriath était gardée par tout un régiment de hussards.

Ce que Lysius ignorait, c'était que ces hussards étaient en route pour l'affronter, lui. Dans la lande à l'ouest de Chuvigor, la bataille avait eu lieu au crépuscule ; en son sommeil fiévreux, un magicien en avait eu la vision.

Les loyalistes avaient gagné, mais avec de très lourdes pertes. Ils ne restaient qu'une vingtaine, ou un peu plus, à être en état de poursuivre vers le nord. Lysius, bien que sérieusement blessé, était resté à la tête de la troupe.

Ils avaient galopé une bonne partie de la nuit, ne s'arrêtant que parce que les chevaux étaient épuisés. On était en vue des Osmégomor et, à cet instant, Lysius avait aperçu au sommet de la première colline un minuscule éclair blanc, puis la lueur de torches lointaines.

— Il y a quelqu'un au château de Karpiath.

— Troïgomor aurait-il à nouveau occupé le château fort ?

— En ce cas, le prince Fabrice et ses compagnons auront choisi un autre chemin que le défilé.

Le comte n'avait accordé que deux heures de repos. Puis la troupe s'était mise en route, alors qu'il faisait encore nuit.

À l'aube était venu le moment où il fallait décider : gagner le défilé ou contourner les premières collines à l'ouest pour entrer dans les Osmégomor plus au nord.

Un peu de fumée montait du château fort.

— Étrange. Si Karpiath était à nouveau occupé, toutes les cheminées fumeraient, par un matin si humide et froid.

Pour la première fois de sa vie, Lysius ne se sentait plus en état de décider. À galoper toute la nuit, sa blessure s'était aggravée et il était pris de faiblesses.

— Où est le prince ? se demandait-il constamment. Que n'a-t-il accepté notre escorte !

Une mauvaise décision, et on risquait de ne jamais rattraper le prince.

À ce moment on avait aperçu, au loin, un homme qui traversait la steppe à pied, entre la forêt et les collines.

— Allez me le chercher. Il a peut-être vu passer le prince et sa suite.

L'homme avait tenté de fuir en se voyant repéré mais, bien sûr, il ne pouvait distancer des chevaux. Il fut amené devant le comte Lysius ; c'était l'ermite Alfir.

— Sire, cria-t-il, si la chevalerie est encore ce

qu'elle était, allez sauver les voyageurs qui se sont réfugiés dans le château de Karpiath. Ils sont assiégés par des hussards de Troïgomor.

— Qui sont ces voyageurs ? s'empressa Lysius.

— Ce sont de braves et nobles jeunes gens, et avec eux un petit homme qui est guérisseur.

Le comte avait aussitôt éperonné sa monture en criant :

— Pour le prince de Sumagne !

Tous étaient partis au galop ; Alfir avait failli tomber du cheval qu'il montait en croupe et s'était raccroché de justesse au cavalier.

C'est ainsi que, pour Ludovic et ses compagnons, était arrivé un secours inespéré, au moment où ils n'attendaient plus rien du destin.

Et maintenant le comte se mourait, à nouveau blessé dans la bataille. Des survivants de sa troupe, aucun n'était indemne, Phylius pas plus que les autres. Les principaux lieutenants de Lysius étaient morts, de même que les deux barons qui s'étaient joints à lui après Byriath.

— Le prince ! demandait Lysius d'une voix faible. Le prince est-il sauvé ?

— Il l'est, répondit Patricius, et Fabrice s'avança.

— C'est moi le prince, dit-il. Nous avions rusé, l'autre soir, chez vous, par peur d'une traîtrise. Maintenant nous avons honte de notre méfiance, devant tant de loyauté.

Le prince pleurait, sans songer à s'en cacher.

Encore lucide, Lysius comprenait le mensonge de l'autre soir. Il tendit sa main au vrai prince, qui la prit.

— Mon seul vœu est que la Sumagne soit réunifiée. Vous avez vu ; unis, nous pouvons vaincre l'occupant. Les barons sont tous prêts à se battre comme nous l'avons fait.

— Pour vous prouver ma gratitude, Lysius, je vous fais marquis de Tanerau. Et à votre fils je donnerai en plus le château de Karpiath, je lui confierai la marche occidentale de mon royaume.

Peu après, Lysius de Tanerau expira dans les bras de son fils.

— Raccompagnons-le à Tanerau, suggéra le dernier de ses lieutenants, qu'il repose auprès de ses ancêtres.

— Non, répondit Phylius. Nous risquons de rencontrer d'autres hussards, qui laisseraient sa dépouille sans sépulture. Non, nous lui creuserons une tombe sur la colline, devant le château, et sa stèle dominera son dernier champ de bataille.

Très habile de ses mains, Alfir lui fit un brancard avec deux lances et trois boucliers. On le couvrit de l'oriflamme effrangée de Tanerau, et on le fit porter par quatre chevaux pour monter la longue pente menant au château.

Ludovic se pencha vers Fabrice :

— Vous et Patricius, accompagnez-le jusqu'à sa sépulture. Thoriÿn et moi ne pouvons plus prendre de retard.

— Mais...

— Lorsque ce sera fini, rejoignez-nous sur l'Osmériath.

Ainsi fut fait, bien que Fabrice ne comprît pas la hâte du chevalier. Ludovic et Thoriÿn s'éloignèrent au trot, disparurent dans le tournant du défilé, tandis que le cortège funèbre entreprenait l'ascension de la colline.

* * *

Ils n'atteignirent pas le mont Osmériath ce jour-là comme Ludovic l'avait espéré : la bataille de ce matin les avait vraiment trop retardés.

Par contre, la neige avait cessé en fin de matinée et le ciel s'était dégagé peu après, laissant l'air des montagnes limpide comme du cristal. Sous un soleil éblouissant, la neige se mit à fondre ; la suite du voyage s'annonçait un peu moins pénible.

Ludovic et Thoriÿn firent halte, à la nuit tombée, sur la colline d'où Ludovic avait contemplé pour la première fois le mont Osmériath. Ils trouvèrent abri sous de grosses pierres formant un dolmen et firent un feu ; c'était sur le versant de la colline opposé à l'Osmériath, ils ne pouvaient donc être aperçus.

Après le repas, ils montèrent au sommet de la colline et Thoriÿn sortit sa longue-vue pour la pointer vers le mont Osmériath. Reïgil venait de se lever et ajoutait sa blancheur crue à celle de Blau.

— Les hussards n'ont pas laissé l'Askiriath sans défense, constata le magicien.

Il passa la lunette à Ludovic. Celui-ci la pointa vers la silhouette crénelée de la forteresse, puis baissa un peu. Sur la pente de l'Osmériath, juste au bord du ravin, on voyait un immense campement de tentes. C'est de là que venait le régiment envoyé en renfort vers Byriath. Mais il n'était pas désert, quelques feux étaient allumés près du pont détruit.

— Il y a trois feux de camp. Les autres sont de simples flambeaux. Je compte... vingt à trente hussards, c'est difficile à préciser, il y en a qui vont et viennent.

— Ce qui de toute façon est trop pour nous deux.

— Mais je ne pensais pas passer par ce versant de l'Osmériath. Il est coupé par un ravin, et le pont est tombé.

— Il a sans doute été réparé. Si une partie de la garnison a survécu à la destruction de la forteresse, ils ont dû fabriquer une passerelle pour quitter l'Osmériath. Regarde bien.

— Il y a eu des survivants, je suppose, mais... Oui, vous avez raison, je distingue une passerelle de câbles et de planches. Alors pourquoi ont-ils établi leur campement de ce côté-ci du ravin ?

— La peur, sans doute, une peur superstitieuse : là où deux puissants sorciers se sont affrontés... Peur aussi, simplement, parce que leur passerelle ne supporterait pas le passage des chevaux.

— De toute façon, pour nous, ce chemin est exclu.

Ludovic abaissa la lunette pour reposer son œil. Thoriÿn la lui reprit.

— L'éclairage de Reïgil est bon, cherchons un autre chemin. Peut-être un sentier sur le versant sud de l'Osmériath.

C'était un versant escarpé, mais quand même pas une falaise; assez accidenté, il offrait sûrement des possibilités d'escalade. Chevaux et licorne devraient être laissés en bas, bien sûr, et il fallait trouver quelque chose d'assez facile pour qu'un éclopé comme Thoriÿn parvienne à grimper.

Le petit magicien scruta jusqu'à se fatiguer les yeux, puis passa la lunette à Ludovic:

— Il n'y a rien avant cette grande faille verticale. Cherche plus loin.

Et le jeune homme scruta à son tour, jusqu'à ce qu'enfin:

— Je crois qu'il y a là un chemin... vraiment un sentier de chèvre, mais il semble praticable. Il commence au pied de la grande faille, la première, la plus haute...

Thoriÿn reprit la lunette.

— ... et passe au sommet de ce redan strié, vous voyez, puis sous cet éperon qui ressemble à un poing fermé.

Après un moment, le petit magicien confirma:

— Oui, je vois. Mais ton sentier disparaît sur l'autre versant, en approchant du sommet. Et de ce côté-là il doit y avoir une falaise presque verticale.

— Il faut espérer que la falaise n'est plus verticale depuis l'éboulement.

Ils passèrent une heure à noter des repères sur le versant du mont Osmériath, de façon à retrouver leur chemin le lendemain. Cela fait, Ludovic trouva à peine la force de retourner à leur abri.

— Comment va votre bras ? demanda-t-il une fois roulé dans sa couverture.

— Il faut laisser faire la nature ; je ne crains guère l'infection sous ces climats.

— Et ma potion ?...

— Demain matin, tu recevras ta dernière ration complète. Après, il ne restera que quelques gouttes...

* * *

De nuit en nuit, Ludovic sombrait plus loin dans un abysse au fond duquel était la mort. Et chaque matin Thoriÿn avait plus de peine à l'en tirer.

Ce matin-là, le petit magicien le secoua de toutes ses forces sans résultat. Un bref instant, un instant d'affolement, il le crut mort. Son pouls était très faible, à peine perceptible.

En hâte, Thoriÿn descendit puiser de l'eau à un ruisselet qu'ils avaient repéré la veille. Il remonta, défit Ludovic de son manteau, retroussa sa cotte et sa chemise, versa l'eau glacée au creux de ses reins. Même ce traitement brutal suffit à peine à le faire tressaillir. Le petit magicien dut lui ouvrir la bouche et verser quarante-cinq gouttes de la potion dans sa gorge.

Il souleva sa fiole à hauteur de ses yeux ; au

creux de l'épais cristal, il n'y avait qu'une petite flaque verte. Il allait falloir trouver la solution aujourd'hui, cette nuit au plus tard, sinon Ludovic mourrait, vaincu enfin par la malédiction de Drogomir.

Encore somnolent, Ludovic avait avalé instinctivement. Peu à peu ses joues perdirent de leur lividité. Lorsqu'il se leva enfin, Thoriÿn avait eu le temps de faire chauffer un bouillon.

— Le temps n'est jamais pareil, dans ce foutu pays ! grommela le jeune homme.

En effet, le ciel était à nouveau couvert, et les nuages étaient si bas qu'ils frôlaient la cime des collines. On voyait passer des bancs de brume, poussés par la brise. Le monde n'était plus qu'un vaste brouillard blême au-dessus d'un plancher de roc.

— Bah, un peu de chance de temps en temps, qui s'en plaindrait ? Avec cette brume, les hussards sur la pente de l'Osmériath ne nous verront pas approcher.

— C'est juste.

Ils furent rapidement prêts à partir, et descendirent jusqu'à la route. Là, une heureuse surprise les attendait — les suivait, plutôt. Fabrice et Patricius, levés à l'aube, avaient rattrapé leur retard. Les retrouvailles furent chaleureuses, comme s'ils ne s'étaient vus depuis des mois ; Ludovic étreignit le jeune prince.

En route, ils discutèrent du chemin qu'avaient repéré Thoriÿn et le chevalier. Fabrice raconta que, lorsqu'il s'était enfui de l'Askiriath, il était descendu par le versant sud, suivant les pas de plusieurs soldats en déroute. Ils avaient d'abord emprunté une faille, exercice périlleux digne d'un alpiniste, et Fabrice avait vu la plupart des soldats se faire tuer lorsqu'une secousse avait provoqué des éboulements.

La faille aboutissait à un sentier étroit qui descendait le versant en diagonale — celui-là même qu'avait repéré Ludovic.

Remontant le cours d'un torrent aux eaux glacées, Ludovic et ses compagnons arrivèrent au pied de l'Osmériath, juste à l'entrée du ravin qui tranchait le mont comme une profonde entaille, le coup de hache d'un titan. Ses murs étaient hauts et resserrés. Là-haut, entre deux volutes de brume, on apercevait les piles de l'ancien pont de pierre et, tendue entre elles, une passerelle de câbles et de planches, que les bourrasques de l'hiver allaient sûrement emporter.

Sur la lèvre du précipice, on distinguait les plus proches tentes. Aucune sentinelle, toutefois, n'était visible. Quand même, Ludovic et ses compagnons passèrent vite. Ils attachèrent leurs montures à l'amorce du sentier, près d'un bosquet de buissons vivaces qu'elles pourraient brouter.

Le temps était plus doux que la veille; la neige fondait un peu, malgré l'absence de soleil. Ils commencèrent l'ascension, Patricius marchant juste derrière Thoriÿn pour lui prêter main-forte dans les passages difficiles, car le petit homme ne disposait pratiquement que d'un bras.

Le silence était complet, feutré par le reste de neige qui matelassait le flanc des montagnes. On ne distinguait pas les murailles de l'Askiriath, qui ne surplombaient pas directement le versant sud. Mais on voyait parfaitement le gouffre d'Oskith, de plus en plus près, un précipice aussi profond qu'étaient hautes les montagnes environnantes.

C'est de là, peut-être, qu'était monté le démon évoqué par Drogomir la fameuse nuit de Saburgye.

Ludovic et ses compagnons arrivèrent à la faille par où Fabrice avait fui l'Askiriath cette nuit-là. Mais, même si Thoriÿn avait été en mesure de l'escalader, Ludovic ne l'aurait pas choisie: elle menait au glacis de la forteresse. Là, sur cette pente aplanie, ils risquaient d'être vus de la garnison près du pont. Ludovic préférait qu'on aille d'abord examiner la falaise est, celle qui s'était éboulée avec une partie du château fort. S'il y avait moyen de monter par là, on arriverait directement dans les ruines.

Il en fut ainsi. Dans quelques passages difficiles, on dut se passer Thoriÿn de main à main, comme un gros paquet. Heureusement, il était léger. Surtout, il prenait la chose avec humour; après tout, il avait joué le rôle de bouffon dans les fêtes du comte de Vervallon.

La hauteur était considérable, maintenant, mais la pente n'était pas assez abrupte pour causer le vertige.

Ce fut autre chose lorsqu'ils arrivèrent à

l'angle presque droit entre le versant sud et la falaise est. À leurs pieds s'ouvrait le gouffre d'Oskith, et aucun n'osa se pencher pour voir ce qu'il y avait au fond. On ne distinguait qu'une pénombre embrumée. Aucun relief n'était visible pour estimer la distance du fond.

— Eh bien, murmura sombrement Ludovic, si ce que nous cherchons est tombé là-dedans, on peut y renoncer.

— Mais non, rappelle-toi, le livre est resté là-haut.

— Si les bourrasques n'ont pas fait s'écrouler le faîte du donjon.

Ludovic se remit à l'examen de la falaise. Il repéra une corniche naturelle qui montait assez abruptement mais qui était presque plane, suivant une strate du rocher. L'atteindre serait assez difficile, mais faisable.

Après, comme il l'avait supposé, la falaise n'était plus verticale : toute une section du rocher s'était détachée, pour glisser dans le gouffre le long d'une fissure diagonale. Cela ménageait une côte, abrupte mais assez accidentée pour offrir de bonnes prises.

Ludovic revint à ses compagnons.

— Trois étapes, annonça-t-il. La première et la dernière, Thoriÿn, vous devrez les faire sur le dos de Patricius. Nous fabriquerons un harnais, pour qu'il ait les bras libres.

Ils avaient des cordes. Ludovic se mit à l'ouvrage aussitôt, pour ne pas penser à l'épreuve qui l'attendait. Il était si nerveux que ses doigts avaient peine à faire des nœuds.

La première étape alla assez bien: on grimpait en tournant le dos au gouffre. Ludovic remarqua que Fabrice était aussi nerveux que lui.

Parvenus à la corniche, on remit Thoriÿn sur ses pieds. Patricius s'engagea le premier sur l'étroite terrasse, le petit magicien à sa suite.

Mais Fabrice figea après deux pas. Dos collé à la falaise, mains crispées sur les aspérités du roc, il était blême. Ses yeux agrandis par l'effroi contemplaient le gouffre.

Ludovic alla se placer devant lui pour lui cacher momentanément la vue. Ce faisant, il avait les talons tout au bord du vide. De pure peur, il ne sentait plus son propre corps, il n'entendait que sa voix.

— Je sais que ce n'est pas facile, mais...

— Je ne pourrai pas. Je ne pourrai pas.

Le garçon avait abandonné toute prétention à la maturité. Il était un enfant apeuré et rien ne pouvait masquer cela. Renonçant à le regarder dans les yeux, ce qui l'obligeait à se reculer un peu, Ludovic se colla contre lui et lui parla doucement à l'oreille. Il avait la gorge si sèche que parfois la voix lui manquait.

— Ça ira, tu verras. Nulle part la corniche n'est trop étroite pour passer; ce serait une planche sur le sol, que tu pourrais la parcourir en gambadant.

— Ce n'est pas pareil.

— Je sais, j'essaie de me convaincre moi-même. Tu vois, je comptais un peu sur toi pour me donner du courage: tu as été brave jusqu'ici.

— Tu… Vous… Tu as le vertige, toi aussi ?

— Tu ne me sens pas trembler ? Je suis sûrement plus vert que toi.

Fabrice eut un hoquet qui pouvait passer pour un rire.

— Voici ce que nous allons faire, petit prince. Tu vas te tourner, face contre la falaise, et tu vas commencer à marcher. Nous allons y aller un pas à la fois.

Ludovic se tassa pour le laisser manœuvrer.

— Regarde en l'air. Inutile de regarder tes pieds, tu as toute la place.

Surveillé par Patricius et Thoriÿn, qui s'étaient arrêtés un peu plus loin, Fabrice se tourna face au roc. Sa joue blanche sur une aspérité du roc, il regarda Ludovic.

— Il va falloir que tu regardes de l'autre côté, petit homme. Pour voir où tu vas.

— Je ne te verrai plus.

— Je vais être juste derrière. Tu sentiras mon bras sur le tien. Et ne baisse pas les yeux, regarde droit devant.

Parler ainsi avait un peu dissipé le vertige de Ludovic. Au moins, il sentait à nouveau son corps, n'avait pas l'impression d'être paralysé.

Ils avancèrent, Patricius en tête, Thoriÿn conseillant au jeune prince des prises sûres pour ses mains, Ludovic lui murmurant des encouragements et lui posant de temps à autre la main sur le bras.

Il n'y eut que quelques passages vraiment étroits où il fallait contourner une saillie de la falaise. Au dernier, c'est Fabrice qui dispensait ses conseils à Ludovic.

Pour la troisième étape, Thoriÿn monta à nouveau sur le dos de Patricius, glissant ses jambes dans les boucles du harnais. Il fallut grimper presque en rampant, chercher chaque prise, déplacer pieds et mains par petits mouvements. En fait, c'était plus dangereux que la corniche car, ici, les prises manquaient parfois et il fallait alors se hisser sans déraper sur une pente fort inclinée.

Thoriÿn aidait Patricius, lui fournissant souvent une troisième main qui lui donnait plus d'assurance, le réconfortant lorsqu'un étirement trop prononcé du bras le faisait gémir, à cause de sa blessure au flanc.

Fabrice et Ludovic grimpaient en silence, chacun trop crispé maintenant pour ouvrir la bouche. Le temps n'existait plus, remplacé par une apparence d'éternité. L'espace autour d'eux s'abolissait en un vide blanc, vaporeux, douloureusement présent à leur dos.

Risquant une fois un coup d'œil vers le haut, Ludovic vit en surplomb une massive tour d'angle coupée en deux, une moitié encore dressée au-dessus du gouffre, ses étages ouverts sur le vide comme de grandes alvéoles montrant les couchettes étagées de dortoirs militaires.

Pour se donner du courage, Ludovic songeait à tout ce qui aurait pu être pire. « Il aurait pu venter. Ou pire, bruiner, et l'eau aurait glacé la pente : nous n'aurions jamais pu grimper. Et il pourrait faire aussi froid qu'hier: nos doigts seraient trop engourdis pour s'accrocher. Et il pourrait y avoir des soldats là-haut, s'amusant à nous viser avec leurs arbalètes. » À cette pensée, il regarda en haut, traversé par une brève terreur. Et il vit Patricius qui prenait pied dans un couloir, un tunnel plutôt, jadis un des passages souterrains de la forteresse, qui aujourd'hui s'ouvrait sur le vide.

Un instant plus tard, Fabrice, puis Ludovic, les y rejoignaient. À plusieurs pas du bord, ils tombèrent dans les bras l'un de l'autre.

— Petit homme, chuchotait Ludovic, brave petit homme, et il ne trouvait rien d'autre à dire.

Le garçon, lui, pleurait à chaudes larmes, laissant sans vergogne sa tension se relâcher. Il serrait son ami comme un noyé qui s'agrippe à une planche, et Ludovic l'étreignait aussi fort.

« Pourvu que l'épée soit là, maintenant » songea Ludovic.

* * *

Ils avaient songé à apporter un flambeau, qu'ils allumèrent. Un peu plus loin, la galerie était à demi obstruée par des quartiers de roc tombés de la voûte, mais Ludovic et ses compagnons passèrent sans trop de difficulté. Ils arrivèrent ainsi à un escalier en colimaçon, qu'ils entreprirent de monter malgré la pierraille qui l'encombrait.

Ils passèrent devant une porte entrebâillée qui laissait filtrer la lumière du jour. Ils la tirèrent, écartèrent une tapisserie à moitié déchirée. Ils se trouvaient dans un coin d'une salle remplie de décombres. Le quart du plafond manquait, on voyait le ciel blanchâtre.

— Nous devons être dans le donjon, fit Ludovic.

Cette salle occupait la moitié du premier étage de la tour massive appelée donjon. Un double mur la séparait de l'autre moitié. Ludovic suivit ce mur, enjambant des mœllons tombés, puis grimpant dessus là où le mur de séparation était effondré; il regarda derrière. À cet endroit, un vide existait entre les deux parois du mur mitoyen: un puits qui se prolongeait à l'étage supérieur et probablement, jadis, jusqu'au sommet du donjon.

Thoriÿn, qui venait juste derrière, se pencha à son tour sur ce puits, il pâlit, remarqua que Ludovic était plus blême encore.

— Il y a... quelque chose de mauvais ici, murmura le petit homme.

— Je sais. La première fois que je suis venu, on ressentait ça même avant d'entrer dans la forteresse.

— Ce que tu m'avais raconté au sujet de cette fameuse nuit, j'avoue que... je croyais que tu avais exagéré.

— Ce puits doit être celui dont on voyait l'ouverture au dernier étage du donjon. C'est de là qu'est monté Ab...

— SHHH ! Ne prononce pas son nom !

Les parois sombres du puits se fondaient en

un noir absolu, et dans cette noirceur il était impossible d'estimer jusqu'où le puits s'enfonçait, à même le roc du mont Osmériath. Jusqu'au fond du gouffre d'Oskith ? Ou plus profond encore, vers quelque monde inférieur où dorment les démons primordiaux ? Aucun souffle ne montait de là, aucune odeur, juste la sensation indéfinissable de quelque chose de mauvais.

Patricius arrivait à son tour.

— Qu'y a-t-il de si inquiétant dans ce trou ? demanda-t-il en saisissant un fragment de pierre pour le lancer dans le puits.

Mais Thoriÿn lui saisit promptement le poignet :

— Notre maître Tolkiÿn, le plus grand de tous les magiciens, l'a écrit dans *Le Livre de l'Anneau :* « Loin, loin sous les plus profondes cavernes, le monde est rongé par des choses sans nom. » Ne jette rien dans ce puits, tu pourrais réveiller quelque chose.

— Les débris du donjon, suggéra Ludovic, ont peut-être comblé le fond du puits ?

— Tout le roc de l'Osmériath ne suffirait pas à combler le gouffre d'Oskith.

Ils continuèrent d'escalader l'amoncellement de mœllons, de meubles écrasés et d'énormes poutres brisées. Une exclamation horrifiée de Fabrice leur apprit que les occupants de la forteresse n'avaient pas tous fui à temps : un bras humain, rongé jusqu'à l'os, dépassait de sous une table massive.

Pas tout à fait remis de leur émoi, ils gagnèrent le sommet de l'éboulis, à l'air libre. Ils avaient devant eux le vide dans lequel avait glissé un tiers de la forteresse. Derrière eux le donjon se dressait, ou ce qui en restait. Chaque étage était plus éventré que le précédent. De sorte qu'il ne restait plus, du dernier étage, que l'angle formé de deux murs, et un vestige de plafond. Les tentures noires flottaient au vent, comme l'avait montré la bouteille magique de Thoriÿn.

Il régnait sur toute l'Askiriath un silence de fin du monde, et c'était bien l'image qu'évoquaient ces ruines colossales. C'était étrange pour Ludovic et ses compagnons de songer qu'ils avaient l'Askiriath pour eux seuls tandis qu'à l'entrée du pont, là-bas, des soldats étaient censés en garder l'accès.

— C'est là-haut, dit Ludovic, que se trouve ce que nous cherchons, au dernier étage du donjon. C'est là qu'Arhapal m'a été arrachée des mains. Avec un peu de chance, nous la trouverons sur ce qui reste de plancher.

— Sinon ?...

— Sinon il vous faudra fouiller les décombres, en espérant que l'épée n'a pas glissé dans le gouffre avec le tiers du château. Je vous avais prévenu à Corvalet : Arhapal est peut-être à jamais perdue.

Le prince ne répliqua point, mais Ludovic vit bien qu'il était découragé, d'avoir grimpé jusqu'ici au péril de sa vie pour de si faibles chances de succès.

Ils regagnèrent l'escalier en colimaçon, réalisant au passage que c'était un escalier secret car la porte était camouflée en pan de mur.

— Nous sommes chanceux d'avoir ces marches intactes, commenta Ludovic. Ce doit être par ici que Méricius est monté pour surprendre Drogomir et lui voler l'Orthériam.

Ils montèrent, montèrent et montèrent, jusqu'à une porte grande ouverte. Ils avaient devant eux une tenture noire, abîmée par la pluie; d'un côté elle était encore accrochée au mur, de l'autre elle pendait jusque deux étages plus bas, lestée par une tringle encore accrochée à des anneaux.

D'ici, le point le plus haut de l'Askiriath, on avait vue sur tout le massif des Osmégomor. La brume s'était dissipée, on voyait les crêtes arrondies des montagnes se succéder, l'une plus estompée et plus pâle que l'autre, jusqu'à un horizon imprécis où le ciel gris clair semblait rejoindre la terre.

C'était vertigineux. Le plancher était coupé à quelques pas de l'escalier et le lutrin gisait au bord: c'était merveille que le vent ne l'eût pas encore fait tomber.

Et le grimoire, le grimoire que Ludovic et Thoriÿn étaient venus chercher à travers tant d'embûches, gisait au pied de la tenture, un peu protégé de la pluie et de la neige par le velours noir.

Le petit magicien s'agenouilla, posa la main sur la couverture de vieux cuir avec un respect mêlé de crainte.

— *Les Phrases de l'Oracle*, murmura-t-il, et si Ludovic avait pu voir ses yeux, il y aurait décelé une lueur de convoitise.

15

La chute du Nécromant

Fabrice et Patricius entreprirent de chercher l'épée avec méthode. Elle n'était pas au dernier étage; donc elle était tombée. Ils inspectèrent chaque étage en commençant par l'avant-dernier, soulevant chaque mœllon à l'aide de leviers, déplaçant chaque meuble brisé; la principale crainte de Fabrice était qu'Arhapal fut tombée dans le puits.

Pendant ce temps, Thoriÿn et Ludovic avaient trouvé une des rares pièces du donjon qui ne fût à ciel ouvert. En fait, elle était au dernier étage d'une tour ronde qui flanquait le donjon, et cette tour était intacte. On y accédait par quelques marches descendant de l'avant-dernier étage du donjon. Les secousses n'y avaient infligé que peu de dommages. C'était une bibliothèque; quelques livres étaient tombés des étagères.

— La somme de savoir qu'il doit y avoir ici ! dit Thoriÿn en jetant un coup d'œil aux rayons.

Mais le livre qu'il avait sous le bras était infiniment plus précieux, et il le posa sur une table pour s'asseoir devant. Ludovic, lui, alluma du feu dans la cheminée avec des morceaux de chaises ramassés dans la pièce voisine. Il le fit modeste, toutefois, espérant qu'un peu de fumée sortant de la cheminée passerait inaperçue des hussards cantonnés au pont de l'Osmériath. Il alluma aussi un chandelier, car le jour qui entrait par les étroites fenêtres en ogive était pauvre. Puis il s'assit dans un fauteuil, à quelque distance du magicien, et le regarda lire.

Thoriÿn était trop absorbé par sa découverte pour dissimuler son émotion. Et Ludovic n'aimait pas la convoitise qu'il lisait sur ce visage. N'avait-il pas un jour confié à Ludovic : « Pour rien au monde je ne voudrais être propriétaire de ce grimoire. Il doit y avoir là des choses qui... ne peuvent que rendre mauvais. Oui, c'est un savoir maudit, il pervertit qui le détient. » La sagesse de maître Thoriÿn semblait maintenant oubliée. Était-ce d'avoir entre les mains toute la puissance dont peuvent rêver les sorciers ?

« Est-ce que j'aurais mal jugé Thoriÿn ? Méricius avait raison : il ne faut jamais se mêler des affaires des sorciers, ou ne jamais laisser les sorciers vous mêler à leurs affaires. Pourvu que Thoriÿn n'oublie pas sa promesse de m'aider.

Après, il fera bien toute la sorcellerie qu'il voudra. Mais c'est dommage, je n'aurais pas cru... »

* * *

Derrière la porte close, et quelques marches plus haut, Patricius et Fabrice inspectaient une pièce qui avait servi de bureau. Tout nécromant qu'il fût, Drogomir était aussi monarque de Troïgomor et, bien qu'il en confiât le gouvernement à des ministres, il devait y voir un peu lui-même, de temps en temps.

Deux des murs étaient à demi effondrés et, dans l'un, une niche secrète avait été mise au jour.

— Tiens, fit Patricius, à défaut de l'épée, nous aurons au moins trouvé de quoi payer ta générosité.

La niche — presque une alcôve — était dissimulée par une étagère maintenant tombée. Plusieurs coffrets s'y empilaient, l'un avait eu son couvercle écrasé par une pierre. Il contenait de l'or, des centaines et des centaines de pièces d'or.

— La poudre de miraflore que tu as promise à Thoriÿn pour la lépreuse, ça coûte très cher à importer. Puis, le monument que tu t'es engagé à faire édifier pour Lysius de Tanerau. La restauration de Karpiath pour le marquis Phylius. Le dégrèvement d'impôt pour aider les paysans à se remettre de l'occupation. Et la récompense que tu veux donner à sire Ludovic. Crois-moi, tu n'auras pas trop de cet or.

Le prince Fabrice ne répondait pas.

— Tu n'as pas à hésiter, Fabrice. De toute façon, une bonne partie de cet or a été pris à tes propres sujets.

— D'accord, nous descendrons les coffres tout à l'heure. Quoique… Je me demande comment nous ferons pour les emporter, avec nos pauvres chevaux épuisés.

— Nous en prendrons aux hussards.

Fabrice ne répliqua pas. À moins de retrouver Arhapal, lui et ses compagnons s'estimeraient chanceux de repartir avec seulement la vie sauve.

* * *

L'attitude de Thoriÿn avait changé graduellement. La convoitise avait disparu pour faire place à un air grave.

Ludovic, impatient, avait fait les cent pas dans la chambre ronde, sans que cela ne distraie le magicien. Puis, il s'était essayé à lire par-dessus son épaule: en vain, car le texte, manuscrit, était dans un alphabet inconnu de lui.

Le jour avançait, Ludovic avait très faim. Il alla trouver Fabrice et Patricius, les convainquit de suspendre leurs recherches une heure. Par prudence, ils allèrent d'abord remonter le pont-levis du château. Ensuite ils trouvèrent à manger dans la cuisine du donjon, qui était à la cave.

Le jeune prince était découragé de n'avoir pas encore découvert l'épée Arhapal. Mais ses compagnons lui firent valoir qu'il restait encore d'autres étages, et qu'ensuite on pourrait fouiller les décombres dans le fossé entourant le donjon : il n'y avait plus d'eau dans les douves.

Le repas terminé, Ludovic monta à manger pour Thoriÿn ; mais le magicien, d'un geste distrait, lui fit poser cela sur le coin de la table. Il paraissait maintenant inquiet, et tournait les feuillets à une cadence plus rapide. Dès qu'il avait pris connaissance du sujet d'une page, il ne s'y attardait pas s'il ne le jugeait pas utile. Maintenant il avait hâte d'en finir avec ce grimoire.

Ludovic ne put s'empêcher de demander :

— Aucun indice sur le genre de sortilège que m'a jeté Drogomir ?

— Rien encore, grommela le petit magicien.

* * *

Le jour déclinait. Entre les cimes de deux collines, on apercevait vers l'ouest une étroite bande de ciel dégagé, d'un bleu-vert pâle. Le soleil descendait vers l'horizon ; peut-être darderait-il un rayon vers les Osmégomor à la fin de cette grise journée.

Fabrice et Patricius n'avaient toujours pas trouvé ce qu'ils cherchaient. Découragé, le prince s'était assis sur une grosse pierre, le visage enfoui dans les mains.

Il revoyait toute l'aventure qui l'avait mené ici, la dispute avec le roi d'Uthaxe, les batailles contre les gnomandres, la poursuite des molosses, les hussards au village de Byrau, le siège de

Karpiath... tout cela avec la certitude de trouver Arhapal au bout. Mais ç'avait été une erreur, *son* erreur, de ne pas tenir compte des avertissements : l'épée était presque sûrement perdue, lui avait-on dit, enfouie sous les décombres de la forteresse ou perdue dans le gouffre d'Oskith.

Maintenant il se trouvait en pays ennemi, blessé, isolé dans un château fort en ruine au bord d'un gouffre, une troupe de hussards bloquant le chemin du retour.

« Idiot ! » se reprochait-il. « Tu fais un bien pauvre roi ! »

Il aurait dû... Mais qu'aurait-il dû faire, au juste ? Rentrer sagement chez lui comme l'avait recommandé Fréald d'Uthaxe, et renoncer à réunifier la Sumagne ? Non. Mais peut-être aurait-il dû, à Tanerau, se joindre aux barons loyalistes, mener avec eux l'insurrection contre l'occupant troïgomois. Cette épée Arhapal qu'il voulait brandir devant son peuple, n'était-ce pas pour la gloriole, tout simplement ? S'inscrire dans l'histoire par un geste d'éclat ?

Il sentit sur son épaule la main de Patricius. Brave Patricius, loyal ami. Comme l'était son père Drorimius, que Fabrice avait trahi en se lançant dans cette aventure à son insu. Quelles difficultés devait avoir Drorimius à cette heure, sachant son neveu disparu, peut-être capturé ou tué... Cela ne l'aidait sûrement pas dans sa tâche d'organiser le gouvernement et de préparer le retour d'un roi.

« Tu n'as jamais pensé qu'à toi » se reprochait

Fabrice, « tes royales ambitions avant tout ! »

La main de Patricius se faisait plus insistante, secouant son épaule. Fabrice leva la tête.

— Regarde là-haut, dit son cousin.

— Où, là-haut ? répliqua Fabrice en levant les yeux vers l'avant-dernier étage du donjon.

— La tenture noire qui pend… Ne dirait-on pas qu'il y a quelque chose qui est pris dedans ?

Lestée par une tringle de bois, la tenture pendait du dernier étage, entortillée deux ou trois fois sur elle-même. Or, quelque objet caché par le velours gênait le drapé naturel. Quelque objet dur, pris dans les plis de la tenture.

Fabrice bondit sur ses pieds.

— Tu crois que c'est l'épée ? !

Il courut jusque sous la tenture, sauta pour attraper la tringle, mais en vain.

— Montons plutôt, fit Patricius, et ils se rendirent à l'étage supérieur, qui était l'avant-dernier.

Patricius le tenant par la ceinture, Fabrice s'avança au bord du plancher défoncé et saisit la tenture. Il la hissa doucement, veillant à ce qu'elle ne se désentortille pas. Elle était alourdie par l'humidité, mais il finit par attraper la tringle, qu'il ramena sur le plancher de l'étage. Il se savait déjà victorieux, car il avait senti entre les plis de l'étoffe une forme caractéristique. Et effectivement il sortit du velours noir une grande épée de bronze, à la garde dorée et à la poignée d'améthyste.

— Arhapal ! s'écria le prince en la brandissant.

Comme pour lui répondre, le soleil émergeant de sous la couche nuageuse, à l'horizon ouest, toucha le donjon d'un rayon orangé. Au sommet de la grande tour effondrée, entre les pans de murs rougeoyants, une mince flamme cuivrée brilla au poing du prince de Sumagne.

* * *

Dans la bibliothèque du Nécromant, Ludovic avait avivé le feu, à la nuit tombée, car il avait vu Thoriÿn frissonner quelques fois.

Les cinq flammes du chandelier se reflétaient sur les carreaux en losange des fenêtres. Il n'y avait pas de rideaux ; Ludovic espérait que la fenêtre nord-ouest était cachée au campement des hussards par les tours flanquant la grande porte du château.

Les flammes oscillaient à chaque page tournée ; Thoriÿn avait des gestes nerveux, maintenant, et la frayeur se lisait nettement sur son visage. Il posait des regards brefs et rapides sur le texte, de la même façon qu'on se hâte lorsqu'on a à manipuler un tisonnier brûlant : véritablement il avait peur de se brûler au savoir maudit de ce livre. Il apercevait des phrases dont il préférait ne pas percer le sens.

— Ce grimoire, murmura-t-il, aurait mieux fait de tomber dans le puits sans fond.

Debout devant la porte, Fabrice et Patricius se tenaient en silence, avec l'impression que des influences mauvaises rôdaient en cette chambre, et ils auraient souhaité être ailleurs. Mais Fabrice, ayant trouvé ce qu'il était venu chercher dans l'Askiriath, se sentait solidaire de Ludovic dont la vie même dépendait de ce que Thoriÿn pouvait découvrir dans le grimoire. Il aurait trouvé lâche de s'absenter, alors que Ludovic en était aux dernières heures de sa quête.

Ludovic, affalé dans un fauteuil, menton sur la main, paraissait somnoler. Sans aucun événement extérieur pour le stimuler, il sentait déjà approcher la lassitude, annonciatrice de la torpeur qui s'abattait sur lui chaque soir. Entre ses paupières mi-closes, il guettait maître Thoriÿn, se demandant si le magicien n'allait pas renoncer pour de bon à lire *Les Phrases de l'Oracle*.

Tournant les yeux vers Fabrice et Patricius, il se redressa brusquement : sous la main du prince, négligemment posée sur la garde, la fusée de l'épée luisait d'une vague lueur mauve. Un instant il crut à un reflet. Mais non, la porte était dans une zone d'ombre, la lueur entre les doigts du garçon venait de la poignée même.

— Maître Thoriÿn, dit-il à voix basse. Regardez Arhapal !

Tous les yeux se braquèrent sur l'épée. Fabrice écarta sa main en sursaut.

— L'épée est magique, fit Thoriÿn. Elle luit quand le Mal se manifeste.

— Serait-ce ?...

— Drogomir ? Drogomir est encore à Triga, à panser ses plaies, espérons-le. Non, c'est dû à la simple proximité des *Phrases*. Ce grimoire est entouré d'une aura maléfique.

Et, comme Fabrice ne bougeait pas, le petit magicien eut un geste impatient :

— Éloignez-vous, avec cette épée ! Tiens, allez donc vous occuper de ce trésor dont vous nous avez rebattu les oreilles.

Et il revint aux *Phrases de l'Oracle*, dont il tourna une page d'un geste excédé.

* * *

Sur le bras d'un fauteuil, Thoriÿn avait placé la fiole de cristal à l'intention de Ludovic. « Lorsque tu te sentiras partir, avait-il recommandé, bois le reste de la potion. Il ne faut pas que tu t'endormes cette nuit : tu ne te réveillerais plus jamais. »

Et maintenant Ludovic fixait la burette, hypnotisé par le reste du liquide vert qu'il voyait en transparence devant la flamme du foyer. Quelques gouttes à peine, la sève de l'Ithuriën et le souffle de sa reine, quelques heures de survie pour Ludovic.

Il avait peine à garder les yeux ouverts, sa vision se dédoublait. « À quoi bon faire durer l'attente ? Quelques minutes de plus ou de moins... L'effet ne tiendra que jusqu'au matin, de toute façon ».

Rassemblant ce qui lui restait d'énergie, le chevalier se leva, assura son équilibre, et marcha jusqu'à la chaise. Il saisit la fiole, retira le bouchon et porta l'étroit goulot à ses lèvres.

— Que fais-tu ? !

Mais déjà Ludovic avait avalé.

Thoriÿn se rassit, avec un geste résigné. Le jeune homme marcha jusqu'à la fenêtre, sentant ses forces lui revenir. De son corps il fit écran à la lumière dans la pièce et il regarda à travers la vitre. La nuit était avancée, l'obscurité totale. On ne distinguait même pas où finissaient les ruines de la forteresse et où commençait le vide.

Il ne pouvait donc voir, dans la vallée qui menait à l'Osmériath, la troupe de cavaliers qui avançait à la lueur de quelques lanternes sourdes.

* * *

— Ludovic.

Le jeune homme se retourna en sursaut de la fenêtre où il se tenait depuis peut-être une heure.

— Sors de mon sac la bouteille d'Arthanc, et pose-la ici devant moi.

Thoriÿn avait parlé sans lever le nez d'une page qu'il étudiait d'un air concentré.

Ludovic sortit de la sacoche le coffret de bois léger contenant la bouteille magique. Il était percé de part en part, sans doute par un carreau d'arbalète, qui avait aussi perforé le sac. Ludovic vint le poser sur la table, catastrophé à l'idée que la carafe était peut-être réduite en miettes.

Thoriÿn lui tendit distraitement une petite clé, sans cesser de lire un texte dont les mots se formaient sur ses lèvres, silencieusement.

Ludovic ouvrit le coffret. La bouteille était intacte, le projectile avait traversé un angle du coffret sans toucher le goulot. Il la sortit délicatement ; elle était lourde. « Ma parole, elle change tout le temps ! Il me semblait qu'elle était pansue » s'étonna-t-il en constatant que, cette fois, la bouteille était de section carrée, avec des parois plates.

— Vous avez trouvé quelque chose ? demanda-t-il au magicien.

Mais Thoriÿn ne répondit pas, levant la main impatiemment pour réclamer le silence. Son doigt était posé sous une ligne qu'il relisait posément, comme pour la mémoriser. Après un moment, il ordonna :

— Éteins les chandelles.

Puis il expliqua :

— Je ne puis accéder moi-même à ton monde, ni t'y faire accéder. Cela demande une maîtrise, une connaissance profonde des *Phrases*. J'ai été présomptueux de croire que j'y parviendrais en une seule lecture — et une lecture bien incomplète : je me suis aperçu que je ne possédais pas parfaitement cette langue. Il y a des termes, des phrases entières dont le sens m'échappe. Et d'autres...

Il baissa les yeux pour dissimuler sa terreur :

— ... d'autres que j'aurais préféré ne jamais lire.

Maintenant la pièce n'était plus éclairée que par les flammes de l'âtre. Thoriÿn plaça la bouteille juste en face de lui, devant le gros livre ouvert, et convia Ludovic à s'asseoir de l'autre côté de la table.

— Toutefois j'ai trouvé une clé, une formule : nous accéderons à ton monde par l'entremise de la bouteille, ce sera comme si nous y étions en personne.

— Mais à quoi ça servira ?

— J'ai trouvé dans le grimoire une indication sur ce qui a pu t'arriver. Te rappelles-tu en quels termes tu m'as décrit ton mal, ce soir de bal au palais de Doribourg ? Tu disais que quelque chose te rappelait constamment vers ton univers...

— Une chaîne, un lien... Quelque chose qui tirait sans répit pour me ramener là-bas, mais sans que je puisse lâcher prise ici. Je me sentais écartelé, étiré, tellement distendu qu'un jour je n'aurais plus de substance.

— Voilà. Une part de toi-même est restée là-bas, prisonnière : nous allons voir de quoi il s'agit.

Le magicien posa les doigts sur les flancs de la bouteille, indiqua à Ludovic d'en faire autant. Une lueur naquit au centre du liquide qu'elle semblait contenir, une minuscule nébuleuse bleu-mauve. Elle s'agrandit, avec des pulsations, jusqu'à remplir de lumière toute la carafe.

— Ass thral ass garth, murmura Thoriÿn. Ahr bihn thor vhi.

Du bleu, la lumière passait graduellement au vert, et paraissait échapper aux limites de la bouteille : le cristal n'était plus une barrière, juste une frontière ténue qui peu à peu s'estompait.

— Irr vahr oz slam, of fyr thol sûhr.

Le vert remplissait toute la pièce, englobant Thoriÿn et Ludovic. La bouteille *était* maintenant cette chambre ronde, sa paroi était le mur de pierre. Thoriÿn et Ludovic étaient désormais *dans* la bouteille, et pourtant ils en sentaient toujours le cristal sous leurs doigts.

— If fur for fyr, og sohl sohr nath.

Le vert prenait forme, acquérait textures et nuances, se marbrait de gris et de brun sombre. La table, les chaises, les étagères de la bibliothèque n'étaient plus visibles. Seul le feu de l'âtre faisait encore une tache claire, floue, jaunâtre.

— Ossol sohr sign, kaléior dardh.

Thoriÿn et Ludovic se trouvaient maintenant dans une forêt, avec l'impression de flotter à quelque distance du sol. D'après la teinte des feuilles, c'était la fin du printemps — effectivement, l'odeur du printemps parvenait jusqu'à eux. Cela fit prendre conscience à Ludovic que son sens de l'odorat était bien peu sollicité dans ce monde-ci.

— Reconnais-tu ces bois ? demanda Thoriÿn à voix basse.

Mais déjà Ludovic s'exclamait :

— La forêt de Chandeleur !

Il l'avait reconnue, non pas à vue, mais par le sentiment : il se *sentait* revenu dans son monde, son pays, sa forêt.

— Ne te laisse pas tromper, le prévint Thoriÿn. Nous sommes encore dans l'Askiriath.

Mais Ludovic ne parut pas l'entendre, subjugué par le paysage qui défilait de part et d'autre, comme si eux flottaient sur la brise.

— Comment se fait-il que ce soit déjà le printemps, là-bas ?

— Nos mondes ne sont que deux bulles dans le cours du temps, se distançant et se rapprochant l'une de l'autre au gré des remous, l'une passant devant l'autre, pour n'être rattrapée que des décennies plus tard. Mais la formule nous a ramenés, toi et moi, près de l'époque où tu as quitté ton monde.

À quelque distance, entre les arbres, on apercevait la grille du cimetière, ce cimetière où, une nuit d'automne, Drogomir et Méricius étaient venus jeter leur malédiction sur Ludovic.

Et Ludovic était là, assis au pied d'un arbre, endormi. Ou plutôt ce semblait être une statue de Ludovic : ses vêtements paraissaient rigides, ses cheveux longs étaient raides dans leurs ondulations, sa peau avait un aspect crayeux et tout ce qu'il portait avait des teintes de gris.

— Pétrifié ! murmura Thoriÿn. Figé à jamais.

Ludovic était dépassé. Est-ce que, dans son monde d'origine, les sorciers l'avaient changé en pierre ?

— Essaie de te rappeler, pressa le magicien : la malédiction que Drogomir a prononcée, était-ce un sortilège d'éternité ? Est-ce que ce mot a été prononcé ?

Ludovic fit un effort de mémoire. Il revit le Nécromant, silhouette noire se profilant sur une lumière verte, terrible avec son casque hérissé de pointes. Il revit le feu, le feu lancé vers lui et qui le brûlait sans le consumer. « À jamais ! Les flammes de l'Enfer pour l'éternité ! »

— Oui, oui ! cria Ludovic en se secouant. Il a dit « à jamais » et « pour l'éternité ».

Toute la scène vacilla : dans sa douleur momentanée, le jeune homme avait lâché la bouteille magique.

— Et Méricius, qu'a-t-il dit ensuite ?

Thoriÿn ramena les mains de Ludovic vers la bouteille. Il insista :

— Méricius est venu ensuite. Rappelle-toi, qu'a-t-il dit ?

Apaisement. Les flammes refroidissent, virent au bleu, la douleur s'estompe. Méricius, dans une pénombre crépusculaire : « Drogomir t'a lié pour l'éternité ; contre cela je ne peux rien... »

— Il a dit : « À jamais ! La paix du sommeil, et le rêve, pour l'éternité... »

L'illusion faiblissait. La chambre redevenait visible à travers la lueur verte du feuillage, l'image était traversée de vagues comme un reflet sur une mare agitée.

— Oui, un charme d'éternité, fit Thoriÿn.

C'est ce corps que tu as laissé là-bas, ce corps pétrifié, qui te rappelle à lui, tel un poids. Tu es un grimpeur suspendu à la falaise avec un boulet aux pieds. Tes mains refusent de lâcher prise mais la pierre t'attire vers le bas, et t'étire, t'étire : voilà ton mal.

— Mais celui-là ne peut être mon corps : je suis ici, tout entier !

— Tu es partagé entre deux corps, deux univers, et ton être entre les deux se trouve étiré, distendu jusqu'à la disparition. Lorsque tu lâcheras prise, lorsque tu mourras ici, tu retourneras là-bas.

— Est-ce que je vivrai, là-bas ?

— Je ne crois pas : là-bas, tu es sous un charme de sommeil éternel, tu es inanimé comme la statue qui te représente. C'est un sort que seul peut briser celui qui l'a prononcé.

Toute la scène, le dormeur pétrifié, l'arbre, la forêt de Chandeleur, était retournée à la bouteille magique, qui à nouveau était tangible, une lanterne verte entre Ludovic et le magicien. Ils ne s'en occupaient plus, et rapidement l'image se défit, la lumière disparut en un lent tourbillon.

— Il faudrait des années pour que je maîtrise le savoir contenu dans *Les Phrases de l'Oracle*, des jours pour que je retrouve avec certitude le charme qu'a prononcé Drogomir. Le sort qu'il t'a jeté, lui seul peut le défaire. Dans l'âtre, le feu était éteint; à l'est, le ciel était déjà moins sombre. Ludovic et Thoriÿn se regardaient sans rien dire. Le jeune homme ressentait le même désespoir que Fabrice lorsqu'il avait cru Arhapal introuvable; sauf que Ludovic, lui, allait mourir dans quelques heures.

* * *

À l'heure grise d'avant l'aurore, la troupe de cavaliers avait laissé ses montures derrière un maigre bosquet de sapins et gravissait l'Osmériath, tirant profit de chaque pierre et de chaque buisson pour se dissimuler.

Dans la forteresse, rien ne bougeait. L'ombre régnait encore dans la cour intérieure du château, les ténèbres stagnaient dans les douves vidées de leur eau.

Le donjon était jadis flanqué de trois tours rondes. Il n'en restait plus qu'une intacte, au sommet de laquelle des fenêtres avaient été éclairées presque toute la nuit. Mais maintenant plus aucune fumée ne montait de sa cheminée. Soudain, ses plus basses fenêtres, tout juste des meurtrières, furent vivement illuminées. Verte était la lueur, et elle ne dura qu'un instant.

Dans la bibliothèque, Thoriÿn et Ludovic étaient silencieux, abattus. Le petit magicien feuilletait encore *Les Phrases de l'Oracle*, mais cela ne trompait guère Ludovic: il avait clairement dit, tout à l'heure, que seul le Nécromant pouvait défaire le sortilège.

Brusquement, un fracas: la porte s'ouvrit, fendue en deux sur toute sa hauteur, et une moitié tomba dans la chambre.

Drogomir, monarque de Troïgomor, se trouvait là, paraissant en lévitation au-dessus des trois marches qui descendaient à la bibliothèque. Il n'y avait ni pieds ni jambes dans l'espace compris entre le plancher et le bas de sa cape. Des cuisses en descendant, son corps n'était qu'un mirage, une forme sombre et floue s'estompant jusqu'à la transparence.

Mais le reste n'était que trop réel, le masque de métal noir, luisant, percé seulement de deux yeux obliques, le casque hérissé d'une couronne de pointes comme les rayons d'un soleil ténébreux. Derrière lui, l'étage était ouvert, sans murs ni plafonds, sur la première lueur du jour.

De toute sa hauteur, le Nécromant regardait Ludovic ; on distinguait l'éclat de ses yeux sombres.

— Quoi ?! Tu n'es pas en train de brûler, toi ?!

La voix était hostile, mais Drogomir semblait plus surpris que rageur. Néanmoins, Ludovic recula d'un pas, craignant que le sorcier ne lui lance à nouveau le feu de sa colère.

Les yeux du Nécromant se tournèrent vers Thoriÿn :

— Ce n'est pas ce petit magicien qui a contré mon sortilège ?

Thoriÿn eut un rire jaune :

— Non, bien sûr. C'est un magicien bien plus puissant que mon humble personne. Presque aussi puissant que vous, maître.

— N'essaie pas de m'amadouer, rétorqua le Nécromant, la voix assourdie par son masque. Méricius, hein ? Il est passé derrière moi. En tout cas, il n'a pas mis la main sur *Les Phrases de l'Oracle* ; je n'aurai pas tout perdu.

Ludovic, lui, n'avait plus rien à perdre. Une fois surmontée sa terreur, il s'entendit dire, avec une hardiesse qu'il ne se connaissait pas :

— Je vous propose un échange : je vous rends le grimoire, contre quoi vous me dites la formule exacte du sort que vous m'avez jeté.

À cela, le Nécromant rit, un rire bas et sans éclat.

— Ta monnaie d'échange est un livre qui m'appartient et qui se trouve dans ma bibliothèque.

Il avait raison, bien sûr, et pas un instant Ludovic n'avait cru que cela marcherait. Mais, à sa grande surprise, le Nécromant dit :

— Je te propose un autre marché, et je suspendrai l'envoûtement pour que tu puisses remplir ta part. Car, je le vois, tu ne te maintiens en vie que de justesse, en ce monde, et tu n'en as plus pour longtemps.

« Les marchés avec les sorciers » songea Ludovic, « je sais ce que ça coûte ! » Mais il n'avait pas le choix : c'était sa seule issue, si étroite fût-elle.

— Et quel serait ce marché ?

— Tu es un homme téméraire, même inconscient. Il n'y a que ce genre d'homme qui accepterait de descendre dans le...

Il s'interrompit brusquement et tourna la tête vers sa gauche. Son corps recula un peu tandis que son bras se levait, mais trop tard : Arhapal s'abattit, tranchant sa main au ras du poignet. Le Nécromant hurla de rage et de douleur, vacilla, dériva encore vers l'arrière.

— NOOON ! cria Ludovic en s'élançant.

Mais déjà le prince Fabrice bondissait en criant « Meurs donc, traître ! » et, d'un grand coup de taille, il frappait le sorcier au cou. Il y eut un éclair mauve venu de la poignée d'Arhapal, et un bruit métallique assourdissant comme le marteau d'un forgeron frappant l'enclume. Le masque du Nécromant plia, mais ne se brisa pas, protégeant son cou. Sous la violence du choc, le sorcier perdit son casque, et l'on aperçut ses cheveux courts, grisonnants. Le coup déséquilibra Drogomir, l'étourdit sûrement, le projeta vers l'arrière comme si c'était un colosse qui l'avait frappé. Il tomba sur le dos. Mais il n'y avait pas de sol là où il tomba.

Ludovic se jeta à plat ventre au bord du plancher, à temps pour voir le Nécromant en chute libre, basculant sur lui-même sans un cri, sa cape lui donnant l'aspect d'une grande chauve-souris désarticulée. Trois ou quatre étages plus bas, il s'engouffra dans le puits. Les ténèbres l'engloutirent, et avec lui la formule du sort qu'il avait jeté à Ludovic.

16

Le deuxième sorcier

Le dos voûté, Ludovic était assis dans les marches descendant à la bibliothèque. Il ne prêtait pas attention à Thoriÿn, qui était quelque part derrière lui, dans la pièce ouverte à tout vent. Quant au prince et à son cousin, ils étaient partis, Ludovic ignorait où. Fabrice, en exécutant son ennemi au moment où il allait formuler une proposition, avait enlevé au jeune homme sa dernière chance d'échapper à la mort. Ludovic était entré dans une fureur bien compréhensible et avait traité Fabrice de jeune imbécile, d'écervelé et d'égoïste inconséquent. Se rendant compte de sa faute, mais aussi outragé par la virulence de la charge, le prince avait quitté l'étage avec Patricius, emportant le casque du Nécromant resté sur le bord du plancher.

Thoriÿn ne savait que dire à son jeune ami, et Ludovic lui-même ne savait que penser. Il n'y avait plus de solution en vue, plus d'espoir. Ludovic épiait les sensations de son propre corps, guettait le moment où ses forces déclineraient, cette fois pour de bon. Pour le moment il se sentait abattu, mais ce n'était peut-être pas encore un symptôme physique.

Le jour était levé depuis un bon moment, ciel blafard et temps doux, lorsque Thoriÿn, adossé au mur près de Ludovic, le prévint :

— Nous avons un nouveau visiteur.

Alerté par le ton de sa voix, Ludovic se retourna brusquement et se leva.

Venant de l'escalier secret, un vieil homme. Il n'était plus déguisé en mendiant mais portait de bons habits de voyage.

— Méricius !

— Mon brave Ludovic, répondit le sorcier sur un ton un peu ironique. Heureux de voir que mon contre-sort a fonctionné.

— Toujours aussi hypocrite, Méricius ! Vous devez très bien voir que je suis en train de mourir, d'après ma...

— Flamme de vie, lui souffla Thoriÿn.

— D'après ma flamme de vie.

— Et qui est ce petit bouffon à vos côtés ?

— Maître Thoriÿn, pour vous servir, répondit l'intéressé.

Mais Méricius l'ignora comme un personnage sans importance.

— Votre contre-sort, dit Ludovic, a été mal formulé : vous ne m'avez pas délivré du sortilège d'éternité que m'avait jeté Drogomir.

— J'étais épuisé par mon affrontement avec lui. J'ai été bien bon d'aller m'occuper de vous. Sans quoi vous seriez encore en train de brûler, et pour l'éternité.

— Maintenant que vous êtes remis et que vous détenez l'Orthériam, vous voilà aussi puissant que Drogomir l'était. Vous devez pouvoir neutraliser entièrement son sortilège.

— Quant à l'Orthériam, je n'en maîtrise pas encore le potentiel : il semble me manquer quelque chose. C'est pourquoi je suis venu chercher un grimoire que vous connaissez, je crois...

Mine de rien, Thoriÿn se plaça devant l'entrée de la bibliothèque.

— Je me suis mis en route dès que j'ai compris mon besoin, disait Méricius, mais Drogomir m'a précédé de justesse. J'ai vu que vous aviez eu le bonheur de nous en débarrasser : un peu d'imprudence de sa part, beaucoup de chance de votre côté, et la puissance d'Arhapal...

— Vous avez vu cela ?

— J'étais en train de grimper le versant sud, j'ai eu connaissance de l'arrivée de Drogomir ; alors je suis venu voir par les yeux d'un corbeau.

À cet instant seulement, Ludovic se rappela que Méricius avait perdu un bras dans son affrontement avec Drogomir. Effectivement on ne lui en voyait qu'un ; son manteau cachait l'absence de l'autre. « Ce doit être plus grave que la simple perte d'un bras » songea Ludovic. « Ces deux sorciers ont été sérieusement affaiblis par leur lutte ; sans quoi Drogomir n'aurait pas été si facile à vaincre. Peut-être que Méricius, lui aussi… »

— Je vous propose un marché, s'enhardit Ludovic. Nous vous donnons *Les Phrases de l'Oracle*, et vous trouvez la formule exacte du contre-sort qui peut me délivrer.

Méricius éclata de rire :

— *Vous* me donnez *Les Phrases ?* Ne savez-vous pas, Ludovic, que je peux les prendre sans déployer le centième de mes forces pour vous écarter ?

Il fit un petit geste de la main vers le haut, et Ludovic se sentit quitter le sol, soulevé ni par une main géante ni par une bourrasque de vent, mais par une force dont il ne sentait pas du tout l'action. Le résultat, cependant, était parfaitement sensible : sa tête heurta ce qui restait de plafond, heureusement pas trop fort. Il y avait, entre ses pieds et le plancher, assez de place pour que Méricius passe sous lui sans se pencher.

— Je présume, dit le sorcier, que le grimoire est dans cette pièce qui a été éclairée une partie de la nuit ?

Et, sans attendre de réponse, il avança vers la porte de la bibliothèque.

Mais il n'alla pas loin : Thoriÿn avait brandi son sceptre comme une barrière horizontale devant lui, et une barrière était effectivement apparue, une large zone qu'on eût dit occupée par une vapeur presque transparente. À son contact, Méricius recula brusquement, avec une exclamation de douleur et de surprise. Thoriÿn n'était pas le personnage insignifiant qu'il croyait.

Mais il ne faisait pas le poids contre un sorcier.

Méricius leva la main, paume face à Thoriÿn, et tout de suite le petit magicien fut agité d'une puissante vibration, non pas un tremblement musculaire mais une sorte de séisme à petite échelle qui menaçait de le disloquer. Il grimaça de douleur, on l'entendit gémir, et sa barrière brûlante disparut.

— Pour qui te prends-tu, magicien de salon ? se moqua Méricius.

Mais une autre voix intervint :

— Est-ce là la grande sagesse que devaient te procurer tes études et tes grimoires, Méricius ?

Le sorcier se retourna, libérant Thoriÿn. Un nouveau personnage se tenait à la porte de l'escalier secret.

— Duc Drorimius ! s'exclama Ludovic du haut de sa position inconfortable.

— Et laisse donc redescendre le chevalier, ajouta Drorimius. Tes démonstrations me font penser à un gamin qui tourmente un écureuil.

Ludovic retomba sur ses pieds, roula sur le plancher, étourdi.

Méricius, maintenant, faisait face au duc Drorimius. Celui-ci semblait sortir d'une bataille : manche déchirée, estafilade au bras, ecchymoses au visage.

— De quoi te mêles-tu, toi ?

— N'avez-vous pas fait assez de tort autour de vous, Drogomir et toi ? Avant que vous ne vous tourniez vers la sorcellerie, la Sumagne était unie et paisible. Après, cela n'a été que trahison, usurpation, guerre et tyrannie. Encore aujourd'hui le sang coule, parce que les hussards de Drogomir se raccrochent à notre pays. Et ton fils, Méricius, ton propre fils...

— Suffit ! l'interrompit le sorcier. Que viens-tu quémander encore ?

— Je ne quémande rien. J'exige que, pour une fois, tu démontres un peu de droiture et de générosité.

— Entendez le noble duc ! ironisa Méricius.

— Si la Sumagne — la Sumagne qui était ton pays — est en voie de retrouver la liberté, l'unité, et l'héritier de son trône, c'est en bonne partie grâce à sire Ludovic. Montre un peu de reconnaissance, pour une fois. Es-tu si avare de tes pouvoirs que tu ne puisses lui accorder ce qu'il demande ?

Le sorcier haussa les épaules d'un air excédé, et répliqua :

— Je verrai ce que je peux faire.

Il passa devant Thoriÿn, encore affalé contre le mur, et entra dans la bibliothèque. Il ouvrit *Les Phrases de l'Oracle*, sans même prendre le temps de s'asseoir, et feuilleta de son unique main.

Thoriÿn, même si tout son corps lui faisait mal, alla se poster dans la porte pour surveiller le sorcier. Ludovic, lui, vint au-devant du duc :

— Par quel miracle vous trouvez-vous ici ?

— Une affaire époustouflante. Fabrice ne nous en prépare jamais d'autres !

— Vous aviez appris, bien sûr, qu'il avait quitté l'Uthaxe…

— Par l'écuyer de Patricius, oui. Mon fils m'envoyait une dépêche annonçant qu'il se voyait contraint de suivre Fabrice dans une aventure insensée. Il ne pouvait l'en empêcher, il lui restait simplement à l'accompagner pour le protéger et tenter de le raisonner.

— Il n'est pas du genre raisonnable, commenta amèrement Ludovic.

— Dès que j'ai su cela, j'ai confié le gouvernement au conseil de régence et j'ai choisi une troupe de chevaliers d'élite. Nous avons suivi la frontière de la Sumagne orientale jusque dans les Osmégomor, au nord, puis nous l'avons franchie. C'est une région peu habitée ; nous l'avons traversée surtout la nuit, comptant sur notre petit nombre pour passer inaperçus.

— Vous étiez…

— Une vingtaine. Nous ne pouvions savoir où était rendu Fabrice, alors j'ai choisi d'aller d'abord à l'Askiriath. Nous sommes arrivés dans la vallée hier au soir.

— Mais la garnison, devant le pont de l'Osmériath ?…

— Nous nous sommes approchés à la faveur de la nuit, nous les avons pris par surprise à l'aube. Heureusement, nos éclaireurs avaient constaté que les hussards étaient peu nombreux, sans quoi nous n'aurions jamais osé.

— Le reste de la garnison a été battu à Karpiath et dans la lande de Chuvigor.

— Je sais, Fabrice et Patricius m'ont raconté.

— Vous les avez rencontrés ?

— À l'entrée de la forteresse. Fabrice m'a annoncé qu'il a tué Drogomir, est-ce vrai ?

— Oui, répondit laconiquement Ludovic.

— J'ai vu le casque. Mais c'est à peine croyable. Comment un simple garçon ?...

— Il l'a attaqué par surprise. Moi non plus je ne comprends pas que le Nécromant... Peut-être était-il trop sûr de son invincibilité. Mais, si Fabrice n'avait frappé qu'avec une épée ordinaire, il n'aurait même pas pu blesser Drogomir.

Dans la bibliothèque, Méricius, penché sur le grimoire, tournait les pages plus lentement, maintenant. Manifestement il savait exactement ce qu'il cherchait.

— Et que ferez-vous maintenant ? demanda Ludovic au duc.

— Fabrice tient à rejoindre une insurrection qui serait en cours dans la lande de Chuvigor, menée par des barons de la région.

Le ton était un peu interrogatif, comme si Drorimius doutait de ce que lui avait dit son neveu et en demandait confirmation à Ludovic.

— Oui, ils nous ont prêté main-forte.

— Je vais accompagner Fabrice, essayer de juger l'ampleur du mouvement. De retour à Sorovia, je lèverai une armée pour appuyer l'insurrection. Mais le plus pressant est de ramener le prince en sécurité. Il paraît que nous aurons en plus un trésor à transporter! Vous vous rendez compte que ce n'est pas fait: non seulement nous aurons toute la Sumagne orientale à traverser, avec ses garnisons de hussards un peu partout, mais encore nous sommes ici en Troïgomor. Drogomir est peut-être mort, mais ses maréchaux ne le sont pas, eux.

À cet instant, un étourdissement apprit à Ludovic que les dernières gouttes de la potion verte commençaient à perdre leur effet. Il alla vers la bibliothèque.

— Où en est-il? demanda-t-il à Thoriÿn.

— Vous pouvez me parler directement, intervint Méricius sans lever les yeux du grimoire.

— Alors, où en êtes-vous? *Les Phrases de l'Oracle*, vous vous y retrouvez?

— Si je m'y retrouve? Drogomir et moi avons étudié ce livre ensemble, au temps où il ne m'avait pas encore trahi.

L'étonnement de Ludovic se traduisit non seulement par son expression mais aussi, probablement, par une exclamation, car Méricius leva la tête vers lui:

— Ah! bien sûr, vous ne pouviez le savoir puisque vous n'êtes pas d'ici: Drogomir et moi étions frères, ainsi que ce cher Drorimius, le plus jeune.

Ludovic était littéralement bouche bée, peu conscient de l'air stupide que cela lui donnait.

— Et mes deux aînés, intervint le duc, se sont laissé tenter par la science noire de la sorcellerie. D'où tous les malheurs qui...

— Oh ça va, monsieur le duc! l'interrompit Méricius.

Et, pointant du doigt un paragraphe du grimoire, il annonça:

— J'ai ici une formule qui brisera tout charme d'éternité. Si celle-là ne suffit pas, eh bien, tant pis! J'ai à voir à mes propres affaires.

Thoriÿn et Ludovic entrèrent dans la bibliothèque; Drorimius resta dans les marches près de la porte.

Sur un geste de Méricius, un pan de mur disparut pour faire place à la forêt de Chandeleur, la même scène qu'avait montrée, cette nuit, la bouteille magique. On voyait Ludovic dormant adossé à un arbre, transformé en statue.

Méricius s'éclaircit la gorge et, s'écoutant parler un peu comme un acteur de théâtre, il prononça la formule du contre-charme.

La statue, là-bas, éclata en mille fragments qui devinrent sable avant même de retomber au sol. Et ce sable devint poussière, et la brise dispersa cette poussière.

Désemparé, Ludovic resta muet. Même s'il n'entendait rien à la magie, il comprenait que jamais il ne pourrait retourner dans son monde. L'ancre qui l'y retenait était brisée, il n'y avait plus de lien, plus de fil, rien qui puisse le ramener. Cela il le savait car il avait *senti*, dans son être même, l'anéantissement de cet autre corps et le retour brusque de tout son principe vital dans *son* corps, celui du baron de Corvalet.

C'était comme une décharge galvanique, et il resta un instant hors de souffle, le cœur battant à tout rompre.

Méricius aussi était décontenancé. Clairement ce n'est pas l'effet qu'il escomptait. Mais il cacha son embarras et, après un instant de mutisme, il dit simplement :

— Bon.

Refermant le grimoire et le prenant sous son bras, il ajouta en partant :

— Te voilà libéré du maléfice de Drogomir. Ta flamme de vie brille comme celle d'un enfant, j'espère que tu es satisfait !

17

L'autre envoûtement

Ludovic aurait pu être consterné à l'idée de ne plus pouvoir retourner à son univers. Mais la joie d'être sauvé, de se sentir vivant à nouveau, vivant de sa propre vie et non grâce à l'effet précaire d'une potion, compensait amplement. Du reste, ne l'avait-il pas confié à Thoriÿn, dans les jardins de Doribourg, le soir du mariage royal : il avait toujours rêvé de vivre dans un monde comme celui d'Uthaxe et d'Ithuriën. Son « mal du pays » n'était pas authentique, il venait d'un envoûtement; une fois le sortilège brisé, Ludovic ne se sentait plus attiré vers son univers d'origine.

Ludovic et Thoriÿn restèrent dans l'Askiriath jusqu'au lendemain. Le petit magicien, soulagé du grimoire qui l'avait tant tourmenté, tenait à inventorier la bibliothèque du Nécromant.

— À chacun sa curiosité, disait-il. Je ne puis séjourner dans la demeure d'un si puissant sorcier sans jeter un coup d'œil à ses livres. Qui sait, j'en trouverai peut-être quelques-uns d'utiles, et qui ne soient pas trop dangereux pour un modeste magicien comme moi.

Ludovic, lui, était plus pressé de partir : guéri du maléfice, il était la proie d'un autre tourment qui, maintenant, se faisait sentir avec plus d'acuité. C'est Lauriane qui le tourmentait ainsi. Son visage le hantait, et surtout ses yeux, deux flammes vertes qui semblaient constamment brûler devant lui, ténues, transparentes, feux follets jumeaux qui ne le quittaient presque plus.

En plus, Ludovic n'était pas rassuré de rester en Troïgomor. La disparition de la garnison au grand complet ne pouvait être passée inaperçue. Des renforts ou un contingent de remplacement seraient sûrement envoyés à l'Askiriath.

Mais Ludovic et Thoriÿn partirent sans encombre et quittèrent les monts Osmégomor. Le lendemain, ils passèrent une demi-journée chez Alfir, à l'orée de la forêt de Chuvigor, et ne repartirent qu'au matin. La forêt était aussi déserte et tranquille que lorsqu'ils l'avaient traversée à l'aller. Mais lorsqu'ils en sortirent, au nord de Byriath, ils virent que l'aventure n'était pas terminée pour tous.

Les quelques dommages infligés au fort pendant le siège avaient été réparés et Byriath était devenu le bastion de l'insurrection contre l'occupant Troïgomois. Tous les barons de la région, ralliés par Phylius, y avaient rassemblé leurs troupes pour préparer une grande offensive. C'est là que le prince Fabrice et son oncle le duc s'étaient rendus, avec les coffrets d'or pris dans l'Askiriath.

Or, lorsque Ludovic et Thoriÿn sortirent de la forêt, ils virent au loin, un peu en contrebas, le fort de Byriath encerclé par une armée. Le gros de cette force campait à quelque distance, en demi-cercle, à l'ouest et au sud du fort : c'étaient donc, selon toute vraisemblance, des troupes d'occupation appelées du reste de la Sumagne lorsque la garnison de Byriath avait été vaincue.

— Et bientôt, fit sombrement Thoriÿn, il en viendra autant de Troïgomor même, tu verras. La frontière n'est pas si loin. Alors le prince, le duc et leurs barons ne seront pas mieux que morts.

Dans l'éclairage rasant, orangé, du couchant, la lande au-delà du fort semblait semée d'une poussière sombre, chaque grain étant un cheval, un hussard ou une tente en train d'être montée.

— Ils sont des centaines, estima Ludovic avec consternation. Nous ne pouvons rien du tout !

* * *

Byriath était encombré : le fort n'était construit que pour loger une modeste garnison.

Maintenant, chaque salle était comble et il y avait des tentes plein la cour intérieure; des soldats se préparaient même à dormir à la belle étoile, sur le chemin de ronde. On n'attendait l'attaque que le lendemain au matin. Si elle ne venait pas, le fort serait trop surpeuplé pour soutenir un long siège.

Dans ce qui avait été le bureau du gouverneur militaire, le prince Fabrice tenait conseil avec son oncle Drorimius, son cousin Patricius, Phylius de Tanerau et les quelques barons qui s'étaient joints à l'insurrection.

— La situation offre un avantage malgré tout, disait le prince en essayant de masquer son angoisse. Ils ont dû dégarnir plusieurs garnisons pour rassembler autant de hussards ici. Les villages en profiteront peut-être pour se soulever. À l'heure qu'il est, toute la Sumagne orientale doit savoir que j'ai tué Drogomir.

Drorimius fit un geste de modération:

— Toute la Sumagne, toute la Sumagne... Il ne faudrait pas prendre vos désirs pour la réalité, mon neveu.

Mais Phylius intervint:

— Le réseau de la résistance loyaliste est très efficace. Demain au plus tard, toute la Sumagne orientale saura que le prince est venu libérer son peuple.

— Et le surlendemain, rétorqua Drorimius, toute la Sumagne saura que le prince a été vaincu à Byriath.

La lucidité du duc jeta un froid: chacun

savait qu'il avait raison, que les assiégés de Byriath, se trouvant à un contre cinq, n'avaient aucune chance de tenir tête aux hussards. Mais personne, jusqu'ici, n'avait osé le dire tout haut.

À cet instant, un soldat frappa à la porte du bureau et entra:

— Les assiégeants envoient un émissaire, annonça-t-il.

Le prince et les autres se levèrent, prirent casques et épées, sortirent dans le soir qui tombait.

La soirée était fraîche, mais ce n'était pas un froid d'hiver comme dans les Osmégomor. Le ciel était limpide, étoilé, encore bleu-vert à l'ouest. Sur le chemin de ronde, au-dessus de la porte, entre deux flambeaux fichés aux créneaux, le prince Fabrice parut.

En contrebas, à cheval devant le pont-levis, un gouverneur militaire était encadré de six capitaines de hussards.

— Vous occupez illégalement ce fort, lança le gouverneur. Mandez votre chef, qu'il vienne faire sa reddition.

— Voici notre chef, répondit Phylius de Tanerau qui se tenait un peu en retrait du garçon. Fabrice, prince de Sumagne, héritier légitime du trône.

Les Troïgomois furent interloqués. Le gouverneur cacha mieux sa surprise: il avait sûrement eu vent des rumeurs courant dans tout le pays au sujet de la venue du prince.

Fabrice prit la parole:

— C'est vous qui occupez illégalement ce pays. Et par Arhapal, épée des rois d'Uthaxe et de Sumagne, nous vous en chasserons.

Ce disant, il tira de son fourreau l'épée magique et la brandit dans la lumière des torches. Derrière et autour de lui, les soldats la saluèrent d'une puissante clameur:

— ARHAPAL !

Brièvement, Fabrice revit les villages qu'il avait traversés ces derniers jours, l'accueil triomphal des paysans lorsqu'il annonçait leur libération. Instants d'ivresse aussi intenses que celui-ci; de quoi faire oublier momentanément sa situation sans espoir.

— Dans tout le pays mon peuple se soulève, vos hussards et vos spadassins ne seront jamais assez nombreux pour le contenir.

Cela, le gouverneur le savait. C'est pourquoi il comptait vaincre et capturer les meneurs de l'insurrection. S'il pouvait s'emparer du prince Fabrice lui-même, le montrer fers aux pieds dans toute la Sumagne orientale, ce serait la fin de la rébellion. Son épée Arhapal, même si la légende la disait magique, ne pourrait rien contre mille hussards. Le gouverneur répliqua:

— Si les hommes qui t'accompagnent ont quelque valeur pour toi, épargne leur vie en te rendant sans combat. Autrement, ils mourront jusqu'au dernier.

— Et toi, riposta le prince, si tu ne veux pas que tes hussards soient massacrés comme ceux de l'Askiriath, rentre au plus vite dans ton pays.

Bientôt, sûrement, les maréchaux de Drogomir auront besoin de vous pour contenir le peuple de Troïgomor.

La perplexité parut sur les traits du gouverneur. « De quoi parle-t-il, ce jeune fanfaron ? » Mais l'explication vint vite, et la stupeur remplaça la perplexité : Fabrice avait levé le bras gauche et, dans sa main, il tenait par une pointe le casque noir du Nécromant.

— Je vois que vous reconnaissez ceci, triompha le prince Fabrice. Le sorcier qui portait ce casque est mort, terrassé par Arhapal dans les ruines de l'Askiriath.

Le gouverneur était sans voix. Ces bruits, ces bruits qui couraient dans le pays depuis hier, plus timides encore que des rumeurs, la nouvelle invraisemblable de la mort de Drogomir, il ne les avait pas un instant pris au sérieux. Mais maintenant, ce casque... Non, c'était impossible ; le casque avait été trouvé dans les ruines de la forteresse, Drogomir lui-même s'était retiré à Triga. Le jeune prince bluffait, assurément.

Cependant le doute était semé, en particulier parmi les capitaines de hussards. Fabrice en profita, mentant effrontément :

— À l'heure où je te parle, ex-gouverneur, la frontière a été traversée en deux endroits : une armée venant de Sumagne occidentale, une autre du royaume frère, l'Uthaxe. N'attends aucun secours de Troïgomor : les maréchaux de Drogomir se disputent déjà son trône, leurs troupes se guettent l'une l'autre et surveillent le peuple qui s'agite.

Le gouverneur militaire, complètement désarçonné, se composa une attitude. Il rit, d'un long rire sonore, et lança :

— Jeune cabotin, va, tu donnes un bon spectacle. Mais il se fait tard, nous rentrons à notre camp. Demain à l'aube, si tu n'es pas sorti de ce fort pour déposer tes armes, nous attaquerons.

Là-dessus il tourna bride, et Fabrice ne trouva rien à répliquer.

* * *

L'angoisse tint Fabrice éveillé une bonne partie de la nuit. « Si maître Thoriÿn était là » songeait-il. « Un prodige, il n'y a que ça qui pourrait nous sauver ». Mais Thoriÿn était avec sire Ludovic, et Ludovic ne voulait plus voir Fabrice. Peut-être sa colère était-elle passée, maintenant qu'il était sauvé, mais le prince ignorait où se trouvait Ludovic.

Le sommeil eut finalement raison de lui, malgré la situation : ces dernières journées de chevauchée l'avaient épuisé.

Lorsqu'il s'éveilla en sursaut, secoué à l'épaule, il eut l'impression qu'il venait tout juste de s'endormir.

— Viens, il se passe quelque chose, lui souffla Patricius.

Le bureau de l'ancien gouverneur était vide : Drorimius, Phylius de Tanerau, les barons, tous avaient quitté les fauteuils où ils s'étaient accordé quelques heures de repos.

— Quelle heure est-il ?

— Le soleil se lève dans une heure, répondit Patricius.

Une fois dehors, Fabrice constata que le ciel s'était entièrement couvert : on n'apercevait plus aucune étoile. Le fort était plein d'une animation silencieuse : des soldats sortaient dans la cour, grimpaient sur les chemins de ronde et dans les tourelles, d'autres passaient d'une tente à l'autre pour réveiller leurs camarades, leur chuchotant de s'armer sans bruit.

Sur les talons de son cousin, Fabrice monta au chemin de ronde. À la lumière des flambeaux il reconnut, de dos, son oncle et les barons, qui regardaient vers la plaine. Il s'approcha lui aussi des créneaux.

On entendait, en provenance du camp ennemi, une rumeur lointaine mais claire, faite de cent bruits différents : ordres à voix haute, hennissements de chevaux, cliquetis d'armes. Devant les feux, des silhouettes passaient en hâte, révélant l'agitation du camp.

— Ils se préparent à attaquer ? demanda Fabrice.

Une boule d'angoisse lui était montée à la gorge ; il se revoyait dans le château de Karpiath assiégé.

— Le gouverneur, murmura Drorimius, vous avait pourtant accordé jusqu'à l'aube pour vous rendre.

— Manifestement, commenta l'un des barons, ils n'entendent pas accorder le moindre délai.

Ils continuèrent de prêter l'oreille, prince, duc, marquis, barons, capitaines et tous leurs hommes: des centaines d'oreilles guettant les bruits de la plaine, des centaines d'yeux scrutant la nuit noire. Et une même angoisse qui croissait, croissait, croissait.

Drorimius avait encore d'excellents yeux:

— Bizarre, murmura-t-il. Pourquoi défont-ils leurs tentes ? Ils ne comptent pas tous coucher à Byriath la nuit prochaine, quand même ?

Une idée vint à Fabrice, peut-être la même qui vint à ses compagnons ; mais elle était si absurde qu'il l'écarta sans même la formuler, comme eux.

À l'heure où la nuit se dissipait quelque peu, au levant, une sentinelle vint prévenir que les bruits avaient cessé au nord et à l'est du fort. Mais il faisait encore trop noir pour voir quelle formation avaient adoptée les assiégeants.

Drorimius alla se rendre compte par lui-même, grimpa dans une tourelle d'angle pour tenter de mieux voir. Il ne revint qu'après un bon moment, annonçant d'une voix égale:

— Il n'y a plus un seul hussard sur les flancs est et nord.

— Quelle sorte de stratégie est-ce là ? demanda nerveusement un baron.

À l'est, une lueur blafarde se diffusait sous le couvert nuageux. Dans le camp ennemi les feux déclinaient, s'éteignaient un à un sans que personne ne se souciât de les rallumer. L'œil exercé parvenait maintenant à distinguer, en noir sur sombre, les mouvements des hussards. La rumeur diminuait.

— Ils se regroupent au sud-ouest. Tous.

— Concentrons nos hommes de ce côté, ordonna Fabrice. L'ennemi veut donner un assaut unique, regroupé : il veut tirer parti de la force brute du nombre.

L'ordre fut transmis, le mouvement se fit presque sans bruit dans le fort.

À l'horizon de l'est il y avait maintenant une bande lumineuse, blanchâtre. À la nuit succédait, sur la plaine, un crépuscule encore sombre. On commençait à distinguer quelques vallonnements peu prononcés, qui étaient le seul relief. Là où avait campé l'ennemi, on ne distinguait plus que les points noirs des feux éteints.

Les hussards eux-mêmes étaient concentrés en une colonne, de peut-être dix cavaliers de large, et ils étaient déjà en mouvement. Vers le sud-ouest.

Ils tournaient le dos aux assiégés et s'éloignaient du fort.

* * *

Thoriÿn et Ludovic avaient passé la nuit dans la forêt de Chuvigor : au crépuscule, une patrouille de hussards à l'orée les avait inquiétés et ils avaient jugé plus prudent de s'enfoncer assez loin dans le bois, de telle sorte que leur feu de camp ne soit pas visible de la plaine.

Lorsqu'ils revinrent à l'orée de la forêt, le jour était levé depuis plus d'une heure. La plaine était déserte.

La première idée de Ludovic fut que la bataille avait eu lieu durant la nuit et que tout était déjà fini. Mais il n'y en avait aucune trace : le fort était intact, il n'y avait de cadavres nulle part autour. À l'évidence, les hussards avaient levé le camp.

Le temps était frais, le ciel plombé ; on eût dit que le soleil venait de se coucher, non qu'il venait de se lever. La neige se mit à tomber, une fine neige dont les flocons erraient en tout sens, semblant ne jamais vouloir se poser au sol.

Dans l'air froid, Ludovic vit un tourbillon se former. Il crut d'abord à une bourrasque chargée de neige, puis cela lui parut une vapeur blanche qui gagnait rapidement en densité, s'agitant comme une flamme sans éclat. Ensuite cette vapeur se matérialisa en voiles translucides agités par une forte brise. Au milieu d'eux parut une forme, diaphane elle aussi, une forme humaine qui flottait bien au-dessus du sol, dans une position parfois presque couchée, parfois oblique, jamais debout.

Tout cela apparut en quelques secondes, et Ludovic recula, effrayé. Même Thoriÿn parut saisi, mais lui ne s'inquiéta pas :

— Un elfe ! souffla-t-il, et il y avait dans sa voix un enthousiasme émerveillé.

L'être avait une peau très claire, des cheveux d'un blanc bleuté, fins comme des cheveux de bébé et longs, flottant comme des voiles. Beau, mais d'une beauté inhumaine, inquiétante, presque féroce : traits délicats, lèvres minces, nez étroit, menton droit, pommettes hautes, et des yeux allongés, sombres, bleu royal ou indigo mais sans blanc. Impossible de juger si c'était un elfe ou une elfe, même lorsque l'être parla :

— Vous êtes Thoriÿn, le magicien, et sire Ludovic.

Une voix comme aspirée, ténue, avec une résonance qui ressemblait à un écho.

Tour à tour le regard de l'elfe s'était posé sur chacun, et Ludovic s'était senti glacé, transpercé, avec l'impression que l'elfe n'ignorait rien de lui. Et il réalisa qu'effectivement l'elfe pouvait l'avoir suivi depuis trois semaines sans qu'il n'en sût rien, car ces êtres étaient d'ordinaire invisibles.

— Lauriane, reine des dryades, m'a prié de vous chercher. Elle s'inquiétait pour le mortel nommé Ludovic.

— Il s'en est sorti presque indemne, répondit Thoriÿn à sa place. Je ne puis en dire autant de moi.

Il montra son bras, qu'il ne portait plus en écharpe mais qui était encore faible et sensible. L'elfe n'y jeta qu'un bref regard : manifestement, les maux du corps humain lui étaient indifférents.

— Elle a envoyé un groupe d'archers pour vous escorter à travers la forêt de Rassalhiën.

Le sylvain Lorelan vous attend au gué de la Garovia.

— La Garovia ?

— La rivière où nous avons échappé aux molosses, expliqua Thoriÿn.

Ayant livré son message, l'elfe partait déjà. Comme emporté par une bourrasque de vent, il fila, traînée blanche et phosphorescente qui parut s'éteindre telle une flamme. Il n'y eut plus que la neige qui tombait, clairsemée, sous un ciel de plomb.

Dérouté par une si brève apparition, Ludovic scrutait l'air là où s'était volatilisé l'elfe.

Thoriÿn attira son attention vers le fort de Byriath : une troupe de cavaliers en sortait au galop, prenant la direction du sud-ouest. Le magicien sortit sa longue-vue, identifia l'étendard royal de Sumagne, crut reconnaître le prince Fabrice parmi les cavaliers de tête.

Il en sortit plus d'une centaine.

— Où vont-ils donc comme ça ? se demanda Thoriÿn.

— Nous ne le saurons pas aujourd'hui, en tout cas : nous allons vers le sud.

— Tu n'es pas curieux de savoir dans quoi notre jeune prince se lance à nouveau ?

— Je n'ai pas fait le vœu de le suivre dans toutes ses aventures militaires. Je vous rappelle que c'est lui qui a tenu à m'accompagner vers l'Askiriath ; ce qu'il entreprend ensuite ne me concerne pas.

Là-dessus, Ludovic se mit en route. Thoriÿn

suivit, se disant que, décidément, l'amour d'une dryade pouvait beaucoup changer un homme.

* * *

Peu après que l'ennemi eût levé le camp, un messager à cheval se présenta aux portes de Byriath. Il était dans les parages depuis la veille au soir, expliqua-t-il, mais l'encerclement du fort l'avait empêché d'apporter sa nouvelle.

— Et cette nouvelle? s'impatienta le prince Fabrice.

— Une armée d'Uthaxe est entrée en Sumagne orientale avant-hier, près de Tarau.

Le garçon resta sans voix devant un revirement si inespéré. Phylius lui dit:

— Le gouverneur militaire qui est venu exiger votre reddition hier était justement celui de Tarau. Il a dû recevoir la nouvelle lui aussi et il a trouvé plus urgent d'aller défendre son propre fort. Peut-être a-t-il là-bas un butin qu'il veut protéger.

— Je me demande, dit Fabrice à mi-voix, ce qui a pu décider Fréald d'Uthaxe à intervenir. Il avait pourtant été catégorique, à Doribourg.

— Reste à savoir de quelle importance est l'armée qu'il a envoyée. La bataille sera décisive pour la suite de l'insurrection. Partout dans le pays, les garnisons sont réduites: elles ne pourront plus tenir les villages si les hussards sont défaits à Tarau. Déjà la mort de Drogomir...

— Alors il faut poursuivre nos assiégeants

d'hier, décida le prince. Les harceler, les retarder ou les affaiblir, en espérant qu'ils arriveront trop tard ou trop peu nombreux à Tarau.

— Est-ce bien sage ? demanda un baron.

— Nous agirons prudemment, mais il faut agir : l'Uthaxe est venue à notre aide, je ne vais pas m'asseoir en attendant qu'un allié gagne la guerre pour moi.

— C'est juste, commenta Drorimius, ce qui surprit un peu le prince.

En fait, le duc voyait là une occasion de rapprocher Fabrice de la Sumagne occidentale. Une fois là-bas, peut-être pourrait-il le convaincre de rentrer à Sorovia et de laisser les adultes finir cette guerre.

C'est ainsi que le prince, le duc, le marquis et les barons sortirent au galop de Byriath, à la tête de cent cavaliers, à l'heure où l'elfe quittait Ludovic et Thoriÿn.

* * *

C'est seulement au crépuscule que Thoriÿn et Ludovic arrivèrent en vue de la petite rivière au bord de laquelle ils avaient affronté les gnomandres montés sur leurs molosses.

— Le gué est un peu plus loin en aval, dit Thoriÿn en observant les lieux. Tiens, voilà le vestige de cabane où nous avions passé la nuit.

Ludovic aperçut lui aussi les restes de murs au sommet d'une petite dune, tel un chicot sur une gencive nue.

— Nous passerons la nuit là, décida le chevalier. Il nous reste juste assez de jour pour nous y rendre. Inutile de s'approcher de la forêt ce soir.

Ils s'y dirigèrent, au trot de leur monture. La neige folle tombait encore, mais sans rester au sol.

Assis au sommet d'un pan de mur de l'ancien refuge, Lorelan les attendait, un sourire aux lèvres. Apparemment remis de sa blessure à la jambe, il sauta de son perchoir lorsque Ludovic descendit de licorne, et ils s'embrassèrent avec chaleur.

— Etes-vous tombé de cheval, maître Thoriÿn ? demanda le sylvain sur un ton narquois, en remarquant que le magicien était éclopé.

— Et vous, maître sylvain, gardez-vous une belle cicatrice à la cuisse ?

Pour montrer qu'il n'était pas encore impotent, Thoriÿn enflamma d'un coup de baguette le tas de branches que Lorelan avait réunies pour faire un feu.

— Un elfe nous a prévenus que la reine a envoyé des archers pour nous escorter…

— Oui, ils sont à l'orée de la forêt, ils s'assurent qu'il n'y a pas de gnomandres dans la région. Justement…

Il prit son olifant et lança deux notes différentes, auxquelles en répondit une autre, fort lointaine.

— Nous les rejoindrons au matin, nous passerons la nuit ici. Vous avez beaucoup à raconter, j'en suis sûr.

En préparant le souper et en le savourant, ils narrèrent leurs aventures au sylvain. Quand ils eurent fini, ils demandèrent à leur tour des nouvelles de la campagne qu'avaient menée le peuple blond et ses alliés au pays des farfadets.

Elle avait été couronnée de succès. Encerclés au nord-ouest par les sylvains d'Esthuriën, au sud-est par les faunes, les gnomandres avaient été attaqués de front par les sylvains d'Ithuriën et par les farfadets. Ils s'étaient battus férocement mais, constatant que leur allié le Nécromant ne leur venait pas en aide, ils avaient retraité, seulement pour être accueillis par les hommes de Mendaluÿn, qui les avaient massacrés dans la prairie ou refoulés dans les marais de Barwidd aux vases traîtresses.

La victoire acquise, la reine Lauriane et sa sœur Noriane avaient convenu d'une nouvelle campagne, tout à fait à l'ouest, celle-là. Il s'agissait de nettoyer la forêt, au nord-ouest d'Haguriën, de tous les gnomandres qui pouvaient y rester. Et on croyait qu'il n'en restait pas beaucoup, surtout après le massacre qu'en avaient fait Lorelan, Ludovic et leurs compagnons. C'est cette campagne qui était présentement en cours, et l'escorte destinée à Ludovic et Thoriÿn était au nombre des archers lancés dans cette offensive.

— Il ne restera plus, conclut Lorelan, que Rassalhiën et Rassalhest.

— De gros morceaux à reprendre.

— Mais la nouvelle de la mort du Nécromant

parviendra bientôt aux gnomandres. Je parie qu'ils trouveront plus sage de se retirer en Rassalhag sans combattre.

— Je le souhaite, commenta Ludovic, écœuré par toutes ces guerres.

Le silence tomba, et il dura un bon moment. Inévitablement, les pensées de Ludovic revinrent à la reine des dryades. Il se sentait attiré vers elle comme phalène vers la flamme d'une lampe et, tel le papillon, il craignait de se brûler à ce feu, un simple mortel consumé par un être magique.

— C'est cet amour qui te tourmente encore ? demanda doucement Thoriÿn.

Ludovic s'en était ouvert à lui, au cours des récentes soirées, et le petit magicien devinait facilement que c'était encore à cela qu'il pensait.

— Je ne comprends pas, murmura le jeune homme. J'ai déjà été amoureux, mais ceci... c'est autre chose. Parfois je me demande si Lauriane n'est pas elle-même magicienne, et si elle ne m'a pas ensorcelé...

Lorelan et Thoriÿn échangèrent un regard prolongé. Prenant une inspiration comme pour se préparer à quelque chose de difficile, le petit magicien annonça :

— Ludovic, il y a longtemps que j'aurais dû t'en parler, mais...

— Quoi, elle *m'a* envoûté ?

— D'une certaine façon, oui. Lorsqu'elle t'a transmis son souffle par l'intermédiaire de ton

Silvaran, pour te ranimer, c'est un peu de sa vitalité qu'elle t'a insufflée. Et par cela elle a créé entre vous un lien... C'est pareil à un envoûtement, ou à l'effet d'un philtre d'amour.

— Nul mortel ne peut y résister, dit Lorelan. C'est ce qui est arrivé à ce vieil homme, Dydald, que tu as rencontré chez nous.

— Lauriane n'avait pas le choix, expliqua Thoriÿn. Elle avait déjà de l'attirance pour toi et, lorsqu'elle t'a vu agonisant... Elle connaissait les conséquences, mais elle ne pouvait te laisser mourir sous ses yeux.

« La reine... La reine m'aime, elle aussi ! » Et il se rappela que, le dernier soir, à Féliuriën, elle avait commencé à lui dire quelque chose, puis s'était interrompue, promettant de lui parler plus longuement à son retour.

— Et je suis lié à elle... à jamais ? Un autre sortilège d'éternité ?

— Peut-être pas, répondit Thoriÿn. Tu es d'un autre monde. Possible que la magie de ce monde-ci ait moins de prise sur toi.

Mais, pour l'heure, cette magie avait entièrement prise sur Ludovic. Et si Lauriane l'aimait elle aussi, ce serait un sortilège d'éternité aux conséquences agréables.

Après un silence, Lorelan crut nécessaire d'ajouter :

— Le souffle de la reine, c'est en même temps le souffle de la Ghaste Forêt. Un peu de l'Ithuriën est entré en toi par le Silvaran, et il s'est créé le même lien : la forêt t'attire autant que la reine et tu ne pourras la quitter, pas plus que tu ne pourras quitter Lauriane.

— Je ne pourrai jamais quitter l'Ithuriën ?

— Pour quelques semaines, quelques mois peut-être, mais toujours il te faudra y revenir, sans quoi tu te sentiras dépérir. Comme nous, sylvains et dryades, qui sommes des parties vivantes de la Forêt.

Se renversant un peu, Ludovic s'adossa contre le pan de mur, les yeux fixés sur le feu de camp. L'automne, dans la Ghaste Forêt, ne devait pas être très avancé ; les arbres devaient encore avoir toutes leurs feuilles, douces gerbes couleur de flamme.

Il avait hâte d'y retourner.

18

Les cadeaux du prince Fabrice

Dans la clairière de Féliuriën, l'herbe était encore verte, même si les arbres avaient perdu presque toute leur parure d'or et de vermeil. Au matin on trouvait parfois sur les bords de la lagune une mince croûte de glace, limpide comme le cristal.

À nouveau se côtoyaient gondoles, barques, yoles et balancelles, car les peuples fées se rassemblaient pour célébrer la réunification de la Ghaste Forêt: Rassalhiën, Esthuriën et Farfahriën étaient débarrassées des gnomandres. Après leur terrible défaite en Farfahriën, les gnomes s'étaient retirés presque sans combattre vers leur forêt de Rassalhag: sans la puissance du Nécromant pour maintenir les ténèbres, ils ne pouvaient résister à l'avance des archers sylvains.

Demain, faunes et nymphes, farfadets et farfadames, sylvains et dryades d'Ithuriën et d'Esthuriën, gens de Mendaluÿn, allaient fêter cette victoire de leur loyale alliance.

La reine Lauriane à son bras, Ludovic se promenait en compagnie de Thoriÿn sur la rive nord du Sinduriën. Ils avaient traversé à l'aube sur le Pont des Brumes, pour voir dans quel état la retraite des gnomes et la fin du Nécromant avaient laissé les bois de Rassalhiën.

L'aspect lui-même ne pouvait avoir changé en si peu de temps, mais l'ambiance était différente, et c'était déjà beaucoup: on ne sentait plus peser cette oppressante noirceur de toutes choses, cette atmosphère délétère où toute vie semblait dénaturée, empoisonnée.

— Combien de temps faudra-t-il, demandait Ludovic, pour que toute cette forêt redevienne lumineuse comme l'Ithuriën ?

— Des années, répondit Lauriane. Des lustres, même. Mais, pour notre peuple, c'est peu. Maintenant que le Nécromant a été jeté dans le puits du monde, nous pourrons nous mettre à la tâche avec la certitude que la lumière durera.

Un jeune courrier se présenta, porteur d'un pli scellé.

— Le sceau royal de Sumagne, dit Lauriane en examinant le cachet. Qui t'a remis ce message ?

— Le prince Fabrice de Sumagne, qui campe sur la rive droite de la Garovia.

Thoriÿn et Ludovic échangèrent un regard.

C'étaient les premières nouvelles qui leur parvenaient du jeune prince depuis que le bref siège de Byriath avait été levé. Au moins, apprenaient-ils, Fabrice n'était pas mort à la guerre. Ludovic, lui, concevait quelque remords de son attitude. Sa colère après la mort de Drogomir, dans l'Askiriath, était justifiée. Mais, une fois sauvé par l'intervention de Méricius, il aurait dû pardonner à Fabrice son geste précipité.

Avant que n'arrive ce courrier, Ludovic se demandait si Fabrice n'était pas tout simplement mort à la guerre. Cela, il ne se le serait jamais pardonné.

Ayant rompu le cachet, Lauriane lut en silence. Puis, repliant la missive, elle dit à son compagnon :

— Vous serez heureux, mon ami : le prince de Sumagne sollicite l'autorisation d'entrer en Ithuriën pour apporter un présent au chevalier Ludovic, baron de Corvalet et vicomte de Sareyo.

— Vicomte de Sareyo ? s'étonna le jeune homme.

— Un domaine en Sumagne, près de la frontière d'Uthaxe, expliqua Thoriÿn. Juste en face de Corvalet.

— Il m'avait promis un comté, plaisanta Ludovic.

— Il est vite devenu raisonnable, observa Thoriÿn. Il fera un bon roi.

— Le recevrez-vous, mon ami ? demanda Lauriane.

— Ce n'est pas à moi d'accorder l'entrée en Ithuriën, ma reine. Je sais que votre peuple n'aime guère les étrangers. Toutefois, si, dans votre générosité…

— Alors il viendra.

Ludovic se réjouit. Son bonheur de revoir le jeune prince était sans réserve et il voyait dans cette visite un indice que sa campagne militaire avait connu le succès.

Lauriane s'adressa au messager :

— Nous attendons le prince Fabrice demain soir, il aura sa place au banquet. Qu'il vienne avec cet autre jeune homme, son cousin…

— Patricius, indiqua Ludovic.

— Quelques dryades l'ont trouvé joli, pour un mortel.

— Mais prévenez-les, dit Thoriÿn, de ne pas l'envoûter, le pauvre garçon !

Le messager s'étant éloigné, Ludovic demanda :

— Une chose m'intrigue, Thoriÿn, et je voulais vous en parler dans l'Askiriath, mais les yeux de ma reine chassaient tout autre pensée de ma tête…

Lauriane eut un sourire.

— … Méricius et Drogomir étaient frères, et Drorimius leur cadet ?

— Il faut reprendre l'histoire quelques décennies plus tôt, dit Thoriÿn. Il y a trente ans, la Sumagne avait trois princes. L'un, beaucoup plus jeune que ses aînés, était le duc Drorimius. L'autre, le prince Drogomir, fut marié à l'héritière de Troïgomor : il allait en devenir monarque à sa mort. L'aîné fut couronné roi de Sumagne : c'était Méricius.

— Méricius a été roi de Sumagne ? !

— Oui. Et, à l'instigation de son frère, qui avait mis la main sur *Les Phrases de l'Oracle*, il commença à s'intéresser à la sorcellerie. Il s'y intéressa tant qu'il finit par préférer la science occulte à la royauté : il abdiqua en faveur de son épouse Érimie. Et on vit Méricius de moins en moins souvent à Sorovia : il partait pour de longs voyages, parcourait le monde à la recherche de sorciers qui puissent lui enseigner leur science.

Leurs pas avaient ramené Lauriane, Ludovic et Thoriÿn au bord du Sinduriën. Ils trouvèrent une grosse roche plate où s'asseoir. Le petit magicien poursuivit :

— Mais Drogomir, lui, n'avait pas renoncé au pouvoir temporel. Troïgomor ne suffisait pas à son ambition : il devint traître. Il négocia une alliance secrète avec l'Empire sarse et les clans garovingiens : ils convinrent de se partager la Sumagne après une invasion-surprise, sans déclaration de guerre.

Sur le Sinduriën, un boutre remontait lentement le courant, captant dans sa voile triangulaire une bonne brise d'automne.

— Pendant une absence de Méricius, la Sumagne fut envahie, par le sud et l'est. Sorovia fut investie, le palais attaqué, la reine tuée par Drogomir lui-même qui la détestait pour s'être refusée à lui, plusieurs années auparavant. Les enfants d'Érimie, le prince héritier et sa petite sœur, furent sauvés de justesse par le duc Drorimius, demeuré loyal. Il les emmena en Uthaxe, à Valente, pendant que l'usurpateur se proclamait monarque de Sumagne orientale et cédait la partie occidentale à l'Empire.

— Mais c'est l'histoire de Fabrice ! s'exclama Ludovic.

— Eh oui.

— Fabrice est le fils de Méricius ?

— Tout juste.

* * *

À l'approche de la saison froide, la reine Lauriane et sa cour se transportaient dans le palais d'hiver, creusé à même le versant abrupt du rocher, juste derrière les grands arbres qui servaient de palais d'été.

Cette nuit, tandis que derrière lui la reine dormait dans un silence absolu, Ludovic appuyait son front aux carreaux froids de la fenêtre. La lune bleue transformait la rampe de pierre finement sculptée du balcon en une dentelle de glace. Les arbres, aussi hauts que le rocher qui constituait le cœur de l'îlot, créaient un fantastique réseau argenté, la toile en trois dimensions d'une gigantesque araignée qui aurait capturé la lune bleue elle-même.

C'était un spectacle rarement égalé dans le propre monde de Ludovic, où la seule lune était sans couleur. Et pourtant, cette nuit, il avait le mal du pays. La nostalgie d'un monde qui ne recelait pas autant de merveilles, mais qui était le sien, sa terre d'origine.

Maintenant qu'était écartée la lente mort dont l'avait sauvé l'intervention de Méricius, le jeune homme saisissait mieux les conséquences de cette intervention. Jamais il ne pourrait retourner chez lui; il était en exil. Un exil doré, certes, et nul n'aurait pu en rêver de plus agréable, mais un exil quand même.

« Allons » se dit-il, « si tu retournais là-bas, tu t'ennuierais aussi vite de l'Ithuriën et de l'Uthaxe. Tu ne peux pas avoir les deux; contente-toi de ton bonheur ».

Mais ce raisonnement ne suffisait pas tout à fait, et c'est avec un soupçon de mélancolie que Ludovic se résigna enfin à aller se coucher.

Il laissa les rideaux ouverts et, aux côtés de Lauriane endormie, il ne ferma l'œil tant que la lune bleue fut visible dans la résille argentée des grands arbres.

* * *

Le banquet commençait, au palais de Féliuriën, lorsque arriva le prince de Sumagne. Lorelan, qui était de sa taille, lui avait prêté ses plus beaux vêtements de satin vert; car, revenant de la guerre, Fabrice n'avait guère de quoi paraître à un banquet royal.

Un peu intimidé par cette assemblée des peuples fées, où les mortels n'étaient qu'en petit nombre, le prince parut quand même assez bien. Suivi de Patricius, il vint s'incliner devant la reine Lauriane.

— Le royaume de Sumagne, prononça-t-il offre son amitié au peuple d'Ithuriën. Et à la reine, pour sa générosité envers nous, ce modeste présent.

Il ouvrit un écrin et le présenta à la dryade. Sur velours marron, un petit cylindre de bois finement sculpté portait une bague en argent sertie d'une superbe émeraude.

C'était une bien humble gemme, comparée aux pierres de sylve qui, ce soir, brillaient aux doigts et aux oreilles, au cou et au front des sylvains et des dryades réunis. Mais, pour faire honneur au prince, Lauriane mit la bague à son doigt. Ce faisant, elle sentit que le petit cylindre de bois était creux et contenait quelque chose. Elle le secoua délicatement, chercha comment l'ouvrir, sous le regard intrigué de Ludovic.

— Une autre surprise, expliqua Fabrice, que vous regarderez plus tard, s'il vous plaît.

Avec un sourire, la reine remit le petit tube dans l'écrin.

— Et pour le chevalier Ludovic, baron de Corvalet, le titre de vicomte de Sareyo.

Ludovic se confondit en remerciements en recevant le parchemin roulé dans un ruban écarlate.

Patricius, qui avait tendu au prince les cadeaux un à un, fit mine d'en produire un autre, mais Fabrice, d'un geste, l'en retint:

— Plus tard, murmura-t-il.

Les jeunes nobles de Sumagne furent invités à prendre place, Fabrice à côté de Ludovic,

Patricius à droite de Lauriane. D'émoi, le cousin du prince fut presque incapable de manger, durant tout le repas. Aux côtés de la reine des dryades, il avait à tout moment l'impression qu'il allait s'embraser.

Fabrice, lui, en avait long à raconter sur les cinq ou six dernières semaines. La bataille de Tarau, comme l'avait prévu Drorimius, avait été décisive. L'occupant y avait été vaincu, et ses renforts aussi, grâce surtout à l'armée d'Uthaxe. Des yeux, le prince chercha parmi les convives jusqu'à ce qu'il repère Dydald, revenu auprès de sa dryade. Leurs regards se rencontrèrent, le vieil homme eut un sourire et, modeste, il mit un doigt sur ses lèvres. Fabrice, qui voulait le remercier publiquement, ayant appris son rôle dans la décision du roi Fréald, se contenta de lever son verre en sa direction.

Après leur défaite de Tarau, la situation des occupants était devenue intenable dans chaque garnison. Ils s'étaient donc tous rassemblés au centre de la Sumagne orientale pour retraiter ensemble vers Troïgomor. Mais leur marche avait été ralentie par le harcèlement constant des paysans, et ils avaient été rattrapés dans la lande de Chuvigor par le prince Fabrice et une armée fraîchement levée en Sumagne occidentale. Peu de hussards avaient pu rejoindre leur pays.

— J'ai même l'intention, déclara le prince, de repousser jusqu'à l'est des Osmégomor la frontière de Troïgomor, en profitant de la désorganisation actuelle de son armée. Pour l'instant, là-dessus, je suis encore en discussion avec mon oncle Drorimius, mais il devra admettre que c'est stratégiquement une meilleure position pour nous.

Ludovic l'observait à la dérobée, se disant que le petit prince avait changé, en deux mois. Sa maturité était plus affirmée, ses ambitions n'avaient plus l'air d'entêtements d'adolescent.

« C'est un roi qui laissera sa marque » songea Ludovic. « Espérons que ce sera en bien ».

* * *

La nuit était avancée lorsque Lauriane et Ludovic remontèrent vers les appartements royaux. Traversant un salon, ils virent Dydald et le prince Fabrice en grande conversation.

Le garçon prit congé du vieil homme, se dirigea vers la reine et son chevalier.

— Drorimius m'a raconté, dit-il, ce qui s'est passé dans le donjon de l'Askiriath après mon départ. Il a cru comprendre que vous veniez d'un autre monde et que l'intervention de mon… de Méricius vous condamnait à vivre dans le nôtre ?

— « Condamner » n'est pas le mot juste, répondit Ludovic, regardant sa reine avec un sourire.

— Quoi qu'il en soit, j'ai voulu réparer ma faute, et celle de Méricius.

— Vous n'avez pas de faute à racheter, Fabrice. C'est moi qui ai eu tort de vous bouder.

— Mais si, j'ai une faute à racheter. Que le hasard ait corrigé un peu mon erreur, n'y change rien. Alors j'ai...

L'adolescent hésita :

— Mon père m'avait laissé... un moyen de l'appeler à moi, en tout temps. Je ne m'en suis jamais servi, même dans les pires situations, car je ne voulais rien devoir à cet homme. Mais, comme cette fois ce n'était pas pour moi, je l'ai appelé.

— Vous avez revu Méricius depuis l'Askiriath ?

— Et j'ai exigé de lui une réparation, pour tout le tort qu'il vous a fait.

— Il l'a réparé en brisant le sortilège du Nécromant.

— C'est ce qu'il m'a répondu, mais je ne l'ai pas tenu quitte, et j'ai obtenu autre chose.

Il présenta son dernier cadeau, que Patricius était venu près de montrer au banquet. C'était une cassette, qui semblait faite d'or et de porcelaine.

— C'est une boîte à musique, expliqua-t-il. Vous savez, ces petits mécanismes que fabriquent certains horlogers d'Uthaxe...

Le jeune prince semblait considérer comme des merveilles ces jouets qui étaient courants dans le monde de Ludovic.

— Les sorciers, poursuivait-il, peuvent y inscrire des formules magiques qu'ils ont transposées en accords musicaux. Dans celle-ci, Méricius a enfermé le charme qui donne accès à votre monde. Vous n'aurez qu'à ouvrir cette boîte, dans une chambre close, et la musique vous transportera, avec quiconque l'entendra en votre compagnie. Vous serez absent seulement les quelques minutes que durera l'air, mais votre séjour là-bas sera de quelques heures, à ce que j'ai compris.

Ludovic et Lauriane se regardèrent, la joie dans leurs yeux. Le poète avait beaucoup parlé de son monde, ne faisant qu'accroître la fascination de Lauriane. Car c'était cela qui l'avait attirée vers Ludovic, cette différence qu'elle voyait en lui, l'étranger, cet univers dont il apportait sans le savoir des bribes, des couleurs, des parfums, des sons, perceptibles seulement à ceux qui voient la flamme de vie.

— Et vous, Fabrice, vous avez ouvert la boîte à musique ?

— J'ai été tenté mais... je préfère mon monde à moi. C'est là que se trouve mon royaume. Et puis je me méfie de toute magie, surtout celle de m... de Méricius. Elle ne m'a jamais apporté que des malheurs.

— Nous aurons pour voisin, dit Lauriane, un roi fort sage, je crois.

* * *

À Chandeleur, monsieur Dubuque, orfèvre et bijoutier, reçut la visite d'un couple singulier. La femme, surtout, était remarquable : courte et frêle, mais admirablement proportionnée, avec dans la démarche une grâce toute royale. Sa beauté était saisissante, même derrière la voilette qu'elle ne leva pas un instant. Son regard, qui évitait de croiser celui d'autrui, était troublant : deux flammes vertes dont on avait peine à détacher son attention.

Le jeune homme, blond, cheveux longs, n'était pas inconnu du bijoutier : dans une petite ville comme Chandeleur, on finit par avoir vu tout le monde. Celui-là n'était-il pas le fils de l'ancien directeur du collège, monsieur Bertin ?

— Madame a besoin, commença le jeune homme, de réaliser un patrimoine de famille.

Dans les mains gantées de la dame parut un petit cylindre en bois finement sculpté, dont elle dévissa le bout. Cinq diamants, superbes quoiqu'un peu grossièrement taillés, roulèrent dans la paume de sa main.

— Pouvez-vous nous les acheter ? demanda le jeune homme.

Monsieur Dubuque fut sans voix durant un bon moment, puis il trouva sa loupe.

— Vous permettez ?

Il saisit un diamant entre ses doigts, l'examina longuement. Puis un autre, et un autre encore. Au dernier, il commença à parler :

— Ils sont d'une grande valeur. Par leur grosseur, surtout. Mais vous comprendrez que je n'ai pas ici la somme qu'il faudrait.

— Un acompte suffira, et un billet pour le solde. Notre homme d'affaire verrait à l'encaisser le moment venu. Mais quelle somme nous offrez-vous ?

Le commerçant énonça un chiffre. Ludovic fronça les sourcils. Lauriane devina son désaccord ; elle leva les yeux vers le bijoutier, l'emprisonna dans son regard de glace ardente.

— Il y a malentendu, sûrement, dit-elle sans hausser le ton.

Le commerçant pâlit, puis devint cramoisi comme un garnement pris en faute. Il se reprit :

— Que dis-je ? La langue m'a fourché. Le chiffre que j'avais en tête...

Et il offrit le double, ce qui, malgré le peu d'expérience de Ludovic en la matière, lui ménageait sûrement un profit encore appréciable.

— C'est aussi le chiffre que nous avions en tête, répondit le jeune homme.

Et Lauriane ne délivra le bijoutier de son regard que lorsqu'il eut signé le billet et compté l'avance.

* * *

Maître Lelièvre, notaire à Chandeleur, fut très surpris de la visite de Ludovic.

— Monsieur Bertin ! s'exclama-t-il. Où étiez-vous disparu ?

— J'ai passé l'hiver en voyage. Une décision assez rapide.

— Brusque, même ! Vous auriez dû...

Alors seulement, le notaire remarqua le visage de la dame qui accompagnait Ludovic. Il resta saisi par sa beauté.

C'est Ludovic qui le tira de son émoi :

— J'entends, maître Lelièvre, vous confier la gestion de mon manoir et du domaine, car je pars à l'étranger pour quelques années. Et même plusieurs, ajouta-t-il après réflexion. J'entends bien que le manoir ne soit pas vendu, même si mon absence se prolonge.

— Vous partez...

— Il suffira, coupa Ludovic, de tout entretenir comme si je devais rentrer le mois prochain, car je n'ai pas fixé la date de mon retour.

— Mais cela coûtera.

— Voici qui couvrira vos honoraires, je crois, pour le reste du siècle, si Dieu vous prête vie. Et le billet que voici, de la main du bijoutier Dubuque... ma foi, les intérêts de cette somme devraient suffire aux travaux d'entretien.

Maître Lelièvre tomba assis en voyant le chiffre du billet.

— Vous vérifierez bien sûr la régularité de ma transaction avec monsieur Dubuque. Quant à votre honnêteté pour la gestion de ce capital, elle est pour moi au-dessus de tout soupçon.

Maître Lelièvre, et son père avant lui, avaient été les notaires de Philippe Bertin. Ludovic ne voyait personne de plus fiable. Mais à tout hasard il avait demandé à Lauriane...

Le regard vert, de flamme et de glace, se posa sur le notaire. Il pâlit lui aussi, sa pomme d'Adam monta et descendit, mais il ne rougit point.

— Oui, murmura la dame, votre honnêteté est au-dessus de tout soupçon.

Une heure plus tard, Ludovic et sa compagne sortirent de chez le notaire. Avant même d'avoir atteint la rue, ils disparurent; heureusement, personne ne vit cela.

Le dernier arpège de la boîte à musique s'égrena, notes limpides et magiques, dans une chambre du palais de Lauriane. Se tenant par la main, la reine et son chevalier se matérialisèrent, dans les costumes qu'ils avaient portés en visite chez le notaire. Ils se sourirent.

— Et voilà, murmura Ludovic. Notre pied-à-terre est assuré pour au moins cent ans. Quand vous voudrez, n'importe quand, nous irons nous promener là-bas.

* * *

Si vous allez marcher dans les bois au sud de Chandeleur, si par hasard vous apercevez au loin un prince de légende, une dame aux yeux couleur de printemps, ne troublez pas leur instant de paisible bonheur. Mais contemplez-les, longuement: peut-être restera-t-il, au fond de vos yeux, un peu de la lumière de leur monde enchanté.

Lexique

Abaldurth : Première des Puissances du Mal.

Alfir : Ermite vivant à la lisière nord de la forêt de Chuvigor.

Arhapal : Épée fabuleuse, indestructible, ayant appartenu au roi Garthbar dans le monde d'Uthaxe. Par la magie qui superpose parfois les deux univers, Arhapal a aussi séjourné des millénaires dans notre monde à nous.

Blau : Une des lunes de ce monde, elle apparaît bleutée.

Byrau : Petite ville de Sumagne orientale, dans la lande de Chuvigor.

Byriath : Fort de Sumagne orientale, près de la forêt de Chuvigor.

Chuvigor : Nom d'une forêt partagée entre Troïgomor et la Sumagne. La lande au sud et à l'ouest de cette forêt porte le même nom.

Cormélion : Château du comte Hasufald de Vervallon.

Déïmil : Une des lunes blanches de ce monde. Les sorciers nomment « Saburgye » les rares nuits où Déïmil et sa jumelle Réïgil sont pleines en même temps et proches l'une de l'autre.

Doribourg : Capitale du royaume d'Uthaxe ; grand port de mer.

Draïkar (le Chevalier pourpre) : Vassal du prince Drogomir, maréchal de sa cavalerie.

Drogomir : Souverain de Troïgomor, sorcier redoutable, surnommé « le Nécromant » et « le Prince noir ».

Drorimius (duc) : Régent du royaume de Sumagne, père de Patricius et oncle du prince Fabrice.

Dydald : Ancien noble d'Uthaxe, de sang royal, conjoint d'une dryade de la Ghaste Forêt.

Ériane : Cheftaine des archers d'Ithuriën.

Esthuriën : Région est de la Ghaste Forêt, peuplée de sylvains et de dryades.

Farfahriën : Région d'étangs, dans le nord-est de la Ghaste Forêt, pays des farfadets et des farfadames.

Féliuriën (Ile aux Fées) : Ilot dans le cours du Sinduriën, au cœur de la Ghaste Forêt. Le palais de la reine Lauriane s'y trouve.

Fréald : Roi d'Uthaxe, deuxième du nom.

Garovia : Rivière au nord-ouest de la Ghaste Forêt, affluent du Sinduriën.

Garovingiens : Nation guerrière occupant la région de la Garovia.

Garthbar : Roi légendaire de la Sumagne et de l'Uthaxe réunis, arrière-arrière-grand père du roi Fréald et du prince Fabrice.

Gwifur : Dragon, gardien du pont de l'Osmériath.

Haguriën : Région de l'Ithuriën, en forme de péninsule, entourée par un méandre du Sinduriën.

Hasufald : Comte de Vervallon, père de Ligélia, vassal du roi Fréald.

Ithuriën : Région ouest de la Ghaste Forêt, peuplée de sylvains et de dryades.

Karpiath : Château fort à la frontière de Sumagne et de Troïgomor, sur les contreforts des monts Osmégomor.

Lauriane : Reine des dryades, des sylvains, et de tous les peuples de la Ghaste Forêt.

Ligélia : Fille du comte Hasufald de Vervallon, fiancée du roi Fréald.

Lorelan : Sylvain d'Ithuriën, devenu ami de Ludovic.

Lysius : Comte de Tanerau, un des meneurs de la résistance à l'occupation troïgomoise en Sumagne orientale.

Mendaluÿn : Duché allié au royaume d'Uthaxe et aux peuples de la Ghaste Forêt.

Méricius : Magicien, rival de Drogomir le Nécromant.

Noriane (princesse) : Sœur de la reine Lauriane, cheftaine de l'armée d'Ithuriën.

Orthériam (la Gemme des Dieux) : Dodécaèdre (objet à douze faces) de cristal, indestructible, servant aux sorciers à évoquer dieux et démons.

Oskith : Gouffre réputé sans fond, dominé par le mont Osmériath.

Osmériath : Un des monts Osmégomor ; la forteresse Askiriath y est construite.

Panuriën : Région partiellement boisée à l'est de la Ghaste Forêt, pays des faunes.

Les Phrases de l'Oracle : Livre très ancien, la Bible des sorciers. Comme d'autres objets magiques, il lui est arrivé de passer d'un univers à l'autre.

Phylius : Fils du comte Lysius de Tanerau.

Rassalhag : Petite forêt de Troïgomor, au nord de la Ghaste Forêt, séparée d'elle par une vallée. Pays des gnomes et des gnomandres.

Rassalhiën : Région au centre de la Ghaste Forêt, occupée par les gnomes venus de Rassalhag.

Réïgil : Une des lunes blanches de ce monde, jumelle de Déïmil.

Saint-Corustin : Abbaye en Uthaxe, où sont déposées la dépouille et les reliques du roi Garthbar.

Samarkol : Capitale de l'Empire sarse, rivale politique et commerciale de Doribourg.

Sarse (Empire) : Puissance rivale de l'Uthaxe et de la Sumagne.

Shaddaÿe (la Bourrasque) : Licorne donnée à Ludovic par les gens de Cormélion.

Silvaran : Nom d'une pierre de sylve, joyau fabuleux donné à Ludovic par la reine Lauriane.

Sinduriën : Grand fleuve qui prend sa source en Sumagne, dans les Osmégomor, traverse la Ghaste Forêt et se jette dans la mer à l'est de l'Uthaxe.

Sorovia : Capitale du royaume de Sumagne.

Tarau : Petite ville de Sumagne orientale.

Thoriÿn : Magicien résidant au château de Cormélion, apparenté au peuple de Farfahriën.

Triga : Château, résidence du prince Drogomir, dans l'est de la forêt de Chuvigor.

Valente : Petite ville dans l'ouest du royaume d'Uthaxe.

Vervallon : Un des comtés du royaume d'Uthaxe.

ÉCHOS
une collection à trois niveaux

Spécialement pensée pour vous adolescents, la collection ÉCHOS vous propose trois niveaux de lecture, aux difficultés variables, spécialement adaptés à vos goûts et à vos préoccupations.

- • **Niveau I :** 12 ans et plus
- •• **Niveau II :** 14 ans et plus
- ••• **Niveau III :** pour les jeunes (et moins jeunes) adultes

(Ces références sont données à titre indicatif, le niveau de lecture variant sensiblement d'un lecteur à l'autre.)

La collection ÉCHOS met en évidence tout le talent et le dynamisme des écrivains de chez nous. Elle propose plusieurs genres et plusieurs formes afin que chaque lecteur puisse y trouver de quoi combler ses préférences : romans, contes, nouvelles, science-fiction, aventures, histoire, humour, horreur, mystère… au choix de chacun !

Reflet de notre époque, la collection ÉCHOS espère être le prétexte à un partage privilégié entre différentes générations.

COLLECTION ÉCHOS

Niveau I (12 ans et plus)

Un été en ville par Odette Bourdon
La chasse aux vampires par André Lebugle
Drôle de Moineau par Marie-Andrée Boucher Mativat,
(prix Desjardins 1992)

Niveau II (14 ans et plus)

L'empire chagrin par Camille Bouchard
Pleine crise par Claudine Farcy
Le paradis perdu par Jean-Pierre Guillet
Le Gratte-mots par Marie Page
Le cercle de Khaleb par Daniel Sernine, (prix Logidec 1992)
Ludovic par Daniel Sernine
Elisabeth tombée au monde par Marie-Andrée Warnant-Côté

Niveau III (jeunes adultes)

L'Atlantidien par Pierre Chatillon
Ailleurs plutôt que demain par Laurent Lachance
Colomb d'outre-tombe par Michel Savage